Frumentius Renner (Hg.)

Die Denkwürdigkeiten
der Äbtissin Caritas Pirckheimer

Frumentius Renner (Hg.)

Die Denkwürdigkeiten
der Äbtissin Caritas Pirckheimer

EOS VERLAG ERZABTEI ST. OTTILIEN

CIP-Kurztitelaufnahme der Deutschen Bibliothek

Pirckheimer, Caritas:
Die Denkwürdigkeiten der Äbtissin Caritas Pirckheimer /
Frumentius Renner (Hg.). —
S[ank]t Ottilien : EOS-Verlag, 1982
    ISBN 3-88096-182-4
    NE: Renner, Frumentius [Hrsg.]

© EOS Verlag Erzabtei St.Ottilien, 1982
Gesamtherstellung: EOS Druck, 8917 St.Ottilien
Titelbild: Caritas Pirckheimer-Statue beim Engl. Institut in Nürnberg; Photo:
Peter Krause, Nürnberg.

Vorwort

Wenn im kommenden Sommer des 450. Todestages des Äbtissin Caritas Pirckheimer vom St. Klarakloster zu Nürnberg in besonderer Weise gedacht wird, dann sollte wenigstens ein Teil ihrer schriftlichen Hinterlassenschaft zugänglich sein. Darauf hat Prof. Hans Pörnbacher/Nimwegen mit Nachdruck hingewiesen. Ihm verdanken wir Anregung und Impuls zu dieser Ausgabe. Wenn die Denkwürdigkeiten der Äbtissin auch nur eine Chronik darstellen, die sich über ganz wenige Jahre erstreckt, so sind sie doch eines der bedeutendsten zeitgenössischen Werke. Sie lassen uns nämlich den gigantischen Kampf miterleben aus den Jahren, als in Nürnberg die Reformation durchgeführt wurde. Dabei offenbarte die hochgebildete, fromme Äbtissin einen seltenen Scharfblick, Konsequenz und Energie. Zwar mußte die Nonne mit ihrem Konvent, der in bewundernswerter Einmütigkeit hinter ihr stand, äußerlich gegenüber dem Rat von Nürnberg unterliegen. Aber ihre geistige Überlegenheit muß jedem Achtung abringen, der in ihrer Chronik das Geschehen verfolgen kann. Tief von ihrer Ehrlichkeit und echten Religiosität beeindruckt, hat sich sogar ein Melanchthon schützend vor sie und ihr Kloster gestellt. So kam es, daß das Kloster St. Klara nicht sofort aufgehoben, sondern zum Aussterben verurteilt wurde und erst kurz vor dem 16. Jahrhundert, genau im Jahr 1591, erloschen ist.

P. Georg Deichstetter/Nürnberg hat freundlicherweise ein Lebensbild der Äbtissin für diese Ausgabe bereitgestellt. Als Superior der Nürnberger Jesuitenniederlassung hat er 1959 dank seiner exakten topographischen Studien die verschollene Grablege der großen Äbtissin entdeckt und auch die Wege geebnet für die Exhumierung ihrer Gebeine. Ihm gebührt hier für wertvolle Hinweise — ebenso wie H. Prof. Pörnbacher — ein spezieller Dank.

Die »Denkwürdigkeiten« würden eine Festausgabe verdienen. Anstatt dessen kann hier nur ein anspruchsloser photomechanischer Nachdruck der Ausgabe von Dr. Josef Pfanner (Landshut 1962) vorgelegt werden. Mit Rücksicht auf ein größeres Leserpublikum wurden allerdings Umstellungen vorgenommen und die textgeschichtlichen samt den textkritischen Vorerörterungen an den Schluß des Buches gestellt. Die Kapiteleinteilung Pfanners wurde beibehalten, jedoch für mehr oder weniger zusammenhängende Kapitelgruppen eigene Überschriften beigegeben. Selbst der in alten Texten wenig geübte Leser wird sich schon bald in den uns hier entgegenwehenden Geist und die altertümliche Sprache des Nürnberger Raums im 16. Jahrhundert einlesen und die originale Kraft dieser so grundehrlichen Darstellung nachempfinden.

V

Ergänzend zu den Denkwürdigkeiten müßte wohl noch eine Auswahl der Briefe der großen Frau von Nürnberg folgen, um die ganze Weite und Tiefe ihres Geistes aufscheinen zu lassen. Auch ihre, in elegantem Latein geschriebene, Korrespondenz mit den Humanisten, in denen sie den gelehrten Herrn auf feine frauliche Art entgegnet, verdiente wieder ans Licht gezogen zu werden. Doch dies würde den Rahmen dieser Arbeit sprengen und müßte als eigenes Thema für einen besonderen Leserkreis der Öffentlichkeit vorgestellt werden. Nicht vergessen werden darf auch ihr reizvolles Gebetbüchlein, von dem P. Georg Deichstetter 1958 einen Teil herausgebracht hat.

Caritas Pirckheimer war eine Persönlichkeit von einer ungeheuren Strahlkraft. Weithin bekannt und verehrt, galt sie gewissermaßen als Maß und Norm weiter Kreise. Möge ihr Geist auch in dieser Ausgabe ihrer Denkwürdigkeiten lebendig werden!

Sankt Ottilien, Ostern 1982   Der Herausgeber

Kurzbiographie der
Äbtissin Caritas Pirckheimer

Wer war Caritas Pirckheimer, daß ihre »Denkwürdigkeiten« hier in der Originalsprache vorgelegt werden, und daß man ihrer nach 450 Jahren noch gedenkt und im Sommer 1982 eine Ausstellung auf der Kaiserburg zu Nürnberg eröffnet? Wer war jene Frau, von der der bekannte evangelische Theologieprofessor Walther von Loewenich in einem Vortrag über Caritas Pirckheimer sagte: »Aus allem ergibt sich das Bild einer liebenswürdigen, gerechten und für ihre Zeit ungewöhnlich geistig-hochstehenden Frau ... Eine wichtige Quelle für diese Geschehnisse sind die ,Denkwürdigkeiten'.« Diese haben ihre eigene Geschichte.

Zunächst waren diese Denkwürdigkeiten eine Klosterchronik der Klarissen in Nürnberg. Dann aber sind sie vor allem eine Art Weißbuch für jene Zeit. Sie berichten von den Geschehnissen von 1524—1528. Da das Kloster der Klarissen zum Aussterben verurteilt war, brachte man diese Klosterchronik um 1590 in das Klarissenkloster nach Bamberg. Als bei der Säkularisation auch dieses Kloster aufgehoben wurde, kamen die »Denkwürdigkeiten« in das Stadtarchiv Bamberg, wo sie fast dreihundert Jahre lang in Vergessenheit geraten waren, bis Dr. Konstantin Höfner, der Direktor des Stadtarchivs Bamberg, sie 1852 fand und herausgab. 1881 kamen sie in das jetzige Staatsarchiv Nürnberg. Dr. Josef Pfanner hat sie 1962 textkritisch bearbeitet und im Solanusverlag Landshut herausgegeben.

Die »Denkwürdigkeiten« beginnen mit dem Advent 1524. Darin wird zunächst die allgemeine Angst und Unsicherheit geschildert: »Seit langem ist für die Zeit, da man das Jahr des Herrn 1524 zählt, prognostiziert worden, es werde eine große Sintflut kommen, durch die alles, was auf Erden ist, umgekehrt werde. Und wie wohl dies im allgemeinen als eine Wassersintflut verstanden wurde, hat es sich in der Erfahrung erwiesen, daß die Gestirne nicht so sehr Wasser angezeigt haben, als viele Trübsal, Angst und Not und nachfolgendes großes Blutvergießen. Denn in diesem Jahr hat es sich begeben, daß durch die neue Lehre Luthers gar vieles verändert worden ist (D 1)[1].« Es ist die Zeit, in der Albrecht Dürer eines Nachts seine grauenvolle Vision über die hereinbrechende Katastrophe hatte und die er noch in derselben Nacht malte.

Als diese Zeit hereinbrach, war Caritas Pirckheimer bereits 57 Jahre alt und über zwanzig Jahre Äbtissin des Konvents der Klarissen, der damals sechzig Schwestern zählte.

Caritas Pirckheimer ist am 21. März 1467 in Eichstätt als Tochter des Patriziers Dr. Hans Pirckheimer geboren. Um Caritas Pirckheimer recht zu verstehen, darf man nie vergessen, daß sie die Tochter eines hochangesehenen, selbstbewußten, vornehmen Nürnberger Patriziergeschlechtes war. Sie war das erste von zwölf Kindern und wurde auf den Namen Barbara getauft. Das zweite Kind, der einzige Sohn, war Willibald. Zwei Kinder starben schon sehr früh. Von den acht Geschwistern gingen — bis auf Juliane, die den Nürnberger Ratsherrn Martin Geuder heiratete — alle ins Kloster. Der Vater war Doktor der Rechte und stand im Dienst des Erzbischofs von Eichstätt; später trat er in den Dienst von Herzog Albrecht IV. von Bayern. Nach dem Tode seiner Frau zog er wieder nach Nürnberg; dort trat er später in den Franziskanerorden ein. Der Vater hatte der kleinen Barbara und dem Willibald schon sehr früh Lateinunterricht gegeben. Mit zwölf Jahren brachte er Barbara zur Erziehung in das damals hochberühmte Kloster St. Klara zu Nürnberg. Aus der Kinderzeit wissen wir nichts, außer — und das ist charakteristisch für sie —, daß sie, obwohl sie noch nicht das Alter für einen Ordenseintritt hatte, den Franziskanerprovinzial bat, ihr doch dazu die Erlaubnis zu geben. (Wir denken an die kleine Theresia von Lisieux, die mit fünfzehn Jahren Papst Leo XIII. vergeblich um Aufnahme in den Karmelorden bat.) Der Visitator war aufs höchste verwundert, wie gut die kleine Barbara Latein verstand und sprechen konnte. Als Barbara sechzehn Jahre alt war, erteilte man ihr die Aufnahme in den Klarissenorden. Sie erhielt als neuen Namen »Caritas«, Liebe. Liebe ist fortan das Leitmotiv für ihr ganzes Leben. Daran prüft sie ihr Leben und gesteht immer wieder in Demut, sie trage mit Unrecht diesen Namen. Dem berühmten Dichter Konrad Celtis schreibt sie: »Nun muß ich noch etwas über die Berechtigung zum Namen Caritas sagen. Ich trage ihn — um die Wahrheit zu sagen — nur dem Namen nach, nicht in Wirklichkeit. Johannes Gerson, der Doktor von Paris, bezeugt ja, daß die mystische Theologie nichts anderes ist als die Kunst der Liebe oder der Caritas, Gott in der Wissenschaft zu lieben. Wissenschaft ohne Liebe aber ist ja eher zu verdammen als zu preisen.«

Nach dem Noviziat wurde Caritas Pirckheimer Leiterin des Mädchenlyzeums des Klosters. Dabei kam ihr ihre vielseitige Begabung und Fähigkeit sehr zustatten. Ihr Bruder Willibald, der Humanist, war ihr vorzüglicher Lehrer und Berater. Der Rat der Stadt, der großen Einfluß auf die Geschehnisse des Klosters hatte, verordnete, daß nur Töchter von Patriziern diese Schule besuchen durften. In diese erste Zeit ihres Klosterlebens fällt die Verbindung mit den Humanisten ihrer Zeit. Das waren Gelehrte, die vor allem die Herausgabe und Übersetzung der alten griechischen und lateinischen Schriften besorgten, aber leider vielfach von dem heidnischen Geiste so ergriffen waren, daß sie die Wahrheiten des Glaubens vernachlässigten. Was damals ganz ungewöhnlich war: Humanisten widmeten einer Frau, der Caritas Pirckheimer, ihre Werke. Konrad Celtis, der vom Kaiser gekrönte Dichter, schreibt sogar als Widmung eine eigene Ode auf Caritas Pirckheimer:

> »Jungfrau, wohlgeübt in der Römer Sprache,
> aller Frauen seltener Stern und Kron' ...
> seltene Zier bist Du in deutschen Gauen ...«

Erasmus von Rotterdam sagt von Caritas Pirckheimer: »England hat seine Morien, Deutschland seine Pirckheimerin.«

Als Caritas Pirckheimer Äbtissin wurde, hörte diese Verbindung mit den Gelehrten nicht auf. Christoph Scheurl, ein berühmter Ratsherr und vorher Professor der Theologie in Wittenberg, schreibt: Es sei Sitte geworden, daß jeder, der hohen Geistes oder besonderen Ansehens war, die Äbtissin von St. Klaren aufsuchte, ihre Gelehrsamkeit, ihre Humanität, Beredtsamkeit, Weisheit und Lauterkeit verehrte, »denn diese bedeutende Frau ist in Wahrheit eine Zierde, ein Ruhm ihres Geschlechtes«.

Aber diese Hochachtung, die der Gelehrte ihr zollte, machte Caritas Pirckheimer in keiner Weise stolz oder hochmütig und entfernte sie in keiner Weise vom Geist des Ordens. Immer wieder wies sie in ihren Gesprächen und in ihren Briefen diese bedeutenden Männer ihrer Zeit hin auf die wahren, ewigen Werte des Glaubens. Ergreifend ist ein Brief an den recht weltlich gesinnten Konrad Celtis. Nachdem sie ihn eingeladen hatte, die Heilige Schrift fleißig zu lesen, fährt sie fort: »Jetzt, o Teuerster, arbeitet, soviel Ihr arbeiten könnt! Denn Ihr wißt nicht, ob Ihr einen Morgen habt. Also dieweil es noch Zeit ist, müßt Ihr Euch unsterbliche Reichtümer sammeln. Denn hienieden haben wir keine bleibende Stätte, sondern wir suchen die zukünftige. Nicht ist uns geoffenbart, wann wir von hinnen scheiden müssen, aus diesem Haus von Erde, nackt und nichts mit uns nehmend als unsere Tugenden und unsere Sünden, für die wir in der strengen Prüfung des gerechten Richters, der von uns keine Worte, sondern Taten will, Belohnung oder Strafe empfangen werden.«

Neben der Begegnung mit den Humanisten war es die Freundschaft mit dem Propst von St. Lorenz, Sixtus Tucher, die ihr Leben prägte. Es sind uns eine Reihe von Briefen erhalten, die der Propst an Caritas Pirckheimer geschrieben hat. Dreißig solcher Briefe ließ der Neffe von Sixtus Tucher nach dessen Tod im Jahre 1507 in Nürnberg 1515 in Druck erscheinen. Der Propst suchte Caritas Pirckheimer vor allem in ihrem religiösen Leben zu fördern. Es war eine echte Verbundenheit gegenseitiger Fürbitte: »Du hast Dich zum kommenden Fest (= Christi Himmelfahrt) in mein Gebet empfohlen, das ich Dir, obwohl kalt und dürr, nicht versagen kann. Doch ist mir Dein und Deiner lobwürdigen Gemeinschaft Gebet viel wertvoller. Deshalb bitte ich Euch abermals, mich dessen teilhaftig zu machen ... « (Zwölfte Epistel).

An Weihnachten 1503 wurde Caritas Pirckheimer einstimmig zur Äbtissin gewählt. Nun widmete sie sich ganz ihren Schwestern. Sixtus Tucher hat sie einmal treffend beschrieben in einem seiner Briefe. Dort lesen wir: »Ich wünsche, daß Du gesund seiest an Seele und Leib, allerliebste Schwester, die Du mir wahrhaft lieb bist und dies umso mehr, als ich erkenne, daß ein milder Brunnen der Liebe für Deine Schwestern aus Dir entspringt und fließt.« So konnte das Totenbüchlein des Klosters über Caritas Pirckheimer schreiben: Sie war »unsere getreue, würdige, liebe Mutter, eine Liebhaberin des göttlichen Dienstes und Handwerkerin aller geistlichen Observanz«. Schwester Felizitas schreibt ihrem Vater Grundherr, daß die würdige Mutter sie getadelt habe, weil sie den Vater um ein Orlein (Uhr) gebeten habe. Sie habe gesagt, sie schäme sich, daß Felizitas ihren Vater mit solcher Spielerei aufhalte, er habe wohl anderes zu tun. Und dann fügt die Schwester bei: »Sie (die Äbtissin) ist sonst durch die Gnade Gottes nicht streng. Ich habe eine getreue, freundliche, liebe Würdige Mutter an ihr, mehr als ich sagen oder schreiben kann und wünschte niemals in meinem Leben einen Wechsel.«

Aus der Zeit der Ruhe vor dem Sturm ist uns auch ein Brief erhalten, den sie dem Klosterpfleger, dem Ratsschreiber Spengler und Albrecht Dürer geschrieben hat. Er fand sich im Nachlaß Albrecht Dürers.

In einem Äbtissinnen-Katalog des Klarenklosters ist ihrem Namen, dem ihrer Eltern, ihrem Tag der Geburt und des Klostereintritts folgendes beigefügt: »Eine Frau, der lateinischen Sprache sehr kundig und wohlberedt, da sie viele lateinische Briefe geschrieben hat, die noch erhalten sind, ward zur Äbtissin erwählt 1503. Sie hatte eine herrliche Bibliothecam.« Sie gesteht einmal von sich, sie habe ihr Leben lang gern und viel gelesen und gehört. Dank ihrer Sprachkenntnisse hatte sie Zugang zur Heiligen Schrift und zur Erklärung der Kirchenlehre. Durch ihre Begegnung mit den Humanisten, durch die zehn Jahre lange geistige Leitung des Sixtus Tucher war Caritas Pirckheimer für die schweren Jahre, die nach 1524 über sie und ihr Kloster hereinbrachen, gerüstet. Es ist schwer, jene Jahre des Aufbruchs gerecht zu beurteilen und nicht der Einseitigkeit zu verfallen. Zunächst sollen die Ereignisse nach den »Denkwürdigkeiten« chronologisch aufgezählt werden.

★

Schon vor dem Religionsgespräch in Nürnberg (März 1525) wollte der Rat der Stadt den Barfüßern (= Franziskanern) die Seelsorge an St. Klara entziehen. Dagegen wehrte sich die Äbtissin durch eine Bittschrift an den Rat der Stadt. Dies geschah im Advent 1524 (D 5). Vom 3. bis 14. März 1525 fand ein Religionsgespräch in Nürnberg statt mit dem Ergebnis, daß in der Stadt Nürnberg die Reformation durchgeführt und die Klöster aufgehoben werden sollten. Am 19. März 1525 kamen zwei Ratsherren in das Kloster, um den Schwestern die Botschaft zu überbringen, daß an der Stelle der Barfüßer neue Prediger kämen, um ihnen das »klare Wort Gottes und helle Evangelium« zu verkündigen und weiter, daß sie vom Rat bestellte Beichtväter erhalten sollten (D 13).

Die Äbtissin bemühte sich durch ihren Klosterpfleger Kaspar Nützel um Vermittlung beim Rat. Aber umsonst. Der Pfleger sollte vielmehr die Äbtissin von der neuen Lehre überzeugen (D 17). Mit aller Gewalt versuchten die neuen Prediger, das Klarakloster für die neue Lehre zu gewinnen. Die Äbtissin schreibt: »111 Predigten mußten wir anhören und einmal haben wir mit Herrn Osiander bis in die vierte Stunde gesprochen« (D 43). »Man hielt uns für schmählicher als die armen Frauen hinter der Mauer; denn man predigte öffentlich, wir wären ärger als sie« (D 28). »Einige hätten gesagt, sie wollten

X

nicht ruhen, bis sie die Nonnen und Mönche aus der Stadt gepredigt und aus dem Kloster ein Schießplatz gemacht werde« (D 19). »Wir haben auch, weiß Gott, am Wort Gottes kein Mißfallen; daß wir aber das viele und mannigfaltige Schmähen, Schimpfen, Lästern und Ehrabschneiden, das bei vielen Leuten als Gotteswort geachtet werden will, für Gotteswort halten, das geschieht nicht. Denn wir wissen, daß das heilige Evangelium das Gesetz der Liebe ist, das den Nächsten nicht verdammt, noch verurteilt, sondern mit aller Bescheidenheit straft« (D 43).

Die Bitte der Abtissin um einen Beichtvater nach ihrer Wahl wird abgelehnt (D 24).

Die Karwoche 1525 wurde für die Schwestern eine wahre »Marterwoche«. Der Abt von St.Egidien, Pistorius, suchte die Äbtissin zu überreden (D 27). Am Karfreitag versuchte der Klosterpfleger, die Äbtissin stundenlang zu bewegen, einen ausgetretenen Karthäuser als Beichtvater zu nehmen. »Als wir in großem Jammer und Not aus der Fastenzeit kamen, wurde es nach Ostern viel schlimmer. Denn am Freitag in der Osterwoche rief man alle Priester auf das Rathaus und verbot ihnen allen, die heilige Messe zu lesen und sagte, wie man bei den Gelehrten gefunden, daß es ein abgöttisch, gotteslästerliches Ding um die Messe sei, daher sie nicht länger zu dulden sei, besonders des Canon wegen« (D 27).

Der Rat der Stadt forderte am Himmelfahrtstagabend die Umgestaltung des Klosters und die Einführung einer neuen Regel (D 30).

Drei Schwestern wurden am Vorabend des Festes der Heiligsten Dreifaltigkeit mit Gewalt aus dem Kloster geholt. Alle diese Vorgänge sind aufs genaueste in den »Denkwürdigkeiten« beschrieben (D 34).

Der Klosterpfleger machte weitere Versuche, die Äbtissin von der neuen Lehre zu überzeugen. Er überreichte ihr nacheinander zwei Schriften von Dr.Wenzeslaus Linck, dem früheren Generalvikar der Augustiner. Auf beide antwortete die Äbtissin mit einem ausführlichen Schreiben (D 44; 45; 48; 49).

Melanchthon besuchte Ende November 1525 Caritas Pirckheimer (D 50).

Am 2.November 1527 fand eine Visitation des Klosters durch einige Ratsherren statt (D 54). Eine einzige Schwester, Anna Schwarzin, verläßt das Kloster (D 56).

Die letzten Kapitel der »Denkwürdigkeiten« (59—69) enthalten vielfach Bittbriefe der Äbtissin an den Rat der Stadt, meist um Erlaß oder Stundung des Ungeltes (Steuer). Die Schwestern sind verarmt, »ist große Not vorhanden«, und können die vom Rat dem Kloster auferlegte Steuer nicht bezahlen. Caritas Pirckheimer bittet um Erbarmen. Und das ist der letzte Satz ihrer Denkwürdigkeiten: »Der barmherzige Gott wolle Euch, dem Rat der Stadt, auch Barmherzigkeit beweisen, getreu wollen wir um seine Gnade bitten« (D 69).

Die »Denkwürdigkeiten« bilden eine wesentliche Hilfe, die damalige Zeit zu deuten. Es beweist die Größe dieser Frau, daß sie die Bedeutung dieser Jahre

erkannt hat und bei ihrem außerordentlich guten Gedächtnis alles niederge-
schrieben bzw. einer Schwester diktiert hat.

An der geschichtlichen Glaubwürdigkeit hat noch niemand gezweifelt. Die
Reformation in Nürnberg hatte zunächst und vor allem die Reform des Kir-
chenwesens zum Ziel. Wir können uns nur schwer in diese Zeit hineindenken,
mit welcher Faszination und welcher Begeisterung die neue Lehre, wie man
sagte, aufgenommen wurde. Selbst ein Willibald Pirckheimer, ihr Bruder, und
Albrecht Dürer haben sich am Anfang ihr angeschlossen. Freilich nur am An-
fang. Wir haben einen Brief des Willibald Pirckheimer:

»Ich bekenne, daß ich anfänglich auch gut lutherisch gewesen bin, wie auch
unser Albrecht (= Dürer) seliger. Denn wir hofften, die römische Büberei,
desgleichen der Mönche und Pfaffen Feigheit sollte gebessert werden; aber so
man zusieht, hat sich die Sache also verschlimmert, daß die evangelischen Bu-
ben jene Buben fromm erscheinen lassen. Ich kann wohl denken, daß Euch
solches fremd zu hören ist; wenn Ihr aber um uns wäret und sähet das Schänd-
liche und Böse und sträfliche Wesen, so die Pfaffen und ausgelaufenen Mön-
che treiben, würdet Ihr Euch zum Höchsten verwundern.«

Wie weit in Nürnberg tatsächlich eine solche Reform notwendig gewesen
war, läßt sich nur schwer sagen. Tatsache ist, daß die Klöster, mit Ausnahme
der Barfüßer, sich bald der neuen Lehre anschlossen, das Kloster verließen
und dem Rat der Stadt ihr Besitztum übergaben.

Da man den Barfüßern verboten hatte, die Seelsorge an St. Klara zu über-
nehmen, hatten die Klarissen von dieser Zeit an weder eine heilige Messe noch
Beichtgelegenheit, noch hörten sie Predigten des alten Glaubens. Manche neu-
en Prediger, die der Rat der Stadt nach Nürnberg geholt hatten, kannten keine
Grenzen in ihren Forderungen und Beschimpfungen; vor allem bemühte man
sich, das Klosterleben schlecht zu machen. Nach einem Gespräch mit dem
Klosterpfleger berichtet die Äbtissin: »Er bat mich aufs höchste, ich sollte den
rechten Weg beschreiten, damit täte ich ihm und dem Rat den größten Gefal-
len. Denn sie hätten mich so lieb und seien mir so wohl gesinnt. Wenn sie mich
auf ihrem Standpunkt hätten, hätten sie die ganze Landschaft. Alle, die bei mir
Rat suchten, mögen sagen, wie die Frauen von St. Klaren, so würden auch wir
uns verhalten« (D 17). Caritas Pirckheimer hörte sich die Predigten an und
sprach mit dem Klosterpfleger oder anderen Vertretern der Stadt darüber.
Walther von Loewenich sagt, die Argumente, die die Äbtissin damals vor-
brachte, seien Fragen der Ökumene von heute. Caritas Pirckheimer hatte ganz
einfache Grundsätze, nach denen sie die Worte und Taten der Prediger beur-
teilte. Zunächst sagte sie, darf die Liebe nicht verletzt werden. Lieblosigkeit
widerspricht dem Geist des Evangeliums Jesu Christi; dort ist nicht das helle,
klare Evangelium, das man predigt. Zweitens: Die Freiheit des Gewissens darf
nie angetastet werden. Dem Benediktiner-Abt von St. Egidien sagt sie: »Wir
hätten nicht gelobt, den Leuten und den Dingen zu folgen, die gegen unser Ge-
wissen und den Glauben sind. Wir haben miteinander beschlossen, daß wir

XII

uns durch niemand abbringen lassen von der Einheit der christlichen Kirche und unseres Ordens« (D 27).

Drittens: In der Kirche sah sie das Fundament der Wahrheit: »Wir hätten uns entschlossen bei dem alten christlichen Glauben zu bleiben, bis ein Konzil stattfindet oder Gott selbst wieder der Christenheit Einigkeit verleiht. Was alsdann die allgemeine, christliche Kirche annehme, dem wollten auch wir uns nicht widersetzen« (D 53). Caritas Pirckheimer begründet einmal ihre Haltung mit den Worten: »Ich sehe, daß jetzt den allergrößten Gelehrten die Vernunft zerrinnt, nicht nur den päpstlichen, sondern auch denen, die sich evangelisch nennen« (Kr 170)². Ihr Glaube, daß die eine, christliche, allgemeine Kirche die Grundfeste der geoffenbarten Wahrheit ist, ist unerschütterlich und unerbittlich. Weil die Kirche die Orden bestätigt hat, deshalb verteidigt sie ihre Berechtigung gegen alle Einwände der neuen Prediger. Sie tröstet sich mit dem Gedanken, daß die Wahrheit zur rechten Zeit wohl ans Licht kommen werde (D 43).

In dieser Haltung wird sie energisch. In der Antwort auf die erste Unterweisung des Dr. Wenzeslaus Linck schreibt sie dem Klosterpfleger, Kaspar Nützel: »Aber, weiser, lieber Herr, von keinem Menschen auf Erden, er sei, wer er wolle, werde ich mir verbieten lassen, was mir der eingeborene Sohn Gottes nicht nur erlaubt, sondern auch verheißen hat.« Es ging um die Erlaubtheit des Klosterlebens. Dann führt sie einen sehr drastischen Grund an: »Du ewiger Gott, man duldet doch die Schandhäuser (Bordelle), wie wohl wir hören müssen, wir seien ärger als diese Leute. Wir sind leider schlecht genug. Gott bessere uns mit seiner Gnade« (Kr 171).

In der zweiten Unterweisung sagte Wenzeslaus Linck, sie sollten an ihm ein Beispiel nehmen. Darauf antwortet sie wiederum dem Klosterpfleger: »Verzeiht mir! Der gute Herr meint, wir sollten uns an ihm ein Beispiel nehmen. Sollte ich ihm nachfolgen, müßte ich auch einen Mann nehmen, so könnte ich vielleicht keinen finden, weil ich alt und häßlich bin. Was müßte ich denn tun? Sollte ich Euere Weisheit angehen, daß er mir einen gibt. Da hätte er viel damit zu schaffen. Christus soll unser Beispiel sein, nicht ein sterblicher Mensch. Er gab uns seine Gnade, daß wir recht und nicht unrecht handeln« (D 49).

Ein Trostmittel in der Bedrängnis jener Tage war für Caritas Pirckheimer der Besuch des Philipp Melanchthon, des engsten Mitarbeiters von Martin Luther. Von ihm schreibt sie: »Daß Herr Philippus hierher kommt, höre ich gern, denn ich habe schon längst von ihm gehört, daß er ein frommer, redlicher, aufrechter Mann sei und ein Liebhaber der Gerechtigkeit. Ich glaube nicht, daß ihm all diese Dinge gefallen werden, vor allem, daß man die Leute mit Gewalt zum Glauben nötigen und zu Dingen, die wider ihren Glauben sind. Gott gebe ihm und uns allen seinen Heiligen Geist!« (D 43).

Ende November 1525 besuchte Melanchthon die Äbtissin. Lange redeten sie miteinander, der 29jährige und die 59jährige. Über diese Begebenheit schreibt sie in ihren Denkwürdigkeiten (D 50): »Einige Tage nachher kam der Pfleger mit Herrn Philippus in das Beichthaus. Er sagte vieles über die neue Lehre. Aber als er hörte, daß wir unsere Hoffnung auf die Gnade Gottes und nicht auf die eigenen Werke setzten, sagte er: Wir könnten ebensowohl im Kloster selig werden als in der Welt, wenn wir nur nicht allein auf unsere Gelübde vertrauten. *Wir stimmten auf beiden Seiten in allen Punkten überein,* nur der Gelübde wegen konnten wir uns nicht einigen. Und er schied in guter Freundschaft von uns.« Dann sagte die Äbtissin: »Wollte Gott, es wäre jeder von solcher Bescheidenheit wie Herr Philippus, dann könnten wir hoffen, daß vieles unterblieben sei, was nicht zum Besten gewesen ist« (D 52).

Melanchthon erreichte, daß der Rat der Stadt das Kloster in Ruhe ließ. Aber leider durften sie keine Schwestern mehr aufnehmen, und so waren sie zum Aussterben verurteilt. Noch einmal, am Allerseelentag 1527, versuchten Ratsherren, die Äbtissin und ihre Schwestern für die neue Lehre zu gewinnen. Aber umsonst. Es war zwar ruhiger geworden im St. Klarakloster, aber sie lebten in bitterer Armut, leiblicher und geistlicher Armut. Sie führten jedoch ein tief religiöses Leben im Frieden und in der Freude des Heiligen Geistes, um den sie in den Tagen des Kampfes um ihr Kloster so oft gebetet hatten. Den Geist des Klosters jener Jahre können wir dem Gebetbuch entnehmen, das mit dem Namen »Caritas Pirckheimer« bezeichnet ist.

Ein Ereignis offenbart schlagartig den Geist dieses Klosters. Es war die Feier des 25jährigen Äbtissin-Jubiläums. Zuerst beging man das Jubiläum in der Kirche. Obwohl keine Messe war, sangen sie die Meßtexte »in großer Herrlichkeit«. Nachdem alle Schwestern die Äbtissin Caritas Pirckheimer begrüßt hatten, gab sie, was im Orden sonst nicht üblich war, jeder Schwester ein Ringlein als Anerkennung ihrer Treue in den schweren Jahren. Dann ging es zu Tisch, es herrschte eine fröhliche Stimmung. Am Abend kam es sogar zum Tanz, und die Äbtissin schlug das Hackbrett. Die Tochter des Willibald Pirckheimer, das Kätterlein, hat dem Vater aufs genaueste in einem Brief die Feier des Äbtissin-Jubiläums geschildert[3].

Caritas Pirckheimer war schon längere Zeit leidend, öfter auch ernsthaft erkrankt. Schwester Katharina schreibt an ihren Vater Willibald über den Gesundheitszustand der Äbtissin: »Vater, herzlieber Vater, die Mutter ist so schwach wegen der Steine (Steinleiden). Fünf Tage lang hat sie mit solch großen Schmerzen gelitten und hat gewimmert, die arme Seele; wir alle hatten unseren Jammer an ihr sehen müssen. Aber jetzt ist es ein wenig besser um sie geworden, und so gern sie gegangen wäre, hatte sich der Schmerz wieder in die Füße gelegt, so daß sie nicht mehr darauf stehen konnte.« Das war vier Jahre vor ihrem Tod.

Sie starb am 19. August 1532. Wir wissen nichts über diesen letzten Tag. Der Totenkalender des Klosters nennt die Äbtissin: »Ein Spiegel aller Geistlichkeit und eine Liebhaberin aller Tugend, die großen Schrecken und Betrübnis gehabt hat viele Jahr, im Glauben uns erhalten und getröstet und vorangegangen in aller mütterlichen Treue und Liebe, geistlich und zeitlich, als wir ihr unser Leben lang nicht können verdanken.«

Die Schwester, die den Friedhof verwaltete, schrieb in das Totenbüchlein über den Ort, wo Caritas Pirckheimer begraben wurde: »Liegt begraben bei der Kapellentür, im ersten Grab beim Weihkessel.« Da das Kloster 1591 ausstarb, dann Leihhaus der Stadt wurde, ging das Wissen um das Grab dieser berühmten Frau verloren. In der Zeit zwischen 1932 und 1934 wurden sechs Bodenuntersuchungen vorgenommen, um das Grab zu finden. Aber vergebens. Der Grund lag darin, daß man die Klarakirche als die Kapelle betrachtete, von der das Totenbüchlein schrieb. Schwierig war ferner, daß die Kapellentür im Innern des Raumes nicht mehr zu erkennen war und an der Außenseite durch einen Aufgang zum Silberturm die Tür verdeckt war. Erst durch eingehende archivalische Überlegungen konnte der Ort des Grabes bestimmt werden, indem ich nachweisen konnte, daß unter »Kapelle« nicht die Kirche zu verstehen ist, sondern der nördliche Anbau, der 1428 errichtet worden war, und nur dieser. Das Landesamt für Denkmalpflege in München hat die Grabung, die am 8.10.1959 begann, geleitet. An der bezeichneten Stelle fand man zunächst etwa 60 cm unter dem Boden ein Reststück eines Grabsteins, das die Inschrift trug »Caritas Pirckheimer«. In einer Tiefe von 1,50 m fand man dann ein Skelett, gut erhalten. Es konnte auch nachgewiesen werden, daß die zuletzt Bestattete Caritas Pirckheimer sein muß. Der Herr Erzbischof von Bamberg ließ über ein Jahr hinweg die Echtheit des Grabes und der Gebeine prüfen. Bei der Eröffnung des Caritas-Pirckheimer-Hauses am 23. April 1961 gab er bekannt: »Ich habe die Ergebnisse der Forschung nicht einfach angenommen. Ich ließ prüfen; ich ließ mir Zeit. Ich kann aber heute sagen: Das Ergebnis der damaligen Forschung ist nach langer, gewissenhafter, wissenschaftlich unvoreingenommener Überprüfung richtig und unanfechtbar. Das Grab der Caritas Pirckheimer und ihre irdischen Überreste sind uns bekannt.«

Am 21. November 1961 erschien im Amtsblatt der Erzdiözese Bamberg folgende oberhirtliche Empfehlung:

»Schon 1932, im 400. Jahr seit dem Tod der Nürnberger Klarissin, Äbtissin Cartias Pirckheimer, haben Bemühungen eingesetzt, den Canonisationsprozeß für diese Frau aus dem zweiten Orden des heiligen Franziskus in die Wege zu leiten. Ihr ungewöhnlicher Glaubensgeist und ihre Bewährung in einer geistigen und kirchlichen Umbruchszeit ohnegleichen haben solche Absichten lebendig werden lassen. Doch wurden die Vorarbeiten leider durch die Ungunst der Zeit des beginnenden Dritten Reiches und durch die Erfolglosigkeit der Forschung nach ihrem Grab unterbrochen ... Gerne habe ich der Bitte des Vizepostulators des Ordens entsprochen, nach den Weisungen der heiligen Ritenkongregation eine erzbischöfliche historische Kommission zu bestellen. Diese hat die Aufgabe, die Dokumentation über das Leben und die Tugenden und den Ruf der Heiligkeit für den bischöflichen und den späteren apostolischen Prozeß vorzubereiten. Josef Erzbischof von Bamberg.«

P. Georg Deichstetter SJ

[1] D 1 = Denkwürdigkeiten Kapitel 1 (usw.).
[2] Kr = Dr. Gerta Krabbel, Caritas Pirckheimer, Münster 1949.
[3] Sixta Kasbauer, Die große Frau von St. Clara, Landshut, [3]1959, 41—45.

Bemerkungen zur Textgestalt

Die Gestaltung des Textes wurde nach den »Grundsätzen für die äußere Textgestaltung bei der Herausgabe von Quellen zur neueren Geschichte«, abgedruckt im Korrespondenzblatt des Gesamtvereins der deutschen Geschichts- und Altertumsvereine, Jg. 78 (1930) Sp. 37-45, vorgenommen. Zusätzlich sind folgende Punkte zu beachten:

1. Die Satzzeichen wurden nach dem heutigen Gebrauch gesetzt.
2. Substantive wurden außer Eigennamen klein geschrieben.
3. An Stelle von v wurde u geschrieben, wo es lautlich einem u entspricht; w des Originals für u wurde beibehalten.
4. y an Stelle von i wurde beibehalten.
5. j an Stelle von i wurde beibehalten.
6. Die verschiedenen s-Laute des Originals wurden beibehalten.
7. cz statt z oder tz oder ts wurde beibehalten.
8. Konsonantenverdopplung des Originals wurde beibehalten.
9. Zusammenschreibung und Trennung von Worten wurden gewöhnlich nach dem heutigen Gebrauch vorgenommen.
10. Allgemein übliche Abkürzungen im Text wurden aufgelöst.
11. Texte, die vermutlich von der Hand der Caritas Pirckheimer selber stammen, sind kursiv gesetzt worden.
12. Die Einteilung in Kapitel und Inhaltsangaben der einzelnen Kapitel stammen von Dr. Pfanner.
13. Der Text der Ausgabe folgt grundsätzlich dem Codex D.

Zu beachten ist, daß die Verwechslung von p und b, desgleichen die häufige Wiedergabe eines tiefen a mit o dem fränkischen Dialekt zugehörig und daher oft anzutreffen ist, z.B. *pannter Tag* = (ge)bannter d.h. verbotener Tag; *rot (aber auch rat)* = der Rat (der Stadt).

Vorbemerkung zu den Denkwürdigkeiten

In der Handschrift D findet sich (S. 1) eine einführende Bemerkung, die lautet: *Hie noch find man verzeichnet etliche ding, wie es unser closter hye zu sant Clarn in Nürnberg in der ferlichen (=gefährlichen) aufrurigen zeiten, auch etlich prif, die zu derselben zeit geschriben sind worden.*
Daraus ist mit einiger Wahrscheinlichkeit zu entnehmen, daß die Denkwürdigkeiten gar nicht auf Vollständigkeit der Darstellung bedacht sind.

Die Denkwürdigkeiten
der Äbtissin Caritas Pirckheimer

1. Das Schicksalsjahr 1524 (Kap. 1—4)

Prophezeiungen von Unglück für das Jahr 1524 — Veränderungen durch die Lehre Luthers — Anfeindungen der Klöster — Austritte von Ordensleuten — Angriffe gegen die Franziskaner als Beichtväter der Klarissen — Beschluß einer Bittschrift an den Rat

Zu wißen, das[1])etwan lange zeit pronosticirt[2]) ist worden auf dy zeit, wen man zellen wirt anno domini 1524 sollt ein große sindfluß kumen, durch dy alles, das auf erden ist, verandert und verkert soll werden und wywoll solchs gemeynglich auf ein waßersindfluß verstanden ist worden, hat es sich doch in der erfarung erfunden, das daz[c]) gestyrn nit als gar waßer angezaigt hat als vill trubsal, angst und not und nachvolgent groß plutvergyßen; dann in dem vorgemelten[3]) jar hat es sich begeben, das durch dy newen lere der luterey gar vil ding verandert sind worden und vil zwyspaltung in dem cristlichen gelawben sich erhebt haben, auch dy ceremonia der kirchen vil abgethun sind worden und nemlich der standt der geistlichen an vil ortten schyr gancz zu grunt gangen, dann man prediget dy cristlichen freyheit, das dy gesacz der kirchen und auch die gelub der geistlichen nichs gelten sollten und nymant schuldig wer sy zu hallten.

Auß demselben entsprang, das vill nunnen und munch, dy sych solcher freyheit geprauchten, auß den clostern luffen, ir orden und habit hynwurffen, etlich sich verheyraten und theten, was sy wollten. Auß solchen ursachen komen uns vil widerwertigkeit und anfechtung, dann vill leut unter den gewaltigen und schlechten[4]) komen uber tag zu irn freuntyn[5]), dy sy pey uns im closter hetten, den predigten und sagten sy von der newen lere und disputirten unaufhorlich, wy der closterstandt so verdemlich und verfurisch wer[b]) und wy nit muglich[c]) wer, das man darinnen sellig kundt werden, dann wir wern all des teuffels. Darumb wollten etlich ire kind, swester und mumen mit gewalt auß dem closter haben mit vill troworten und auch mit großem verhayssen, des sy on zweiffel kaum halbs gelast[6]) hetten.

Diß fechten und streytten weret lange zeit, offt mit großem zorn und schentwortten[7]). Da aber von den genaden gottes sich keyn swester bewegen wolt loßen, do gab man den munchen zu den parfussern[8]) dy

---

Abweichungen der Hs. A und des Druckes von H[öfler] von der Hs. D werden nur dann angeführt, wenn es sich um lautliche Unterschiede handelt und wenn Wörter oder Sätze hinzugefügt oder weggelassen werden.

[a]) „dy" H   [b]) „wer" fehlt in A und H   [c]) „mug" A

schuld und saget iderman, dyselben verwißen uns also, das nit muglich wer, das man uns zu dem newen gelauben bekeret, dyweyl wir sy zu predigern und peichtvettern hetten.

Do wir nun vernamen, das in einem erbern rat beschlossen was worden, das man uns dy veter mit gewalt wolt nemen, do heyelt ich solchs dem convent fur, het irn rot[9]), do betrachten dy swester, was in daran gelegen wer, solt das closter auß dem ordenlichen regiment der vetter kumen und unter den gewalt der wilden pfaffen und ausgeloffen munch; zu demselben wolt sich keyn swester begeben und stympten all mit gemeyn ein rot, man solt nit haren[10]), piß man uns dy veter mit gewalt nem, dann es wer alsdann nit woll widerzupringen, wen wir schun vill[d]) clagten. Wir sollten vorhyn supplicirn[11]) und [S. 2] einen erbern rot genugsam anzaigen, was beschwert und schaden uns zeitlich und geistlich auf solcher verenderung stund in ganczer hofnung, sy wurden in[12]) solch unßer scheden zu herczen loßen gen.

Also volgt ich in, stelt dy supplicacion, dy hernoch auch geschriben stet, dy ich dem convent vorlaß, darein aber all swester, keine außgenumen, vergunstigeten und ryetten mir darpey, das ich neben der supplicacion dem pfleger, herr Jheronimo Ebner, auch h[errn] Merthein[13]) Gewder auch schrib, auf das dy supplicacion dester mer furgangs het.

Kapitel 2

Bitte an den Pfleger Kaspar Nützel, sich beim Rat für das Verbleiben der Franziskaner als Beichtväter einzusetzen

Dißen priff schrib ich dem herrn pfleger Caspar Nuczel:

Fursichtiger w g l[1]) herr und getrewer vater und pfleger!
Ewr kranckheit ist mir trewlich layd, der almechtig got ker dy schyr[2]) zum pesten nach seinem wollgefelligen willen; ich gelawb dy zeit ewr plodigkeit[3]) sey mir schir[4]) als lang gewest als euch selber, dann ich ewrs rots und hilf paß betorfft het dann vor[5]) nye in der sach, dy E W[6]) on zweyffel onverporgen ist, das man uns berauben will der parfusser vetter in den dingen, darinnen sy uns pißher getrewlich pey 250 jarn vor sind gewest, welches ich meinem convent, ewrn gutwilligen kinden, furgehallten hab und ir gut betuncken, willen und rat nach meiner gewonheit daruber verhort; hab ich sy so gar einmutig gefunden, das ich genczlich gelaub, wo E W[7]) entgegen[8]) wer gewest, ir het mußen bewegt[a]) werden, ob ir halt ein steine hercz het gehabt, dann sy alle, keine außgenumen, herczlich begert haben, das E W[9]) vor solcher verende-

---

[9]) Rat   [10]) harren, warten   [11]) eine Bittschrift einbringen
[12]) sich   [13]) Martin Geuder
[1]) w[eiser], g[unstiger], l[ieber]   [2]) bald   [3]) Schwachheit, Krankheit
[4]) beinahe   [5]) vorher, früher   [6]) E[uer] W[eisheit]   [7]) wie 6
[8]) zugegen, anwesend   [9]) wie 6

---

[d]) „vill" fehlt in A und H
[a]) „bewerden" A und H

rung^b) woll sein, angesehen manigfaltig schaden und beschwert, so auß solchem wurd volgen, wann man diße sach nit zu foderst[10]), sunder am endt an will sehen, von dem peßer zu reden dann zu schreiben wer.

So es sich aber ewr kranckheit halb nit will schicken, das wir mundtlich von dißer sach^c) mochten reden, so hab wir uns eintrechtiglich miteinander vereinigt, das wir ein supplicacion in einen erbern rot wollen geben, auf das unßer gunstig l h[11]) doch ein wenig unßer anligen vernemen, dann wir versehen uns genczlich, dy sach sey uns zugut und nit zuwider angefangen, wo dann mein herrn das widerspil[12]) horn und das uns solchs auß vil ursach untreglich will sein, sind wir der trostlichen hofnung, sye werden dy lieb loßen wurcken, dy iderman das thut, das sye will ir geschehen und uberhebt[13]), das sye will uberhaben sein. Dieselben supplication send ich E W zu, dy zu verleßen, dann ich nit hyntter E W[14]) will handeln, pit demutiglich umb rot, wem ich dy zuschicken soll, das sye morgen geleßen werdt und nit in dy langen truehen gelegt, dann uns mer daran ligt, dann man darfur hat[15]).

Ich hab in 45 jarn den convent nye betrubter gesehen^d) denn in dißer sach. Ich wayß, das E W so ein getrews, vetterlichs hercz gegen uns, ewrn armen kinden, wyewoll unßernhalb unverdyent hat; wo ir gruntlich west unßer beschwert in dißer sach auß redlichen ursachen, ir wurd hundertmal mer darvon dann darzu helfen und rotten. E W hat uns vill guts gethun in zeitlichen dingen, das wir nymer mer^e) genung verdancken mugen, aber in dißen geistlichen sachen, dy das ewig antreffen, ist uns ewr getrewen hilf und rot notter[16]).

Darumb pit ich E W als demutig als leg[17]) ich vor ewrn fußen, das ir mir ewre und meine liebe kind vor solcher enderung wolt behutten, dann solten sye schaden nemen in den dingen, dy der sel selligkeit antreffen, must mir mein leben gelten. Thut als ich das trawen zu E F W[18]) hab, dann dy kind sind unßer peder[19]). Got helf uns, daz wir sye dem worn[20]) hyrtten Christo, der sein sel fur seine scheflein geseczt hat mit frewden mugen[21]) uberantwurten! Seiner genad befilh[22]) ich E W mit allen den ewrn ewiglich.

---

[10]) zuförderst, zuerst   [11]) l[iebe] h[errn]   [12]) Gegenteil   [13]) verschont
[14]) hinter dem Rücken, ohne Wissen Euer Weisheit
[15]) als man dafür hält, als man glaubt
[16]) nötiger, notwendiger   [17]) läge   [18]) E[uer] F[ürsichtigen] W[eisheit]
[19]) beider   [20]) wahren   [21]) können   [22]) befehle

^b) „enderung" A und H
^c) „sach" fehlt in A und H
^d) „betrubt" in H, „gesehen" fehlt in A und H
^e) „mer" fehlt in H

3

Brief im gleichen Sinne wie an den Pfleger an Hieronymus Ebner, von dessen Vorfahren Friedrich Ebner das Kloster St. Klara gestiftet wurde

[S. 3] Dißen priff schrib ich herr Jheronimus Ebner:
Jesum crucifixum pro salute! F w g l ᵃ) herr!

E F W ist wißent das furnemen meiner herrn wider uns arme kinder mit abschaffen der parfusservetter von unßerm closter, welchs mir und dem ganczen convent, kein swester außgenumen, ein ubergroße beschwert ist in zeitlichen und geistlichen dingen. Deshalb pyn ich von meinen l[ieben] swestern hoch ermant worden ein supplicacion in einen erbern rot zu geben, in der wir etwas unßer beschwert anzaigen, dann wir sind on zweiffel, das solchs uns zu gut und zu keinem widertryeß¹) furgenumen sey. Sind aber darpey auch der trostlichen hofnung, wen E F W sampt den andern unßern gunstigen herrn unßer gewiß beschwert und nachfolgent mengel nach worheit im grunt westen²), ir wurd unsᵇ) in keinem weg³) zu solchen mit gewallt notten⁴), sunder uns villmer darvonᶜ) dann darzu treiben.

Demnach ruff ich mitsampt dem ganczen convent E F W an als unßern besundern patron, herrn und vatter, pitt durch⁵) der ere gottes willen, das irᵈ) gemelte⁶) supplicacion genediglich wolt annemen und ein getrewer hellfer, fuderer⁷) und beschyrmer sein des armen closters, das von ewrn frumen voreltern got zu lob gestyfft ist worden und zuprecht⁸) [!] nit dy gutten ordenung, dy der frum, außerwelt alt herr Fryderich Ebner angefangen hat, der, nachdem als er eyn parfusser ist worden, des closters peichtvater ist gewest und unßer pfleger, als man zalt hat 1295 und syder dy zeit alle das closter von parfussernvettern in geistlichen dingen versehen ist worden, dy uns denn zu guter ordenung, fryd und einigkeit on partey⁹); ergernuseᵉ) und poßen leymunt vorgeweßen sind, dy unßer und wir ir gewont haben. Solt wir zu dißen ferligen zeitten ander vorgeer¹⁰) haben, nachdem dy leut iczunt geschickt¹¹) sindᶠ), wurden sich taußentfeltig mengel fynden, dy uns untreglich wern.

Darumb pit ich aber und aber E F W als demutiglich als leg ich vor ewrn fußen, das ir in den dingen, dy unßer sellenᵍ), umb dy Christus gestorben ist, antreffen, ein gutter fuderer¹²) wollʰ) sein, das diße enderung abgestellt werd, dann ich weyß E F W als got liebent. Wenn ir un-

---

¹) Verdruß   ²) wüßten   ³) keineswegs, auf keine Weise   ⁴) nötigen   ⁵) um
⁶) erwähnte   ⁷) Förderer   ⁸) zerbrecht   ⁹) Parteiung, Uneinigkeit
¹⁰) Vorgeher, Vorgesetzte   ¹¹) geschickt = so geartet, kundig, erfahren   ¹²) wie 7

ᵃ) Die Anrede F w g l ist in H falsch aufgelöst; Freundlich würdiger gnediger lieber — richtig: F[ursichtiger] w[eiser] g[unstiger] l[ieber]
ᵇ) „uns" fehlt in A und H   ᶜ) „darum" H   ᵈ) „si" H
ᵉ) „ergerung" A und H   ᶠ) „sein, sen" A, „sein" H
ᵍ) „und" in H eingefügt   ʰ) „wölt" A und H

ßers closters wißen und erfaren[i]) [13]) het als ich nun 45 jar und west, was schadens herauß[j]) entspringen wurd, ir wurd vil mer darvon dann darzu helfen und in keinig weg solchs gestatten, auf das ir euch[k]) nit nachfolgents ubels darauß wirt entsten teylhafftig macht. Thut in der sach als unßer getrewer herr vater und styeffter, dem unßer closter getrewlich befolhen ist. Helft zu hutten, das nit wolf unter meine lieben scheflein kumen, dy den weyngarten Christi mochten zureyssen[14]) oder beschedigen. Must mir meyn leben gelten, sollten dy frumen kind, dy got in großer gutwilligkeit mit frewden dyennen, dy ich in der lieb Christi nun 21 jar hab erzogen, wider irn willen verfurt und zu leichtfertigkeit verursacht werden. Ich darff[15]) E F W nit vil darvon schreiben, ich hof, der h[eilig] geist werd euch seinen willen selber zu erkennen geben, dem folgt allein und nymants anders.

Solchs pit auch hercziglich ewr liebs Ketterlein[16]), dy das mit ganczer begird geschriben hat, lest E F W mitsampt ir lieben mutter freuntlich grußen.

Darpey beger ich E W woll fudern[17]), das solche supplicacion morgen einem erbern rot geleßen werd, darmit nichs in der sach versaumpt werd. Damit got ewiglichen befolhen!

Kapitel 4

Brief im gleichen Sinne an Martin Geuder

[S. 4] Dißen priff schrib ich meinem schwager h[errn] Merthen Geuder:

Fursichtiger, weißer, gunstiger herr und herczlieber schwager!

Nachdem ich mich alwegen vil guts zu ewr W[eissheit] versich, kum ich iczunt in einem mercklichen anliegen zu E W als zu meinem besundern getrewen herrn und vater, pey dem ich hof hilf und rot zu finden und clag euch mit betrubtem herczen, das mich vil anlangt von mann- und frawen person, wie mein herrn eins erbern rots stattlich darauf tringen uns von dem orden der parfusser abzusundern und mit leyenpristern zu versehen, welchs mich hoch wundert, wo im also wer, so man doch ye keyn redlich ursach zu solchem mit worheit kan peybringen, nachdem unßer closter weyt uber III[c1]) jar von dißen vetern regirt ist worden in geistlichen sachen und von den genaden gottes kein schand, ergerung[a]) noch poß geruch[2]) dy zeit alle uns nye von in entsprungen ist, sunder haben uns erelich und frydlich in gutter ordenung on parthey oder einigerley zwytracht gehalten und auch on mercklich zeitlich beschwerung, denn wir weder[b]) iren[c]) convent noch unßern obern noch

---

[13]) Erfahrung   [14]) zerreißen   [15]) bedarf, brauche   [16]) Kätterlein, Katharinchen
[17]) fördern, helfen
[1]) 250 (in Hs. D steht das paläographische Zeichen für 250)   [2]) Gerücht, Leumund

---

[i]) „erfarung" H   [j]) „darher auß" H, „dar" ist in A gestrichen
[k]) „auch" in H   [a]) „ergernus" in A und H   [b]) „oder" in A und H
[c]) „ir" in H

den 2 vettern, dy pey uns sind das gotlich ampt zu verrichten, pey ge-
lauben keyn gelt oder anders geben, außgenumen essen und trincken
und claider, den 2 pey uns, das mugt ir mir worlich und aygentlich ge-
lauben als einer, die solchs 45 jar erfarn hat und mer darumb wayß
denn dy, die auß lautter neyd und argwon vil sagen von uns und den
armen vettern; sy mugen unßer woll entpern, aber wir ir nit. Mugt woll
ermeßen, was ergerung und nachred unter dem gemeynen volck wurd
entsten, solt man sy yczo von uns thun als hetten wir schandt und la-
ster mit einander gestellt.

Uber das ist mir und meinem convent das beschwerlich, solt man
uns leyenprister geben, nachdem[d]) es ycz ein gestalt[3]) mit demselben
volck hat, wer uns lieber und nuczer, ir schickt einen hencker in unßer
closter, der uns allen die kopf abschlug, dann das ir uns die[e]) vollen,
truncken, unkeuschen pfaffen zuschickt. Nun nottet man keinen ehalten[4])
noch keyn pettler, das er muß eben peichten, wo sein herschafft will,
wir wern ermer den arm, solten wir den peichten, die selber keyn ge-
lauben an die peicht haben, solten wir das hochwirdig sacrament ent-
pfachen von den, die so beßamisch[5]) myßpreuch damit haben, das schant
zu horn ist, solten wir den gehorsam sein, die weder dem pobst, pischof,
keyßer noch der gancz h[eiligen] cristenlich kirchen gehorsam sind, solten
sy uns auch dem [!] schunen gotlichen dinst nyderlegen und nach iren
kopffen endern, wie sy wollten, wolt ich lieber todt den lebendig sein.

Ich pit euch, lost euch das nit bewegen, das man iczunt mit unwor-
heit furgibt, das clar hell gottes wort sey uns verporgen, denn es von
den genaden gottes nit wor ist. Wir haben das alt und new testament
eben als woll hynnen als ir daußen [!], leßen es tag und nacht, im chor,
ab[6]) tisch, lateinisch und teutsch, in der gemeyn und ein itliche besunder,
wie sy will, darumb haben wir von gottes genaden keinen mangel am
h[eiligen] ewangellio und Paulo. Ich halt aber mer von dem, das man
solchs helt, im lebt und mit den wercken volpringt, denn das man mit
dem mund vil darvon redt und mit den wercken gar nichs angreyfft.
Aber sy sagen, es sey uns nye anders denn mit menschlichem tant[7]) auß-
gelegt und gepredigt worden, antwurt ich, pey dem text des h[eiligen]
ewangelium wollen wir beleiben und uns weder todt noch lebent[f]) dar-
von loßen treiben. Aber sollen wir glos[8]) aufnemen, will ich vil sicher-
licher gelauben der glos der lieben h[eiligen] lerer[9]) von der heilligen
kristenlichen kirchen bewert, denn die glos eins fremden verstands, von
der h[eiligen] kirchen verworfen und verpotten, die gepredigt wirt von
den, die auch nichs anders den menschen sind, denn allein das ir ewan-
gellisch frucht gar ungeleich sind den fruchten und tugenten der lieben
heilligen, dy sy verwerfen, darumb nach dem ewangelischen rat wollen

---

[3]) Bewandtnis, Beschaffenheit   [4]) Dienstboten
[5]) beßamisch? vielleicht verschrieben statt behamisch, böhmisch = hussitisch?
[6]) ob, bei   [7]) Tand, leeres Geschwätz   [8]) Glossen, Erklärungen (der Hl. Schrift)

---

[d]) „nach" in A und H   [e]) „die" fehlt in A und H   [f]) „leben" A und H
[9]) „lere" H

6

wir uns vor solchen hutten, denn unser behalter[9]) hat uns [S. 5] gelert, sy auß iren fruchten zu[h]) bekennen, dye auf eytel suntliche freyheit und flaischlikeit get, darumb werden wir uns in keinig weiß unter sy begeben, dan woll zu vermeßen ist, das pald auß unßern verschloßen closter ein offen hawß wurd werden, yderman auß- und einzulauffen[i]), wenn er wolt, so doch nach dißer verkerten freyheit yderman gethar[10]) thun, was in glust[11]) und glangt[12]), darzu[i]) werden wir uns in kein weg tringen[13]) loßen.

Wir wolten ye nit gern ymant beschwerlich oder ergerlich sein, hat man aber ein beschwerung an unßerm thun, zayg man uns den myßprauch an, wollen wir uns gern peßern, dann wir bekennen uns auch fur geprechenliche menschen, die nit in allen dingen recht thun, loßen[14]) uns auch gar auf unßere werck nit, als man von uns sagt, wolten aber darpey nymant gern beschwern in einigem weg, begern dasselb auch widerumb, das man uns nit gewalt und unrecht thw und uns nit zwang zu dem, daz wider unßer sel selligkeit und wider unßern glympf[15]) und ere ist, an dem unßers closters verderben in geistlichen und zeitlichen dingen stet.

Will der trostlichen zuversicht zu E W und den andern unßern gunstigen herrn eins erbern rats sein, der gemayn[16]) man sag, was man woll, ir wert euch nit untersten, des ir nit gewalt habt, denn ir[k]) nit unßer selsorger seyt. Ich hof ye, ir wert mir nit wolf unter meine liebe scheflein schicken, die mir nun in der lieb Christi 21 jar williglich gehorsam sind gewest. Wer ymer schad, solt man so vil frumer frydlicher ordenlicher kinder so jemerlich verderben, must mir meyn leben gelten. Ich sich[17]) woll, was frucht auß solcher leut regiment kumpt, wer wolt die wolf mit gelt erfullen[18]), will des geistlichen schadens geschweygen, darumb pit ich E W als meinen besundern herrn und vater[m]) in solcher demutigkeit als leg ich creuczweiß vor ewrn fußen, das ir mir meine liebe kindt vor solchen wolfen behut[n]) und gut herrn und freunt auch anrufft und in sagt unßer beschwer in geistlichen und zeitlichen dingen[o]) und lost euch, die euch anders rotten, nit abwendig machen, dann sy wissen mir als wenig mein closter mit personnen zu beseczen und zu regirn als ich in ire hewßer. Glaubt mir darumb als einer, die solchs lang versucht hat. Wer es, das wir beschwert oder uberlast in zeitlichen und geistlichen von unßern vetern heten, wolt euchs aygentlich anzaigen, thwt als ich das vertrawen zu ewr fursichtigen weißheit hab als zu meinem vater, von[p]) dem ich in der sach schucz und schyrm und gutli-

---

[9]) Erlöser (salvator!) [10]) wagt, getraut sich [11]) gelüstet [12]) wonach er verlangt
[13]) drängen, zwingen [14]) verlassen [15]) guter Name
[16]) insgemein sage man, was man wolle [17]) sehe [18]) befriedigen, füttern

---

[h]) „sy" A und H [i]) „eingelauffen" H [i]) „dar" A und H
[k]) „ir" fehlt in A und H [l]) „gelv erfullen" A, „gelver fullen" H
[m]) „und vater" fehlt in A und H
[n]) „und gut herrn" . . . bis „in geistlichen und" fehlt in H
[o]) „dingen" fehlt in A und H [p]) „und" A und H

chen peystant will hoffen, darpey beger ich einer[q]) kurczen gutten ge-
schriftlichen[r]) antwurt, wes ich mich versehen soll. Damit der genad got-
tes mit all den ewrn ewiglich befolhen! E f w betrubte dochter abbtis-
sin zu s. C.

2. Der Kampf um die Schwester Margarete Tetzel (Kap. 5—12)

Bittschrift an den Rat im Advent 1524 wegen Entzuges der Franziskaner als
Beichtväter — Weder die Schwestern noch die Patres haben dazu irgendeinen
Anlaß gegeben — Der Vorwurf, die Schwestern hätten den Franziskanern viel
geschenkt, wird zurückgewiesen — Die Absicht, den Schwestern an Stelle ihrer
bisherigen Beichtväter Anhänger der neuen Lehre zu geben, ist ein Eingriff in
die Gewissensfreiheit der Schwestern — Sie rühmen sich ihrer guten Werke
nicht, sie wollen nur ihrem Glauben treu bleiben

[S. 6] Diß ist die supplicacion, dy wir einem erbern rot zugeschickt
haben in dem advent anno domini 1524.

Fursichtig erber weiß[a]) lieb herrn!

Durch unßer veter zu den parfussen werden wir bericht, wie E E
W[1]) an sie hab synnen laßen sich unßer closters zu eußern, auch unßer
zu entschlahen als in langer handellung an nott[2]) zu erzeln, die weil E
W zu frischer gedechtnus ist, wie woll wir nun in keinen zweiffel sec-
zen solche handellung sey durch E W auß keiner andern meinung fur-
genommen, dann das die pey derselben fur nucz und gut angesehen, so
kan doch die unverhort unßer nicht genczlich oder genugsam verston[3]),
was uns an der gelegen ist, auch zu was beswerden und nachteyl uns
die leiplich und geistlich reichen mag. Demnach pitten wyr arme ellende
E W kinder umb gottes willen, die woll diß unßer schreiben an verdrieß
vernemen und genediglich zu herczen fassen[b]), uns auch als die, so nach
got zu nymandt dann zu E W zuflucht[c]) haben, trewlich und veterlich
bedencken.

Erbern weißen herrn, wir hoffen E W sey unvergeßen, welcher maß
wir und unßer fordern uns albegen[4]) und je piß auf diße zeit gegen der-
selben erzeigt haben und in allen dingen, so an uns gesunen synd[d]) wor-
den, gefolgt und wilfart unangesehen, ob uns auch zu zeiten was swer-
lich gewest ist, denoch[e]) haben wir auch[f]) an[5]) widerspenigkeit[6]) verwil-
ligt E W alles unßers einnemens und außgebens zu verrechnen, auch
derhalb rechnung zu thun, wie wol solchs do vor[7]) der prawch nit ge-
west ist. Domit E W[g]) wissen tragen mocht, wie unßer sach gelegen und

---

[1]) e[uer] e[rbar] w[eisheit]   [2]) unnötig   [3]) verstehen   [4]) immer   [5]) ohne
[6]) Widerspenstigkeit   [7]) vorher, früher

---

[q]) „ewr" A und H   [r]) „geschrift" A und H
[a]) „würdige" in H   [b]) „nemen" in A und H
[c]) „zu" nach „zuflucht" in A und H; in D gestrichen
[d]) „ist" in A und H
[e]) „darumb" in D gestrichen, „dennoch" darübergeschrieben, in A und H
„darumb"
[f]) „auch" in D darübergeschrieben, fehlt in A und H   [g]) „S" in H

8

gestalt wer, wie wir uns auch mit allem unßerm thun, lassen und hawß-
haben[8]) schickten und hylten und insunders auß dem verdacht komen,
als solten wir unßern vetern zu den[h]) parfussen vil anhencken.

Wir haben uns auch nachvolgent auf E W gesynnen mit ubergab un-
ßer zynß in dißer stat nach derselben willen und wolgefallen gehalten
und alle unßer gehabte eygenschaft[9]) E W und gemeiner stat zugestellt,
des sich doch ander ordenslewt gewidert haben und gar nit haben thun
wollen.

Das melden wyr allein darumb, das wir verhoffen, es sey je nichcz
durch uns zu keinem mal gehandelt, darab E W mysfallen oder beswe-
rung haben mugen. Synd auch noch gancz willig und geneygt E W in
allen zymlichen und leidlichen dingen zu willfarn; der trostlichen zuver-
sicht, wir sollen des pey E W nit entgelten, sunder nach pilligkeit ge-
nyßen; zu dem hoffen wir, wir haben uns auch gegen dem gemeinen
man, auch in andern unßern thun und loßen dermaßen gehalten, das uns
(an rom[10]) zu reden) nymandt mit warheit einig unpilligkeit oder uner-
lich sach zumessen mag, als wir auch nit zweiffeln, uns von E W gar
nit peygelegt werd. Noch dann, wo unßer veter, so uns und unßer for-
fordern nun pißher in drytthalb[i])hundert jarn mit der geistligkeit[11]) ver-
sehen haben, in dißer widerwerttigen und aufrwigen zeit von uns ab-
gefodert und genomen solten[j]) werden, wurd an zweiffel der gemein
man, so an das[12]) zum ergsten geneygt ist, solchs nit zum pesten auß-
legen, sunder darfur halden, E W wer durch sunder [!] der veter ader[13])
unßer verhandellung zu solcher ordenung verursacht worden, welches
uns dann nit in einen cleinen leymundt geperen wurd, ja nit allein uns,
auch E W, als unßern vetern, gesypten frewnten[14]) und gunstigen herrn.

Dieweyl nun aller argwon, wo der umbgangen mag werden, vermyt-
ten sol beleiben, so zymt E W nit allein uns arme hyrinn, sunder auch[k])
sich selbs wol und weißlich zu bedencken, die weil unßer smach an[15])
E W unerung nit ergen kan noch mag. Uns ist auch unverporgen, das
wir pey vil lewtten verdacht syndt als solten wir gemelten[16]) vetern vil
geben und anhencken, von[l]) welchem verdacht uns aber unßer selbs nott
und armut entschuldigt, dan was mochten wir vil von uns geben, so[m])
wir selbes kawm zu leben haben und durch die vergangen krieg und zu-
fell, wie E W wissen tregt, also verarmuth syndt, auch noch teglich ein-
pußen, das uns notter wer zu nemen denn vil außzugeben, wie denn E
W durch unßer jerlich rechnung selbs weiß und verstet.

Es ist auch die warheit, das wir den zweyen [S. 7] vetern, so uns mit
predigen, peichthörn und andern geistlichen sachen versehen, nit mer

---

8) Haushalten   9) Eigentum, Besitz   10) ohne Ruhm   11) in geistlichen Dingen
12) ohnedies   13) oder   14) Verwandten   15) ohne   16) erwähnten

---

h) „den" in D darübergeschrieben, fehlt in A und H
i) in A steht das paläographische Zeichen für 250, in H: III^c
j) „wolten" in H   k) „auch" fehlt in A und H   l) „um" in H
m) „so wir" fehlt in A und H

dann die schlecht[17]) narung und cleidung geben, darumb uns warlich aber die weltlichen prister nit dynen noch sich[n]) benungen wurdten laßen. Solten wir in denn[o]) vil geben und derhalb selbs noch mer mangel leiden, wer uns unßers achtens nit allein beswerlich, sunder gancz unpillich. Hoffen aber E W werd uns inn verdacht[18]) unßers vermugens[p]) kein weitter purd auflegen noch zu etwan bedrangen, das uns nit allein in unßern gewissen, sunder[q]) auch[r]) in zeittlichen gut beswerlich und unmüglich ist.

Wyr achten auch genczlich darfur, wo E W, des wir uns doch je nit versehen wollen, geleich in irem vorhaben verharrn und die sach mit der that angreiffen wolt, der wurd umb mangel willen geschickter person so vil beswerung begegen, das die selbs die unmüglikeit spürn und erfinden würd. Dieweil geschickt vorgeer und, wie sie nach meinung S[ant] Paulßen sein solten, leider tewr[19]) syndt, solten wir dan mit ungeschickten oder denen, so wir nicht gern hetten und doch[s]) haben müsten, uberladen werden; hat E W wol abzunemen, was frucht[t]) ader[20]) nucz das pringen würd[u]), dann ye der[v]) geist frey und ungezwungen sein will und muß, auch nymandt gedrungen wirt in der weltligkeit einem herrn zu dynen, der im nit gefellig ist, vil mynder ein herschaft genott dyner anzunemen, die in[21]) nit füglich syndt; wie vil mer gezymt sich dan der geistligkeit[22]) ungenött und frey zu loßen, soll sie anders in rechter[w]) und gutter würckung beleiben; das aber darpey etlichen der argkwon eingewurczelt hat als solten uns unßer veter verpietten das heillig ewangelium und andre pucher zu leßen, daran geschicht in[23]) warlich unrecht und ob sie sich solchs zu thun untterstunden, würden wir in[24]) gar nicht volgen und vil ee[x])[25])E W gegen in[y])[26]) umb hillff anruffen, dann uns das wort gottes und andre nüczliche pücher also verpietten lassen.

Mugen[27])auch E W pey hochster warheit sagen, das wir das alt und new testament dewtsch und latteinisch im teglichen geprawch und ubung haben und nach unßerm[z]) vermügen befleissen das recht und wol zu versten und nit allein leßen wir die bibel, sunder auch was teglich furfellt und uns zukumpt ausserhalb der smechpucher[28]), die uns unßer gewissen beswern und unßers achtens nicht alweg der cristenlichen einfeltigkeit gemeß syndt. Hoffen je, got werd uns seinen heilligen und waren geist auff[aa]) unßer herczliche pitt nit versagen noch verhalten, damit wir das

---

[17]) schlicht, einfach   [18]) Erwägung, Rücksichtnahme auf ..
[19]) selten   [20]) wie 13   [21]) ihnen   [22]) wie 11   [23]) wie 21   [24]) wie 21
[25]) eher   [26]) sie   [27]) [wir] können
[28]) Schmähbücher = theologische Streitschriften

---

[n]) „sust" in A   [o]) „dem" in H   [p]) „mugens" in H
[q]) „besunder" in A und H   [r]) „auch" fehlt in A und H
[s]) „doch" fehlt in A und H   [t]) „aber" in A und H
[u]) „möcht" in A und H   [v]) „yeder" in H   [w]) „recht" in H   [x]) „es" in H
[y]) „in" fehlt in A und H   [z]) „unßerm" fehlt in A und H
[aa]) „mit" in A und H

wort gottes recht und nach seinem waren verstandt mügen vernemen, nicht allein dem puchstaben nach, sunder auch dem geist nach. Darumb wie woll uns von etlichen peygelegt will werden als verlaßen wir uns auf unßere eygene werck, hoffen allein durch dieselben selig zu werden, so ist uns doch von den genaden gottes unverporgen — es sag yderman, was er woll — das durch die werck allein kein mensch, wie der heillig Paulus sagt, gerechtferttiget werden kan, sunder durch den gelawben unßers herrn Jesu Christi; zu dem, das uns der herr Jesus Christus selbs lert, wenn wir die werck alle gethun haben, das wir uns dennoch unnücz dyner achten sollen. Wir wissen aber herwiderum auch, das ein rechter warer gelawb nicht an[29]) gutte[bb]) werck kan sein, als wenig als ein gutter pawm an gutte frucht, das auch got einem ytlichen menschen nach seinem verdynst lonen wird und, so wir vor dem gericht Christi erscheinen werden, das meniglich[30]) nach seinen wercken, sie synd gutt oder poß [S. 8] entpfahen würdt. Darumb auch der heillig Jacobus sagt, der gelawb sey an[31]) die werck todt und ein ytlich[32]) mensch, der den gelawben mit den wercken nicht anzeigt, sey einem menschen gleich, der sich in einem spigel ansicht, geth weg und weiß nicht, wie er gestalt geweßen ist. Derhalben der gelawb nit im mundt oder in wortten allein stet, sunder, der do recht gelawbt und wol würckt, der wirt selig.

Wir wissen auch, das wir allein uns die eygen werck nit sollen zumessen, geschicht aber etwas guttes durch uns, das solchs nit unßer, sunder gottes werck ist. Darumb uns an[33]) grunt peygelegt wirt, das wir uns unßerer werck romen[34]), sunder unßer rom[35]) ist allein in dem verschmechten und gekrewczigten Christo, der uns heist sein crewcz auf uns zu nemen und im nachvolgen. Derhalben erkenn wyr uns schuldig, werden auch das geheißen den alten Adam untterzutrucken, den leib dem geist durch kestigung[36]) untterwürffig zu machen, der wir geleichwoll[cc]) im closter mer stat und ursach haben dann außwendig; das wir ausserhalb auch nit selig hoften zu werden, sunder das wir je gern in der beruffung, zu der uns got erfordert hat, pleiben wolten, dann[dd]) warlich syndt wir [nit] von guttes leben wegen im closter oder nemen unßern lon hie ein, so weiß got und die welt, das wir arm ellend lewt syndt, aber unßer hoffnung streckt sich weitter, dieweill wir wißen, das wir hie kein beleibende stat haben.

Uns ist auch unverporgen, das die seligkeit nit in essen und trinken noch in speiß stet; das wissen wir aber herwiderumb, das sie nit in essen und trincken, noch auch in fullerey[37]) stet. Es muß dennoch gepett, gefast und gewacht, hunger und durst erliden werden, soll anders der sterblich leib vertruckt werden und der beleibend geist die oberhant gewynnen. Der aber durch zeitlich wollust gedenckt das hymel-

---

29) ohne   30) jeder   31) ohne   32) jeglicher, jeder   33) ohne   34) rühmen
35) Ruhm   36) Kasteiung, Züchtigung, Bußübungen   37) Völlerei, Unmäßigkeit

---

bb) „guts" in H   cc) „woll" fehlt in A und H   dd) „wann" in A und H

reich zu erlangen, mocht sich selbs woll betrigen, es sey denn, das die heillig geschrift falsch sey, nachdem die cristenlich freyheit nicht in dem fleisch, sunder in dem geist stet.

Wyr verachten auch den elichen standt nicht, dann wir[ee]) wissen, wer sein junckfrawen verheyret, das derselbig[ff]) wol[gg]) thut, aber nach s[ant] Paulus ler wissen wir auch, wer sein junckfrawen nit verheyret, das derselb noch paß[38]) thut. Ob wir nun got in der junckfrawschaft zu dynen uns untersten, kan uns warlich von nymandt verstendigem verwißen werden, wer aber zu solchem nicht geneygt oder nicht gern pey uns wer, der solt uns warlich auch unmer[39]) sein; gedencken darumb kein swester pey uns mit gewalt oder irn eltern vorzuhalten, wollent auch derhalb nymandt urteyln, sunder ein ytlich mensch urteyl sich selbs; wirt meniglich wol rechnung thun, so wir alle fur das gericht gottes kumen. Aber als wir nymandt gern betrangen wolten als gern wolten wir auch unbedrangt und mit dem geist, nicht dem leib frey sein; das aber nit sein kent noch mocht, wo wir mit fremden selsorgern belestiget solten werden, dieweil solchs eygentlich der weg der erstörung unßer samlung[40]) wer, dann ob wir geleich mit dem gottes wort und sacramentten versehen wurden, must dennoch, so sich die parfusser unßer entschlahen solten und der pischoff nicht uber uns zu pitten hat, die visitacion verpleiben, an der dan nit der wenigst[hh]) teyl eines clösterlichen lebens gelegen ist, gesweigen ander zufell, so sich teglich pey den clöstern eräugen.

Wes wolt[ii]) sich aber E W selbs zeihen und das arm gertlein der lang hergeprachten pflanzung also zergen laßen, warumb wolt sich die mit solcher handelung der gewissen beswern und uns ein purd auflegen, die uns nicht mynder erschrocklich und grawssam wer dan der zeitlich oder leiplich todt, den wir, wiß got, mit geringerm herczen leiden wolten, dann das uns dißer swerer eingang gemacht werden solt, nit darumb, das wir der münch geratten musten, sunder das wir vor unßern [S. 9] augen die geferlikeit[ii]) unßer selnheyl und die zertrennung[41]) unßer versamlung sehen. Es ist warlich in dißer geferlichen zeit unnot ursach zu ergerung und misshandelung zu geben, dann sich dieselben an das[42]) teglich, wie E W weiß[kk]), uberflüssig ereugnen. Wo[43]) sich E W recht bedencken will, synd wir warlich derselben vil erlicher[ll])[44]) in dem closter, dieweil wir gern und ungezwungen darinnen synd dann heraußen. Got woll, das E W mit vernunftiger vor [?] betrachtung ermeß und nit mit der that erfar. Wir wissen auch eygentlich, wo[45]) E W als woll als wir diße

---

38) besser   39) unwert, gleichgültig ?   40) Gemeinschaft, Konvent   41) Auflösung
42) ohnedies   43) wenn
44) richtige Lesart wohl: eelicher = mit besserem Recht, gesetzmäßiger   45) wenn

ee) „wir" fehlt in A und H   ff) „selbig" in A und H
gg) „wol" fehlt in A und H   hh) „weniges" in H
ii) „wol" in A und H   ii) „ferligkeit" in A und H
kk) „weiß" fehlt in A und H
ll) in D „erlicher"?, in A „eelicher"?, in H „etlicher

unßer bewerung wurden betrachten, die wurd sich nit allein uber uns erparmen, sunder auch ein mitleiden trewlich mit uns haben, ob die auch ein[mm]) steinen hercz het, dieweil uns diße sach nit allein das zeitlich, sunder, wie vor gemelt, unßer sel heyl und ewigs betreffen will; haben wir uns einiger sach ungepürlich gehalten oder was verwürckt, woll wir uns gern, wo uns das angezeigt wirt, pessern, auch straff darum leiden; haben wir aber nichts verhandelt, darumb[nn]) uns dißer swerer last solt auffgelegt werden, als[oo]) wir auch zu dem almechtigen got hoffen, nicht geschehen sey. Wes wolt uns ellende dan E W zeihen, wir wissen und erkennen uns vor got arm und ellend sunderin, dieweil vor desselben augen auch kein newgeporn kindt rein kan sein, aber gegen der welt und E W wissen wir uns alles untadels[pp]) frey und rein.

Dem allen nach pitten wir E E W umb unßers und des hochsten gottes willen, umb die menschwerdung unßers herrn Jesu Christi und seins heilligen leidens, umb sein tewr plut, das er umb unßer erloßung willen vergossen hat, umb cristenlicher lieb und hoffnung willen, die alle menschen auf das kunftig leben haben, die selb wöll dißes ires furnemens[46]) gunstiglich absten und uns armen, ellenden kinden und plöden[47]) frawenpild pey vorigen unßern unstrefflichen, lang hergeprachten weßen entlich[qq]) beleiben und got dem herrn dynen laßen und dißes uberswerlichen lasts genediglich uberheben[rr]), auff das euch got an seinem großen tag auch genediglich und parmhercziglich sey und das mitteyl[ss]), so ir andern auch mitgeteylt habt. Wo[48]) aber E W je nit gelegen sein wolt ires furnemens[49]) yczt und alspald abzusten, so pitten wir doch abermals auffs hochst und umb gottes willen, dieselbig woll doch die sach auffzyehen[50]), diß mal yn rw stellen und auff diße geferliche, ellende zeit ein lenger aufsehen[51]) haben. Wirt villeicht mittlerzeit, als wir hoffen, got sein genad geben, das alle ding in pesser weßen und ordenung, dann sie icz sein, gekert werden, wo nit die welt umb irer sundt wegen gestrafft solt werden, oder aber der tag des herrn sich nehnen [!][tt]) wirdt, wollen und müßen wir das auch wie die andern cristgelewbigen menschen erwartten und unßer hoffnung allein in die genad und parmherczigkeit gottes seczen, die woll E W den rechten warn geist geben zu handeln, das derselben und uns armen, ellenden, betrubten kinden zu irer sel seligkeit am nüczten und pesten sey. Wollen uns damit E W in aller demütigkeit befelhen und nach got unßer hoffnung und trost in dieselben geseczt haben, genedige antwordt wartten.

Auf diße supplicacion wurd uns kein andre antwurt den ein E R[52]) wolt die sach auf dißmal in rw stellen piß auf weytern bescheid.

---

[46]) Vorhabens   [47]) einfachen, schlichten   [48]) wie 45   [49]) wie 46
[50]) aufschieben   [51]) Augenmerk, Aufsicht   [52]) e[rber] r[at]

---

mm) „ein" fehlt in A und H   nn) „warumb" in A und H
oo) „als" fehlt in A und H   pp) „tadels" in A und H
qq) „etlich" in A und H   rr) „uberleben" in H
ss) „mittel" in A und H   tt) „nehen" in A und H

Bericht über das Begehren der Ursula Tetzel, der Mutter der Margaret Tetzel, ihre Tochter aus dem Kloster zu holen

Wie es mit der Teczlin ergangen ist.

Anno domini 1525 den negsten tag nach unser lieben frawen liechtmeß fodert mich die Fricz Teczlin und begert an mich mit vil ernstlichen worten, ich solt sy herein in daz closter lassen, sy het allein mit ir tochter Marg[aret] zu reden, daran ir peder sel seligkeit gelegen wer. Des widerseczt ich mich, sagt sy west[1]), das pißher nit gewonheit wer gewest yemant einzulassen, des man in dem closter nit bedorft het. Trib sy vil tröwortt[2]), es müst anders werden, begeret doch man solt ir die thür aufsperrn und ir die tochter frey dahyn stellen, das ir nymant zu möcht hörn. Das schlug ich ir auch[a]) ab, sagt, wolt durch irn willen kein solche gewonheit aufpringen, was ich ir vergünet, wurden ander leut[b]) auch wollen haben. Begeret das auch ir tochter herczlich, das ich nit auf solt speren, dan sy sorget[c]), sy würd sy mit gewalt hinaußzerren, möcht sy ir nit erwer[3]), wenn die thür offen wer.

Nach vil red und widerred kom es dahin, das ich ir ir tochter in die capeln ließ und das fenster aufsperret, da man uns das hochwirdig sacrament durchgibt, an demselben redt sy mer denn 1 gancze stund mit ir tochter allein, das kein s[wester] gegenwurtig was noch höret. Nachdem als sy hinkom, lief das lieb kind s[wester] Margaret Teczlin zu mir und andern s[western] mit großem heuln und weynen und claget uns herczlich, wie sy ir muter in allen dingen so genaw dahaym gesucht het mit lieb und laid, trowort und verheyssen, het sy je auf dasselb mal mit gewalt heym wöllen fürn; aber es het sich mit allen kreften gewert und ir entlich gesagt, kein mensch solt sy auß dem closter pringen, sy wolt mit der hilf gotes halten, was sy got gelobt het. Also lief die muter mit zorn von dem kind, het entlich gesagt, sy solt sich darnach richten, sy wolt sy nit in dem verdemlichen[d])[4]) standt lassen, thet[e]) daz kindt so kleglich, das es mich und all s[western] zu mitleiden bewegt, pat uns so herczlich, wir solten es nit von uns reyßen lassen, es wolt sust sein sel an dem jüngsten Tag von uns fodern; begeret, ich solt rat haben mit unßerm herrn pfleger, dem schrib ich dißen nachfolgenten priff:

---

[1]) wüßte   [2]) Drohworte   [3]) erwehren   [4]) verdammenswerten

[Fehlt in Hs. D, der Text folgt daher der Hs. A, Bl. 7]
   [a]) „auch' fehlt in H   [b]) „leut" fehlt in H   [c]) „forget" in H
   [d]) „verderblichen" in H   [e]) „thut" in H

Kapitel 7

Brief an den Pfleger: Bericht über das Verhalten der Ursula Tetzel —
Bitte um den Rat des Pflegers, wie sich Äbtissin und Convent verhalten sollen

Fursichtiger, w[eißer][a]), gunstiger, l[ieber] herr pfleger und getrewer vater!
Ich danck E F W aller mw[1]), so ir mit uns habt in unserm teglichen
anlauffen. Got der almechtig belon euch solchs in zeit und in ewigkeit!
Beger auf dißmal ewrs getrewen rats in einer sach, dergleichen mir vor
nye begegent ist, darumb ich mich on ewrn rat nit waiß darein zu schikken. Am negsten freytag ist Fricz Teczlin pey mir gewest, begert in unßer closter zu gin[2]), mit ir tochter allein zu reden; sagt ich ir, den eingang in das closter würd ich weder ir noch ymant an not sach[3]) vergünnen, aber allein mit ir tochter zu reden, [Bl. 7'] wolt ich ir auf dißmal nit abschlagen, wer auch darpey erpüttig, wo[b])[4]) ir kint nit getrawt
selig zu werden oder nit gern wolt in dem closter beleiben, wolt ich ir
das nit vorhalten[5]).
Dargegen begert ich auch widerumb, das sy nit gewalt legt an ir
kint, das[c]) zu nöttigen wider seinen willen. Auf das mir vil antwürt
meins bedünckens nit gar ewagis[6]) [?]. Do ich merckt, das sy so gar bewegt was, sprach ich, wolt gern herrn Sigmunt Fürer darpey haben an
irs vaters selig stat, der würd villeicht nach vernunft handeln. Aber
was weder porgens noch peyttens[7]) do, wolt das kind untter ein thür
haben, antwurt ich, wolt sy in unser capeln untter das fenster lossen,
da man uns das h[eilig] sacrament gibt, wolt denn das kindt hinauß, alsdann wolt ich thür und thor aufsperen. Auf dasselb hat sy lenger dann
ein gancze stund mit irm kind allein geredt, aber es nit künen und mugen darzu pringen, das es hinauß het gewolt. Hat sy im dapey gesagt,
sy wol herwider komen und noch weytter mit im handeln. Laufft mich
das kindt teglich umb hilf an, ich sol es nit benöttigen lassen.
Nun weiß E F W, das wir keine an vergunstigung[8]) eines e[rbern]
r[ats] hereinnemen, bedunckt mich auch pillich, das wir keine wider irn
willen hinauß treiben oder mit gewalt lassen nemen an eines E R willen
und wissen; wiewol sy dem kindt fur hat geben, sie woll sy neur[9]) ein
zeit lang hynauß nemen in ir hauß und sy darnach wider herein thun,
welchs mir und mein c[onvent] gar nit eben[10]) ist vil ursach halben.
Beger hie innen ewrs getrewen rats, ob ich ein suplicacion in ein E
R sol geben oder wie ich mich sust in die sach sol schicken, die mir ye
also zu schwer will sein. Meins bedunckens liessen uns solch leut wol
zu frid, so wir doch auch nymant gern wolten beschwern oder wider
das h[eilig] ewangelium und gut sytten wolten leben; gegen got, unßern

---

[1]) Mühe   [2]) gehen   [3]) ohne notwendige Ursache   [4]) wenn   [5]) vorenthalten
[6]) evangelisch (?)   [7]) Nachsicht noch Geduld   [8]) Erlaubnis   [9]) nur
[10]) recht

[a]) „Wurdiger" in H   [b]) „als" in H   [c]) „das" fehlt in H

herrn, bekennen wir uns aller schmacheit wirdig und wert, aber umb solch leut, denen wir ire kinder so getrewlich auch mit unserer mercklichen beschwert zyehen und neren in ganczer swesterlicher lieb, verdynen wir solchs meins bedunckens gar nit; doch befelhen solchs dem ewigen got, der diß und anders zum pesten wöll wentten und E F W in seinen genaden ewiglich wöll enthalten[11]. Amen.

Darauf wart mir kein antwurt.

Kapitel 8

Bericht über eine zweite Vorsprache der Ursula Tetzel zusammen mit ihren Brüdern Sigmund und Christoph Fürer — Unterredung der Äbtissin mit ihnen — Einige Tage später ein Besuch des Pflegers — Schwester Margaret Tetzel klagt ihm ihre Not — Brief Sigmund Fürers an seine Nichte

Uber etlich tag kom die Teczlin wider mit irn 2 prudern, herrn Sigmudt [!] und Cristoff Furer, die begerten mit vil scharffen wortten, das man ir s[wester], der Teczlin, ir tochter widergeb, denn sy wer so vil unterricht durch das clar ewangelium und [Bl. 8] die prediger, das sy ir kint mit guter gewissen nit kunt hinen lassen, mit verwerffung des geistlichen stants und schmehung alles unßers thuns und lassen.

Antwurt ich in, ich hets[1]) der Teczlin vor[2]) gesagt, das ich ir ir[a]) tochter nit vor wolt halten, wo sy selbst nit pleiben wolt, desselben wer ich noch erpüttig, das wirs aber von uns treiben solten wider irn willen, das wolt uns nit gezymen, dann es wer nit ewangelisch, wer auch wider swesterliche lieb. Sagten die Fürer, ich solt die tochter neyr 4 wochen pey ir muter lassen, das sis[3]) unterricht in dem waren gelauben und das sy das ewangelium möcht hörn, wie man es in der stat prediget. Sagt ich, sy het nechst[4]) mer dann 1 stund allein mit irm kindt geredt und ir maynung genung gesagt, da sy sich vor nymant het durffen[5]) scheuhen; ich wer auch erpüttig, das ich sye yczunt wider an das gesichtfenster zu in allen dreyen allein wolt lossen, künten sies[6]) uberreden, das sie mit in gen wolt, wolt ich thur und thor aufsperen, wo aber das kindt nit darzu wolt verwilligen, begert ich, das sy keinen gewalt anlegenten, aber ich kunt nit so vil zu wegen pringen, das weder die muter noch ir pruder das kint weder an dem fenster in der capeln noch an dem redfenster ein einigs wort wolten hörn; sagten, sy westen vor[b]) [7]) wol, daz sy mit irn willen nit hinauß würd wöllen, so wolten sis[8]) doch nit hynen lassen; also nach langem gezenck sagt ich, wir haben das kindt mit willen und wissen eins erbern rats entpfangen, wöllen das on irn willen und wissen nit von uns nemen lassen, wöllen an sie suplicirn und sie darinnen entschayden lassen, was pillich und recht wer. Sagten

---

[11]) erhalten

[1]) hätte es   [2]) vorher   [3]) sie sie, sie es   [4]) neulich, vor kurzem   [5]) brauchen
[6]) wie 3   [7]) vorher   [8]) wie 3

---

[a]) ein „ir" fehlt in H   [b]) „vor" fehlt in H

sie, dasselb möchten sie wol leiden, sy wolten auch suplicirn. Also schyden sy auf dißmal hynnen.

Das lieb frum kindt Marg[aret] Teczlin wurd herczlich betrubt, das sy ir vettern nit verhörn wolten, denn es het ein groß hercz auf sy gehabt, maynet ye es wolt mit irn vettern so vil handeln, das sy mit ir muter verschuffen[9]), das sy dem unpillichen furnemen abstund.

Uber etlich tag kam unser pfleger herr Caspar Nuczel, dem erzelt ich nach der leng den vorgeschriben handel; maynet er, ich solt mich des nit so hoch beschwern, es würd noch mer geschehen, dan sy würden yczo bericht von irn ge- [Bl. 8'] lerten, das nichcz umb das closterleben wer, wurd keinen bestand kunen haben, dann es het keinen grunt auß dem ewangelium; mit vil der gleichen worten.

S[wester] Margaret claget im auch mit vil heyßen zehern[10]) ir not und anligent und pat und ermant in aufs hochst, das er mit irn vettern, den Fürern, redet, das sis[11]) durch gotes willen vor[12]) verhöreten, ee sy gewalt an sy legeten. Aber es ging dem pfleger nichcz zu herczen, het neyr sein gespot darauß, saget doch zuleczt, sy möcht dem Sigmundt Furer selber schreiben, als sy dan thet. Schrib im auf das allerdemutigst und pat in auf das hochst, das er mit seinem pruder zu ir kem. Auff dasselb gab er ir diße antwurt:

Ein[c]) schreiben Sigmundt Füehrers an sein basen in dem closter:

Freuntlich und liebes mumelein!

[S. 58] Ich hab dein schreiben und begern verleßen, auch solchs meinem pruder angezaigt; dieweyl wir dann ungefer dein ansynen bedencken, auch deiner mutter willen wißen, dem[d]) sy auch nicht wirt absten, so achten wir nicht von notten dißer zeit zu dir zu kumen; demnach so wollest alles thun und laßen got allein befelhen; der werd es alles ordnen, wie es im und nit dem menschen gefelt; darumb piß[13]) frölich und vertraw got allein.

Sigmundt Fürer.

Kapitel 9

Brief der Äbtissin an den Pfleger: Bitte um Rat wegen der Margaret Tetzel — Falls der Rat ihre Entlassung befiehlt, sollen der Pfleger und 2 Ratsherrn dabei anwesend sein

Diß priflein schickt[a]) ich unßerm herrn pfleger, schrib im dapey die nachvolgenten maynung:

Fursichtiger w g lieber herr pfleger!

Herr Sigmundt Fürer hat seiner mumen dißen prif geschickt, des sy von herczen erschrocken ist; sagt: Das got erparm, verhört man doch

---

[9]) verhandelten, erwirkten   [10]) Zähren, Tränen   [11]) wie 3   [12]) wie 6   [13]) sei

---

[c]) [Die folgende Überschrift enthält nur Hs. B (S. 112) u. C (S. 73); den Brief selbst auch Hs. D (S. 58), der Brieftext nach D]   [d]) „denn" in H [Hier folgt der Text der Hs. D, S. 58]
[a]) „schrib" in H

einen dieb, ee man in henckt, weß sol ich entgelten, das man mich in der sach, daran mir so groß gelegen ist, nit verhörn wil; es bedeut nichcz guts. Wir haben an dem armen kind zu trösten.

Nun beger ich abermals ewrs getrewen rats und ruff euch an als unßern vater, dem von dem willen gotes die pfleg und handlung unßers closters entpfolhen ist dißer zeit, umb desselben lieb willen zaigt mir an, pit ich, ob ich ein suplicacion in einen E R sol geben, mein herrn darinnen loßen erkennen, ob solchs pillich und recht sey, das man eine unverhört uber[b]) iren willen also bezwyngen soll in solchem fall oder ob E W fur uns als ewre kindt mundtlich selbst sprechen woll. E F W kan ye wol abnemen, das wir in dißer sach keinen zeitlichen genyß[1]) suchen, sunder allein die ere gotes und schwesterliche lieb und trew, in der wir diß kindt nun pis in das 10. jar mit aller freuntschaft erzogen haben; erparmt uns sein jamer herczlich, wolten weder es noch keine, die gern pey uns belib, gern von uns treyben, als wol wir auch keine wider irn willen mit gewalt pey uns wolten behalten.

Mich bedunckt ye wir[c]) haben dißen hochmut gar nit umb diß leudt verschuld, dann es ye weder kristenlich, ewangelisch noch pruderlich ist, das man guts mit ubel will bezallen. Nachvolgent befelh wirs E F W als unßerm getreuen vater und liebhaber der gerechtigkeit in guter zuversicht, so wir doch ye nymant begern[d]) uberlast und unrecht zu thun. E W mit sampt einem ganczen erbern rat, unßern gunstigen lieben herrn und vettern, werd uns auch widerumb vor gewalt und uberlast behüten; doch hab ich mich mit meinen s[western] entlich bedacht, wo es ye müst sein, das wir diß kindt uber seinen willen müsten hynaußgeben, wölen[e]) wir dißen dapfern[2]) handel, desgeleichen unßerm convent vor[f]) nye zugestanden ist schier 300 jar, nit haymlich in den winckeln verrichten, sunder offenlich in E W und der andern alten herrn aller[g]) gegenwürtigkeit, die wir demutiglich und fleyßig wöllen ersüchen als unßer schüczer und schyrmer und getreu herrn und vetter, das sie all persönlich in unser closter wöllen kumen und sehen dißen redlichen handel und hörn unser anligen, auf das sy vor meniglich[3]) zeugtnus mügen geben der worheit, darumb das vil nachredt, unrwe[4]) und unwarheit, wie yczo gewonheit ist auf peden tayln vermyden beleib. Wir wolten eben als gern recht thun als andere leut, darumb wöllen wir das liecht[h]) nit flychen; begern demütiglich antwurt, wo es möcht gesein noch heynt[5]), auf das ich mich morgen darnach het zu richten. Damit vil guter selliger nacht[i]). Ich möcht wol leyden, wen es euch gut bedunckt, das ir dißen priff die alten herrn liest leßen auf morgen.

---

[1]) Genuß, Vorteil   [2]) wichtig, bedeutend   [3]) jedermann   [4]) Unruhe   [5]) heute

[b]) „wider" in A und H
[c]) „wir" bis „dann es" fehlt in H
[d]) „gern" in A und H   [e]) „bitten" in H   [f]) „vor" fehlt in A und H
[g]) „aller" fehlt in A und H
[h]) „recht" in H   [i]) „zeit" in A und H

Kapitel 10

Brief des Pflegers an die Äbtissin — Teilt mit, daß auch die Ursula Tetzel sich mit einer Bittschrift an den Rat wenden will und rät, diese abzuwarten — Nach Abgabe dieser Bittschrift schickt er sie der Äbtissin zu und ersucht sie, jetzt auch ihre Bittschrift dem Rat einzureichen

[S. 59] Auf dißen prif schrib mir der pfleger dißen nachgeschriben prifen:

Genad und frid von got dem vater durch seinen sun unßern erlößer! Erwirdige fraw und muter!

Als ich freytags von euch geschyden, hab ich gester mit Sigmundt Fürer meinem zusagen nach geredt und der Teczlin begern, das sie selbst mit irn vetern gern wolt reden, furgehalten, der mir heut antwurt geben, das sein s[wester], die Teczlin, in und sein pruder fur daß hinauß gen gepetten mit anzaigt, das sy irer tochter vorhaben dahynn gestelt, das sy irem ansuchen nit willfarn vor wiß[1]), so wiß sie sich in irm ansuchen nit allein unstreflich, sunder schuldig, wie sy acht[c]) kürzlich pey nymant fur selczam geacht werd[b]). Darauf sie ir zugesagt, wider irn willen dißmol nit hynaußzugen, sunder ir mumen das abzuschreiben.

Vermerck auch, das sie ir begern durch ein suplicacion an ein erbern rat zu langen willens; dieweyl nun die sach auf dem sten und ich dann meiner herrn geprauch waiß, das sy unverhort der parteyen, so ein handel belangt, nit entschid geben, das sy gewißlich inbedacht, das es pey dem nit beleiben, sunder ander mer der gleichen pey iren clöstern ansuchen mochten, wer demnach mein rat, ir hettent erwart, pis sy ir suplicacion geben, so ich daz vernem, wolt ich sagen, ir het mir von dißer sach und der Fürer vorhaben gesagt, dieweyl euch dann daran gelegen, das man euch dann die suplicacion zustellen, darauf wolt ir ewr noturft[2]) nach widerschriftlich, erber und unverweißlich antwurt geben, wie ir dann mit guttem rat wol thun kunt[c]). Wirt euch auch dinstperlicher sein denn mundtlich, dann ich eben als wol als Jeronimus Ebner außtretten[3]) muß. Ich zweyfel gar nit, ein ydes hab nach seinem verstant hierinn ein kristenlich gemüt, darumb ich got[d]) zum hochsten hierinn sein willen genediglich zu verfügen pit. Ich wil auch ewrn priff pey[e]) den eltern[4]) darumb nit loßen leßen, dieweyl ir villeicht nach uberantwurtigung der suplicacion weytere noturf bedencken möcht. Damit seyt dem herrn befolhen!

Ich glaub auch nit[f]), das die eltern hynter einem rat in dißer sach nichs werden handeln.

Caspar Nuczel der elter.

---

[1]) ? unklar, vielleicht verschrieben   [2]) Notwendigkeit   [3]) verreisen
[4]) ältern [Herren]

Hs. D S. 59
[a]) „ach" in A, „auch" in H   [b]) „werd" fehlt in A und H
[c]) „mugt" in A und H   [d]) „gar" in A und H   [e]) „pey" fehlt in H
[f]) „nit" fehlt in A und H

Darnach gab die Fricz Teczlin ir clag und suplicacion in den rat, die schickt mir der pfleger zu in dißem seinen⁹) priff eingeschloßen:

In Christo Jesu unßerm selligenmacher frid und hayl! Erwirdige fraw muter!

Die Teczlin hat hierinn verwarte suplicacion einem erbern rat uberantwurt, darauf ich angezaigt, daz ir mir dißen handel mundtlich und schriftlich entdeckt und gleichwol diß ansuchens^h) beschwert und euch aller sach gelegenheit nach nit versechen het, wie aber dem, so het ich den befelh von euch zu begern, das man euch die zu wolt schicken, als dann wurdt ir ewr antwurt und noturft einem erbern rat darauf schriftlich nit verhalten, welchs fur pillich angesehen und mir die zugeschickt E E die zu uberantwurten und will ein rat ewr antwurt gewartten und alsdann bescheyd geben oder ir gemüt, wie^i) in rat erfunden, eroffnen; das hab ich meinem jüngsten zuschreiben nach und auf gegeben befelh nit wollen verhalten⁵), mich darzu zu ewrem disnt willig erpiettent
Caspar Nuczel, der elter.

Kapitel 11

Inhalt der Bittschrift der Ursula Tetzel an den Rat: Sie will ihre Tochter zu Hause im Evangelium unterrichten und ihr dann die Wahl lassen, ob sie wieder ins Kloster zurückgehen oder bei ihr bleiben wolle — Bittet den Rat um Hilfe, falls die Äbtissin oder ihre Tochter dem nicht zustimmen sollten

[Bl. 10] Diß ist der Teczlin suplicacion:
Fursichtigen, erbern, w[eise] und gunstigen lieben herrn!
Meiner[!] lieber haußwirt seliger und ich haben verschynnen¹) jarn unßer liebe tochter in ewrer weißheit sant Clarn closter geholfen, anders nit wissent, wir geben dan got ein lebendig opfer und das ir ein abwaschung irer sundt were und closterleben ein fuderung²) der sel heil. Nun hab ich aber durch hörn und leßen so vil gefunden, das ich genczlich halt³), der closterstant sey got unbekant und nichcz anders dan ein menschengedichte⁴), gleicherische⁵) absunderung, derhalben mich mein gewissen getrungen hat dieselben mein tochter neben peden⁶) meiner lieben prudern von der erwirdigen f[rawen] abtissin widerumb zu erfodern; des sie geantwurt hat, nachdem sy mit E W wissen und willen dieselben mein tochter eingenumen haben, wol ir nit gepürn die an⁷) E W willigung wider heraußzugeben, darumb sie es an ewrer erberkeit durch ein suplicacion gelangen wöllen lassen, dieweil sich aber solchs verzeucht, tringt mich mein und meiner tochter selenheil E W umb gotes willen zu ermanen und zu pitten E F W wollen zu herczen nemen, das mein tochter in irn unverstendigen jarn und zwischen gutem und

---

⁵) vorenthalten
¹) [in] verflossenen   ²) Förderung   ³) dafür halte   ⁴) menschliche Erfindung
⁵) heuchlerische   ⁶) mit beiden   ⁷) ohne

---

⁹) „scinen" fehlt in H   ʰ) „ansuchend" in H
ⁱ) „wie sy in rat fynden" in A und H
Das Folgende fehlt in Hs. D; der Text folgt Hs. A Bl. 10

possen nit untterschyd gewist hat, als nemlich 14 jar irs alters in diße gefencktnus kumen ist und das Cristus am jungsten gericht nit erfodern wirt [Bl. 10'] petten, vasten, sweigen, clayder, ayr[8]) oder fleisch, sunder allein glauben und liebe des nechsten. und mir darzu verholfen[9]) sein und verfugen, das mir mein tochter ein zeitlang wider in mein behawßung geantwurt werdt. Wil ich E W verheyßen und wo nit mit meinen prüdern verpürgen, wenn sie im wort gotes untterricht wirt, das sy dan pey munchen nit fynden darff, irenthalben hunger an der sele lyd, untterricht ist, das sy aller ding frey und ungetrangt sein sol, sie beleib heraußen und nem mit mir[a]) vergut[10]), mit mir armen witben[11]) und iren geswystereten oder gee widerumb ins closter, da sy villeicht ein peßer und genugsams[b]) leben hat, damit mein gefangene gewissen zu rwe gestelt werde. Solt aber solchs durch die w[irdig] muter aber mein tochter abgeschlagen werden, so wil ich verhoffen E F als unser ordenliche oberkeit werden die ungehorsam meines kinds gegen mir, irer muter stant und unser peder selen diß thun halben gunstiglich zu bedencken wissen. Darauf ich uns pede E W pit zu befolhen zu haben.

E F W gehorsame witbe Ursula Friderich Teczlin.

Kapitel 12

Bittschrift der Äbtissin und des Convents an den Rat: Nochmalige ausführliche Schilderung der Begebenheit mit der Ursula Tetzel und ihrer Tochter — Darlegung, daß in der Hl. Schrift das Klosterleben nirgends verurteilt wird, sondern im Gegenteil, daß die ersten Christen auch lebten wie in einem Kloster — Der Rat möge nach bestem Wissen und Gewissen seine Entscheidung treffen, der sich der Convent fügen will

Diße antwurt und suplicacion gaben wir auf in ein erbern rat, die auch durch ein gemayn convent gestympt[1]) wardt:

Fursichtig erber w. l. herrn!

Die suplicacion, durch die erbern frawen Ursula Teczlin uberantwurt und uns furgehalten, haben wir demutiglich verlesen und sagen erstlich, das die warheit ist, das[a]) wir durch vil pet[2]) hern Friderich Teczel seligen, auch dißer clegerin die gemelten[3]) ir tochter auß zugebung[4]) E W zu uns genumen haben und ist nit on, sy ist erstlich allein und nachvolgent mit irn prudern pey uns gewest und die tochter wider auß unßerm closter erfodert, die wir nunmals in das 9. jar mit allem fleiß erzogen und ir unser armut mitgeteilt in aller swesterlichen lieb, welchs uns nit unpillig beschwert, wan unsers bedunckens hab wirs nit umb sy verdint.

Das wir [Bl. 11] aber an E W zu suplicirn untterlassen haben, ist diß die ursach gewest, als die gemelt[5]) fraw zu uns kumen ist und mit ge-

---

[8]) Eier [essen]   [9]) behilflich   [10]) vorlieb   [11]) Witwe
[1]) abgestimmt   [2]) wegen vieler Bitten   [3]) erwähnte   [4]) mit Erlaubnis
[5]) wie 3

---

[a]) „mir" fehlt in H   [b]) „genugsamb" in H
[a]) „was" in H

walt in unßer closter gewolt, haben wir sy nach allerley handlung ge-
petten, das sy sich benugen[6]) wol lassen, das wir ir die tochter allein
stellen, sye sehen und nach ir notturft[7]) mit ir reden lassen, solchs auch
geschehen und sy pey einer stund allein geredt an fensterlein, durch das uns
das h[och] w[irdig] sacrament geraicht wirt. Aber nach solcher red ist die
tochter mit großem weynen und clagen widerkumen und uns aufs hochst
gepetten und ermant, sie nit zu verlassen, sunder pey uns zu behalten,
wie sy dan noch teglich thut und wiewol nachvolgent die fraw sampt
irn prüdern wider zu uns kumen ist, haben sy doch mit der tochter gar
nichcz handeln wöllen, das sy mercklich beschwert gehabt, irn oheymen
derhalben geschriben, sie gepetten zu ir zu kumen und sy auch zu ver-
nemen, das ir aber abgeschlagen ist worden mit anzaigung die muter het
sy fur solchs gepetten; würd auch irm furnemen nit absten. Das sy ge-
leich mit höchster beschwert angenumen het, angesehen, das man ubel-
thetter[b]), ee man sy zum todt verurteilt, verhört. Solchs ist unser ur-
sach gewest des verzugs und gar nichcz anders; ziechen[8]) uns derhalben
auf unsern herrn pfleger.

Nun hab wir hievor E W angezaigt, welche nit gern pey uns were,
die wolten wir auch ungern pey uns zu beleiben betrangen[9]), das wir
aber ymant mit gewalt uber seinen willen von uns treyben sollen, ha-
ben wir als wol beschwerd in unser gewissen als die fraw, das sy ir
tochter pey uns sol lassen in dem closterstant, der got unbekant sey, als
sy sagt, befremdt uns nit wenig, so got die ewig weißheit ist, on des
willen kein pletlein vom pawm noch herlein von unßerm haubt felt, dem
alle abgrunt der herczen bekant sindt, vor des angesicht kein creatur
unsichper ist, vor dem sich nymant verpergen kan, das er uns arme sei-
ne creaturlein allein nit erkennen soll, so wir doch von seinen genaden
auch zu dem cristengelauben berüft sind, in dem wir allein in sein ge-
nad hoffen und in das pitter leiden Christi unser hoffnung seczen, den
wir auch nach seinem gepot von herczen zu lieben begern, welche lieb
uns treibt die clösterlichen werck zu treiben, die uns der herr Christus
und der groß Paulus lern, die uns stettigst wachen, fasten, petten und
got loben durch psalm und geistlich gesang heyßen, nit das wir auf sol-
che werck pawen, sunder so wir das alles gethun haben, das wir uns
fur unnucz dyenerin sollen achten. Uns hat ye got auch mit einer ver-
nuftigen sel begabt, die wir im auch gern wider zu der seligkeit auf-
opfern wolten und gar vil lieber, wo es müglich wer, durch das suß
denn durch das sawr gen himel kumen; dyweil uns aber der herr Chri-
stus lert, das wir unser kreucz auf uns sollen nemen und im nachvol-
gen, wolten wir dennoch gern in dem stant, zu dem wir beruft sind, be-
leiben, [Bl. 11'] nach der lere sancti Pauli. Nit das wir auf denselben
(wie gemelt pawen), dann wir wissen, das eins rechten kristenmenschen
leben weder an zeit, stat, essen, clayder und dergleichen gepunden, sun-

---

6) begnügen wolle   7) Bedarf   8) beziehen, berufen   9) drängen, zwingen

---

b) „ubel thett, ee" in H

22

der frey ist, nit in leiblicher, sunder geistlicher freyheit, mit der uns Christus erlost hat, sunder das uns in dißem unßerm vorhaben und maynung unßer gewissen auch die h[eilig] geschrifft gar nit strafft, ob uns aber die menschen straffen, daran^c) ist uns nit gelegen. Got wirt urteiln und nit die menschen, vor dem wir all erscheynen mußen und seins urteils erwartten. Ein ytlichs stet und fellt seinem herrn. Christus spricht: Ir solt nymant verdamen, auf das ir nit verdampt wert. Es irret^10) nit, ob wir schmah, schant und nachred leiden, dann Christus, unser seligmacher, hat noch mer fur uns gelyden, der unschuldig fur uns schuldig menschen, der gerecht fur uns ungerecht, dem sey lob und ere umb das, so er uns zuschickt als wol umb das widerwertig als umb das gelücklich, dan er ist allein der, des genad und parmherczigkeit on endt ist.

Und geb got, das dißer frawen furnemen auß betrang einer guten gewissen und nit auß andern ursachen gescheh, dann wiewol die warheit, das die tochter jung herein ist komen, so hat sy doch nunmals ire verstendigen und vernunftigen jar erreicht, also das sy wol erkennen kan, was poß und gut ist. Auch die muter, wiewol die pillich von kinden geert sollen werden, nit den gewalt uber^d) die kinder als die vetter haben, auch die nit untter muterlichen gewalt wie untter vetterlichen sind, wie dan die recht außweisen, so hat diße clegerin nit macht ir tochter wider irn willen auß dem closter zu nemen. Die tochter ist ir auch wider ir gewissen zu volgen nit schuldig, derhalb die fraw nit sagen mag, ir gewissen sey beschwert, dieweil sy das ir gethun und der tochter ir maynung angezaigt hat und aber dieselb auf ir furnemen verharrt; die muß hynfuran und nit die muter, die nun entschuldigt ist, fur sich selbst antwurt geben. Wol möcht die fraw ir gewissen fohen^11) und in unrw [!] stellen, so sy das kindt wider seinen willen auß dem closter precht, das befelhen wir got, sind aber daneben schuldig unßer gewissen auch zu raynigen und das unßer zu thun. Was wir nit erhalten mugen, müßen wir faren lassen.

Damit aber E W zu dem rechten grunt komen müg, so pit wir dieselben in aller demutigkeit, die wöll nit allein uns, sunder der tochter zu gut, ymants verordnen, so wöllen wir die allein und offenlich stellen, das die nach aller nottürft müg gefragt werden, erfindt sich [Bl. 12] dann, das ir will auß dem closter stett, sol sy warlich von uns nit verhindert werden, begert sy aber pey uns zu beleiben, hoffen wir, E W werdt nit gestatten, das gewalt mit ir getriben werden, sunder werdt sy genediglich vor solchem schuczen und bewaren, damit doch das arm kindt auch verhört werdt und sein maynung vernumen und E W erlangen müg, so im von der freuntschafft^12) abgeschlagen ist worden, dieweil ye nymants unverhört sol geurteilt oder beschwert werden.

Wo aber das E W maynung nit sein will, sunder die tochter ye hynauß muß, des wir uns doch nit versehen, so künen und wollen wir uns

---

^10) kommt nicht darauf an   ^11) fangen, retten, bewahren   ^12) Verwandtschaft

---

^c) „daran" fehlt in H   ^d) von „uber" bis „gewalt" fehlt in H

gar nit wider die seczen, sunder sind erpüttig unser pfortten aufzu-
sperrn und die tochter darzustellen, will sy denn E W hynauß mit ge-
walt wider iren willen oder ymants anders diß gestatten, mußen wir got
befelhen, aber das wir sy selber wider irn willen von uns treiben soln,
wil uns nit wenig beschwerlich sein, wie E W als die hochverstendigen
wol zu ermessen haben.

Als sich aber die fraw im endt erpeut, so die tochter von ir untter-
richt sey, sol es dann in ir wilkür sten wider in das closter zu gin oder
herauß zu beleiben, zu dem sagen wir, sy kunen die tochter nit so vil
guts untterweißen, wir günen ir noch vil mer, hofen auch sich werdt er-
fynden, das wir sy auch nichcz poß gelert haben, aber sy wider in das
closter zu nemen, so sie herauß kumen ist, wirt unsers fugs nit sein.
Hoffen auch E W werd uns zu solchen nit tringen, anderm und große-
rem unrat[13]) zufurkumen, dann die wol weiß, hat auch erfaren, wen ein
unrwigs oder verwißens[14]) menschs untter ein ganczen convent kumt,
was unrats[15]) darauß volgt und wer uns vil lieber, sie verpürget mit irn
prüdern, so sie [die] tochter erlangt het, das sy uns alsdann unbetrubt
wolt lassen, were uns ye hoch beschwerlich alwegen dermoß gewertig
zu sein; wurden sich ander leute) auch darnach richten und das hinauß-
und hyneinlauffen nymer endt nemen.

Als uns aber die fraw zuleczt anst[et] [!][16]), als solt ein peßer ge-
nungsamer leben in unserm closter denn in irm hawß sein, das mußen
wir got befelhen, wöllen aber ye nit das spiczig mit der spiczigkeit ver-
antwürtten, dieweil das wider got und die lieb des nechsten ist. E W
haben unsers einennemen und außgebens und kostlichen lebens genug-
sams wissen, dapey wir es beleiben lassen, dancken got, das wir das ha-
ben, hoffen darpey, es sey dennoch auch ein werck der lieb des negsten,
so wir uns dester sperlicher halten in der narung und die pfrundt
schmellern, auf das das heilig almußen, das wir nyeßen[17]), geleich auß-
geteilt werd, der als vil, die nit pringt alsf) die pringt, nach dem ex-
empel der ersten cristenheit, von der in actibus[18]) geschriben stet, das
sy alle peyeinander warn und hetten alle ding gemayn in besiczung und
substancz, verkawften sy und teilten in allen [Bl. 12'] als einer ytlichen
not was und verharrten teglich im tempel und lobten got; das was ye
auch ein guts closterleben.

Wollen hiemit E W als unßern gunstigen lieben herrn und getrewen
vettern in aller demutigkeit befolhen haben der hoffnung, der almech-
tig got werd alle ding zu seinem lob ordnen und schicken, den piten wir,
woll uns in aller unßer widerwertigkeit rechte gedult verleyhen und sein
joh suß machen, damit wir im sein kreucz mit frewden helfen nach-
tragen. Amen.

E F W demutige kinder abtissin und convent zu sant Clarn.

---

13) Unordnung   14) falsch unterrichtetes   15) wie 13
16) ? . . . . im Text steht nur „anst" am Ende der Zeile
17) genießen   18) actibus apostolorum (Apostelgeschichte)

---

e) „leut" fehlt in H   f) „aus" in H

24

Auß [!] diße suplicacion gab man uns auch kein antwurt, schwig yder-
man still, dann man hab darnach am pfincztag[19]) nach dem aschermit-
woch, was sant Kungund tag, die disputacion auf dem rothawß an; die
ging allermayst wider die parfussen, harret man, das man ursach möcht
haben, sy mit fug von uns abzuschaffen.

3. Bevorstehende Einsetzung neugläubiger Prediger (Kap. 13—21)

Bericht über die Vorsprache von Christoph Koler und Bernhart Paumgart-
ner als Abgesandten des Rats im Kloster am 3. Fastensonntag des Jahres 1525
— Besprechung mit Äbtissin und Convent wegen der Einsetzung eines neuen
Predigers (Poliander), der Wahl neuer, durch den Rat vorgeschlagener Beicht-
väter und des Entzuges der Franziskaner — Diese werden von den Abgesandten
des Rats in ihr Kloster zurückgeschickt und ihrem Guardian wird der Ratsbe-
schluß mitgeteilt — Dasselbe geschieht auch bei den Dominikanerinnen von St.
Katharina

Anno domini 1525 am suntag Oculi in der fasten, was der 19. tag im
merczen nachmytag kom h[err] Crist[of] Koller und Bernhart Pawmgart-
ner, sagten, sy wern gesant von einem e[rbern] rot, von dem sye befelh
hetten ein potschaft an den convent zu werben[1]), dy musten sye dem
gancz convent ansagen, darumb solt ich sye in daz closter loßen. Sagt
ich, ich wolt in[2]) den convent woll an daz redfenster[a]) fodern[b]), moch-
ten sy ir potschafft woll außrichten; sagten sye, neyn, sy hetten den
befelh, daz sy ir potschafft dem convent in der gestalt furlegten, das all
swester horn und sehen mochten. Also ließ ich sye mit großem vorch-
ten herein, berufft den convent in den wynterrebenter[3]).

Huben die 2 herrn ein lange red an, wye sy von einem e[rbern]
rot in gancz gutter meynung zu uns verordent wern, das sy uns sollten
zu bekennen geben ir veterliche gunst und sorg, dy sye zu uns und fur
uns hetten als zu irn kinden und geborn freuntyn[c])[4]); deshalben sy uns
nit berauben wolten der genad, dye in[5]) got der herr beweist het, in-
dem das daz clar wort gottes und hell ewangelium also an tag wer ku-
men, daz sye nun erkennten, wye großlich vor geirt[d]) wer worden, als
sich dann erfunden het in der cristlichen disputacion, dy iczund etlich
tag auf dem rothawß gehallten wer worden, indem ir predicanten und
hochgelerten dy worheit des clarn goczwort also hell an tag hetten
pracht, das dy ordensperson, dy do wern gewest, selber hetten mußen
bekennen, das in gar vill stucken geirrt wer worden. Demnoch so dy
gancz stat mit dem clarn wort gocz also erleucht wer worden durch dy
predig des ewangeliums, das pißher unter der panck wer gelegen und
gar verdunckelt durch dy, dy es pißher gepredigt sollten haben, so wolt
uns ein erber rot diße genad auch mitteyln, wollten kein kosten in[e])

---

[19]) Donnerstag
[1]) vorzubringen   [2]) ihnen   [3]) Winterrefektorium, Speisesaal   [4]) Verwandten
[5]) wie 2

Ab hier folgt der Text Hs. D, S. 10
[a]) „fenster" in H   [b]) „sondern" in H   [c]) „freunden" in H
[d]) „vorgeret" in H   [e]) „zu" in H

demselben ansehen, darumb hetten sy uns verordent einen hochgelerten kostlichen prediger mit nomen herr Poliander von Wirczpurg, der wurd als morgen montags anheben[f]) uns zu predigen daz hell ewangelium und furpas als offt predigtag wern, wurd er predigen als lang, piß ein erber rot einen andern verordent und wer eins erbern rots ernstliche meynung, das wir dißen erleuchten man mit fleiß horten und daz ich dy swester darzu hyelt, daz sye mit fleiß predig hortten.

Zu dem andern wolt uns ein erber rot auch versehen mit peichtvettern vil paß, dann wir pißher versehen wern gewest, mit hochgelerten, tapffern, verstanden, erfarn menern, der sye etlich furgeschlagen hetten, unter den wir dy wall sollten haben; schlugen uns fur 2 augustynermunch, einer hyeß Karl, der ander Dorß[g]), der 3. was ein leyenprister zu sant Sebolt, der hyeß herr Seubelt. Unter dißen 3 solten wir einen nennen[h]), welchen wir wollten und lobten sye all mit so hochem preiß und gaben in so vill predicata, es het sich vergangen, wen sye als [heilig] wern gewest als Johannes Baptista.

Zum 3. sprachen sye, wer eins erbern rots ernstliche meynung, das wir der[i]) parfusser, dy uns pißher regirt hetten, in allen dingen mussig sollten gen und wir mit in[6]) und sye mit uns nichs zu schaffen und schicken sollten haben, das wer eins erbern rots entlicher will; wolten es auch dem gardion[7]) zu den parfussern und den andern also ansagen diße stuck, wurin sye mit vill geschmyrtem deydigen[8]), wie auß großer vetterlicher lieb eins erbern rots, der unser closter fur alle andern in hochen gunst het, solchs gescheh und wye wir ye in allen dingen paß versehen wurn werden dann vor ye.

Auf diß antwurt ich an des convents stat auf ein solche meynung ungefer: Wir wern einem erbern rot danckper aller gut gunstigkeit, dy sye zu uns hetten, bekenenten, daz sy uns pißher vil vetterlicher trewen bewißen hetten, aber es befremdet uns nit wenig, betrubet uns auch von herczen das jech[9]) abschaffen unßer von den parfussen. Nemlich des ersten stucks halben der prediger, mit den wir pißher von den genaden gottes auch versehen wern gewest mit cristlichen predigern, dy uns daz h[eilig] ewangelium auch clar gepredigt hetten; der peichtvetter halben aber[i]) begern wir sunderlich von ganczem herczen, das uns ein erber rot unßer selsorger nit nem, mit dem unßer closter ob 250 jarn woll versehen wer gewest; hetten sich dy parfussen, dy uns pißher peicht hetten gehort dermoß so tapfferlich, ersamlich und frydlich gehallten, das gutter frid unter [S. 11] uns wer belieben und auch nye kein schandt noch ergerung gegen den weltlichen entsprungen wer; darumb begerten wir sye nit zu verpeßern, wolten der keinen annemen, dy sye uns furschlugen, hofften und getrawten, ein erber rot wurd uns nit zwingen in den dingen, dy unßer gewissen antreffen, so doch keyn herschafft kein ehallten[10]) zweng dem zu peichten, den sy wolten wider irn willen.

---

6) wie 2   7) Guardian   8) Verhandeln   9) jähe, plötzliche   10) Dienstboten

f) „anfahen" in A   g) „Dorfer" in H   h) „nemen" in A und H
i) „die" in H   i) „aber" fehlt in A

26

Auf den 3. punckten, das sy uns wollten absundern von dem regiment der parfusser, gab ich dy antwurt, dy 2 orden wern von anfang ir styfftung also zusamengepunden und von bebsten und keyssern in irn privilegien und bulen also aneinander eincorporirt, das wir in keyn weg gewallt[k]) hetten uns mit willen darvon loßen trennen, hetten auch des weder fug noch recht, denn wir pißher nichs denn guts von der parfusser orden entpfangen hetten, musten wir aber gewalt hyrinnen leyden, so mußten wirs got befelhen, vor dem wir protestirten, das wir solchen gewalt lyeden wider unßern willen und daz wir weder gunst noch willen geben[l]) in all artickel, dy sy uns furgehalten hetten. Diß was ungeferlich dy meynung meiner antwurt. Do stund der gancz convent auf und gab[m]) mir gezeugtnus, das es ir aller meynung wer, wy ich geredt het.

Do wärd[n]) die herrn ernstlich, sagten auf den ersten punckten mit der predig wurd es ye keinen abgang haben, dann der hochgelert h[err] Poliander wer schun bestelt und alle ding verordent, das er morgen[o]) montags an sollt fahen. Den 2. punckten mit den peichtvettern sollten wir uns auch nit so gar schwer loßen sein, es wern doch ye frum, hochgelert, erfarn menner, hetten wir aber ye einen schewch[11]) vor den leyenpristern, so mochten wir woll der 2 augustiner einen nennen[p]), dy wern doch ordensperson und auch munch. Sprach ich, will man uns munch geben, so loß man uns als mer unßer munch, dy wir kenen und wißen, was tapfrikeit und gutter syetten sy sind, wir kennen dy munch auch woll, dy ir uns genent habt, wißen woll, was sy fur einen loßen orden iczunt furn. Sprachen sy, wir sollten uns dasselb auch nit loßen anfechten, sye wurden aygentlich nit munch beleiben, sy wurden ir kutten hynlegen und ander stend an sich nemen. Sprach ich, do wirt zumal nit auß, sollten wir erst apostaten zu selsorgern nemen, dy got meyneydig sind, was sollten wir uns denn guts zu in[12]) versehen, sy wurden uns nichs lern, denn was sye selber thun als sy weyber nemen; maynten sye villeicht wir solten auch mann nemen, do uns got vor behut, durfft worlich nit gedencken, das wir uns in diße ding werden begeben.

Also zanckten wir uns lang der peichtvetter halben, sye belieben auf irn syn[q]), so belieb wir auf dem unßern auch. Auf den 3. punckten der absunderung halben von dem orden, begert ich man sollt uns anzaigen dy ursach, womit wir solchs verschuldt hetten, ob wir myßhandelt hetten oder[r]) imants ergerung geben, wo uns solchs angezaigt wurd, wollten wir uns gern peßern und dy mißpreuch abstellen. Auf dasselb antwurten sye: Ein erber rat het kein wissen von keinem myßprauch oder ergernus, der von uns noch auch von den parfussen ye entstunden wer, sy westen nichs von uns dann alle zucht, erbrikeit und gutten leymunt. Sprach ich: Darpey ließ man uns pillich beleiben; sagten sye: Es trug sich aber an andern orden anders zu, das solch sach verhantten wern,

---

11) Scheu   12) wie 2

k) „gewollt" in H   l) „geben" fehlt in A   m) „gab" fehlt in A
n) „warn" in A, corrigiert in D ? „wärn" in H
o) „mögen" in H   p) „nemen" in A   q) „synd" in A   r) „oder" fehlt in H

darumb man pillich dy munch von den frawenclostern abschaffen must, solt mans dann an einem ort thun und an dem andern nit, wurd nichs darauß dann⁵) unfrid und nachred.

Nach langer red und widerred, do sye sahen, das der convent so herczlich betrubt was und dy swester so pitterlichen weynenten, sprachen sye, sye merckten woll, daz wir einem erbern rot undanckper wern und ir gutte vetterliche meynung nit gut aufnemen, daz wollten sy einem erbern rot uns zu gut nit gern also ansagen, wir sollten uns auf ein andere antwurt bedencken. Aber wir gaben in auf dißmall kein andere antwurt. Also schyeden sy ab von uns mit cleynem glympf¹³) zu peder seytten.

[S. 12] Do sye auß unßerm closter komen, gingen sye von stund an in daz peichthawß, schuffen unßern frumen alten peichtvater Erhart Horolt und den prediger Nicolaum Liechtenstern von uns ab, sagten in, eins erbern rots meynung wer, das sye uns furpaß weder predigten noch peicht horten noch nichs mit uns zu schaffen sollten haben. Das thetten die lieben vetter und gingen von stund an dieselbe nacht heym in ir closter.

Darnoch gingen dy herrn auch zu dem gardion¹⁴) zu den parfussern, dye zeit vater Michel Fryeß, sagten im auch dy meynung, was sy pey uns geschafft hetten und gepotten im von rots wegen, das er und all sein pruder furpaß unßer mussig sollten gen und nichs mit uns zu schaffen haben, sy wollten uns furpaß selber versorgen.

Denselben tag gingen dy herrn auch zu sant Katerinen und thetten denselben prudern und swestern eben wye uns.

Kapitel 14

Fortsetzung des Berichtes über den Entzug der Franziskaner — Letzte hl. Messe im Klarakloster — Erneuter Besuch Christoph Kolers und Bernhart Paumgartners und Unterredung mit dem Convent — Die Schwestern von St. Katharina werden wegen ihrer Bereitwilligkeit, die neuen Prediger und Beichtväter anzunehmen, gelobt und als Vorbild hingestellt — Die Äbtissin will ihre Antwort den beiden Herren und dem Rat über den Pfleger mitteilen, bittet den Pfleger zu einer Besprechung in das Kloster — Dieser sagt ihr sein Kommen für den nächsten Tag zu

Am eritag¹) darnach kom unßer peichtvater und prediger wider, hollten irn werckzeug und was sye noch in dem peichthawß hetten, hyelt der prediger meß^a) in unßer^b) cappeln und renovirt das hochwirdig sacrament, das es dester lenger also sten mocht, gingen darnoch vor essens wider heym. Fur das mal sind sye keyn tag mer heraufgangen, ist auch weder der vater gardion noch unßer oberer^c) noch keyn parfußer kein

¹³) Vorteil, Nutzen   ¹⁴) wie 7
¹) Dienstag

⁵) „dann" fehlt in A
^a) „hyelten die predigt meß" in H
^b) „der" in A und H   ^c) „oberen" in H

mal nye zu uns kumen, wywoll man dennoch vil lug von uns gesagt hat, wie sye heymlich zu uns gen, uns peicht horn und daz h[ochwirdig] sacrament geben. Mußen wir got mit andern nachred befelhen; wir sind ye syder[2]) der peicht, des hochwirdigen sacraments und aller cristlichen sacrament beraubt nit on cleyne beschwerung unßer gewissen auch in todsnotten als dann unßer l[iebe] mitswester Clara Leffelholzin selligen auf[d]) dy genad und parmherczigkeit gottes gestorben ist, wywoll sye der h sacrament von grunt irs herczen begeret, wolt sich doch nit in dy ferligkeit geben des mysgelaubens halb, der iczen in villen ist des hochwirdigen sacraments. Got vom[e]) hymel sey dißer unßer[f]) geistlicher mangel geclagt, der erparm sich unßer und schick schir ein guts mytel durch sein gruntlose parmherczigkeit!

An demselben eritag[3]) nochmittag kom wider Cristoff Koller und Bernhart Paumgartner und wollten aber[4]) in das closter. Fragt ich sye, ob es der sach halb wer, dy sye nun anpracht hetten, wolt ich in wol weyttern bescheyd geben. Sagten sye, neyn, sye hetten ein andere werbung[5]). Also mußt ich sye aber[6]) hereinloßen zu dem convent; do huben sye aber[7]) an mit vil ernstlichen und scharpffen[9]) worten: Sy wern negst suntag[h]) pey uns gewest, hetten sy pey uns gesehen und gehort, daran sye pillich entseczt wern worden, dann auß unßern widerstrebenten antwurten und großem weynen hetten sy woll gemerckt, das wir einem erbern rot ungehorsam und widerspenig[8]) wollten sein und ir vetterliche wollmeynung, dem[i]) sy unßerm closter insunderheit genaygt wern, verachten und daz gut, das man uns thet, nit wollten annemen, das uns doch zu großem nachteyl wurd kumen, darumb sy auch pißher unterloßen hetten solchs einem erbern rot anzusagen, dann sy hofften ye, wir hetten uns syder[9]) einer peßern antwurt betacht; sy wollten uns auch nit verhallten[j]), sy wern zu sant Katerina gewest, do hetten sye andere demutige gehorsam einem erbern rot gefunden dann pey uns, dann sy hetten sich von stund an on alles widerreden ergeben, wye es ein erber rot mit in schaffet, des wollten sye gutwilliglich geleben und wen man in geb, den wollten sy gutwilliglich annemen; sye hetten keine darumb sehen weynen, das man in dy munch het genumen, sunder wern erfrewd worden, wir sollten auch thun als sye und ander leut, dann wir aygentlichen mit der zeit [S. 13] noch got und der obrikeit wurden dannken, das sy uns der munch hetten abgeholfen, sy musten morgen einem erbern rot relacion[10]) thun, darumb solten wir in eine andere antwurt geben denn wir im[k]) am negsten geben hetten.

Antwurt ich auf daz erst und sprach mein schuld fur mich und den ganczen convent und patten sye, das sye uns vergeben, wo wir uns zunegst ungepurlich und nit irs gefallens gehallten hetten, begerten darpey, daz sy sich unßer nit ergerten, das dy swester also geweynt hetten, dann solchs auß frewlicher plodigkeit[11]) und auß schrecken entsprungen wer, dann wir uns dißer zeit solcher jeher[12]) potschafft gar nit versehen hetten. Es hetten villeicht dy swester zu sant Katerinen ander ursach dann wir, dann ye unßer vetter sich dermossen pey uns gehallten haben, das wir uns[l]) kunen frewen, so man sye von uns abschafft.

Zum 2. sagt ich, wir kundten in noch kein andere antwurt geben denn wir[m]) vor geben hetten, doch pet wir[n]) sye, wen sye ir relacion[13]) thun wurden, das[o]) sy uns gegen einen erbern rot versprechen und sye petten von unßern wegen, das sy solchs unßer abschlagen nit als widerspenig[14]) und ungehorsam aufnemen, sunder unßer große notturfft[15]) darpey bedechten, dann sye woll westen, das wir in vor alwegen in allen zeitlichen dingen gevolgt hetten, aber was unßer sel anging, kundt wir nymant volgen dann unßer eigen gewissen, mit vil andern wortten.

An dißem wollten sy sich aber nit loßen genugen[p]), trungen hert und fest auf ein andere antwurt mit vill troewortten. Do wir ir ye nit ab kundten kumen, do sprach ich, wir wollten einem erbern rot durch unßern pfleger antwurten, dann wir gedachten, wir wollten den pfleger ee erwachen[16]) denn diß jung hert leut, wyewoll dazselb layder auch nit geschach. Do sy hortten, das wir mit dem pfleger wollten handeln, do lyeßen sye ein wenig ab und sprachen, wenn wir in[q]) zusagen wolten, das wir ein mundtliche antwurt durch den pfleger geben wolten und das[r]) dazselb pald gescheh, so wolten sy das pest unßern halben einem erbern rot wider sagen; sye lyeßen sich aber wol beduncken, wir wollten supplicirn, so wolten sy uns dennoch vorsagen, daz uns dazselbig nichs wurd furtragen, man wurd auch kein supplicacion annemen, dan es werd von einem ganczen rot also beschloßen, das es also must sein, das und kein anders. Mit dem schyeden sy von uns.

Am mitwoch darnach hylt ich capitel[17]), froget die swester rots, wy wir uns weytter hallten sollten, dann wir hetten vor im synn gehabt wir wollten supplicirn, so aber dy 2 herrn das abgeschlagen hetten, westen wir aber nit weytter. Also stymet der convent noch wir sollten ein supplicacion stellen und unßer beschwer genungsam darinnen anzaigen und sollten den pfleger pitten, das er hereinging, sollten im dyselben supplicacion leßen und seins rots darinnen pflegen, ob er sye einem erbern rot wollt uberantwurten oder ob er diße meynung mundtlich wollt sprechen. Sy hetten ein gutte hoffnung, sy wollten in uberpitten. Also schrib ich in und pat in, das er kem. Schrib er mir diße antwurt darauf:

Erwirdige fraw und mutter! Ich pyn mer pey euch, dan nir all meynt, wollt auch gern pey euch allen im closter sein, wyewoll ir wyst, das

---

[11]) weibliche Unvernunft   [12]) plötzlicher   [13]) wie 10   [14]) wie 8   [15]) Notlage
[16]) erweichen, umstimmen   [17]) Beratung mit dem Konvent

[l]) nach „uns" „nit" in A und H   [m]) „wir" fehlt in H   [n]) „wie" in H
[o]) „das" bis „wegen" fehlt in H   [p]) „benungen" in A und H
[q]) „in" fehlt in H   [r]) „das" fehlt in H

ich auß fyrbicz[18]) nye hynein begert, dieweyll ich aber von euch gefodert und, so ich gleich mich noch mer unfurtreglich dann ich mich acht und in dißem handel befind, sein mocht, so will ich doch unangesehen meiner sorg im nomen gottes auß rechter pruderlicher lieb pey euch wils got auf morgen umb drey gen nacht erscheynen, bericht nemen und geben, so vil got genad gibt. Hab ich euch in eyln auf ewr schreiben nit wollen verhallten. Pit got euch allen dy genad mitzuteyln, der ich fur mich beger und nit weniger. Sein genad sey mit uns allen!

Kapitel 15

Bericht über den Besuch des Pflegers und seine Unterredung mit Äbtissin und Convent — Der Pfleger berichtet über die Disputation (Religionsgespräch) auf dem Rathaus und versucht, die Schwestern von seiner Ansicht zu überzeugen — Die Äbtissin trägt ihrerseits ihre und des Convents Ansicht vor, erbietet sich, den Saal zu verlassen, damit die Schwestern offen mit dem Pfleger sprechen könnten — Dieser ist enttäuscht über die Halsstarrigkeit der Schwestern und eröffnet ihnen, daß an dem Beschluß des Rats bezüglich des Entzuges der Franziskaner auf keinen Fall gerüttelt werden könne — Darauf läßt die Äbtissin eine Bittschrift an den Rat vor dem Pfleger verlesen

[S. 14] Dißem seinem zuschreiben[a]) noch[b]) kom er an der pfincztag[1]) nacht, lyeß wir in allein in das closter hereyn an[2]) geselschafft wider unßer gewonheit, dann wir nymant von unßerm gesind hetten, dem wir dorfften trawen; also ging er mit großen frewden zu dem convent und jubiliert hoch, das wir in zu unßerm rot berufft hetten. Saget, er het einem ganczen rot darvon gesagt, do wer idermann darvon erfrewd worden, denn sy hoffenten genczlich der h[eilig] geist wer zu uns kumen, wir hetten uns eines gutten bedacht, do wollt er zuhelfen und rotten und lieb und gut zu uns seczen.

Hub ein lange predig an, in dem er die prediger hye auf daz hochst[c]) lobet und saget, wye sy so herlich in der disputacion auf dem rothawß bestanden wern und wy sy den ordenspersonen durch das hell goczwort an tag gelegt hetten, das pißher in vil stucken großlich geirrt wer worden und das sy bewert hetten, daz durch dy kristlichen freyheit nymant gepunden wer zu halten weder tagzeit, speis noch kein menschliche aufsaczung[d]), es wer nichs umb dy verfluchten ceremonia noch an den secten der geistlichen; daz und andere stuck hetten dy prediger der gemeyn dermoß eingepildt, daz man nichs mer hyelt von den geistlichen, es must alles ab und in ein einige ordnung kumen; darumb sollt wir uns neur williglich auch darzu begeben[e]), so wurden wir groß gunst pey einem erbern rot und der ganczen gemeyn erlangen, es wer doch dy ganz stat auf der newen meynung, denn alleyn wir nit, wyr wurden doch un-

---

18) Vorwitz, Neugierde
1) Donnerstag   2) ohne

---

a) „zusagen oder schreiben" in A und H
b) „noch" fehlt in A und H
c) „hoch" in A und H   d) „saczung" in A und H   e) „geben" in A und H

ßern orden und allte meynung nit kunen erhallten, wo wir aber auf un-
ßern synn wollten verharn, so wurden wir ursach geben zu großem plut-
vergißen und zu solcher aufrwr, das dy ganz stat dardurch zu verderbt-
nus kumen mecht, denn er west, das große versamlung der pawrn ver-
hanten wern und samelten sich teglich mer und mer, dy mit dem schwert
dem goczwort und dem hellen ewangelium wolten peysten und alle clo-
ster abthun, darumb sollten wir unßer pests bedencken, daz wir nit mit
unßer sundern³) weiß ursach geben zu dem großen plutvergißen, daz
hernoch wurd folgen. Saget viler istori⁴) mit ᶠ) vil langen wortten, ein
weyl mit troeworten, ein weyl mit verheyßung.

Do er sein red vollpracht, wollt er uns gesegent⁵) haben und hoffet
ye sein vetterliche vermanung wurd stat pey uns haben und daz hell
goczwort wurd so vil in uns wurcken, das wir gehorsamlichen folgten,
was ein E R mit uns wurd schaffen; auf dazselb wolt er mit guttem
mut von uns scheyden. Sprach ich: W l h⁶), wir haben ewr red vernu-
men, versehen uns, es ge alles auß getrewen herczen, aber darpey ist
nichs gemelt⁷) worden von der sach, darumb wir ewr gegenwurtigkeit
begert haben und ist dy⁹):

Am negsten suntag sind Cristoff Koller und Bernhart Paumgartner
pey uns gewest, haben von eines E R wegen dy parfusser von uns ab-
geschafft peichthorns, predigens und aller sach halben, haben uns darpey
auch angezaigt etlich person, mit den man uns versehen wolt, welchs wir
uns gewert haben als eins dings, daz zu zerstorung unßers closters und
aller geistligkeit dynnen⁸) wurd. Sind sy am negsten eritag⁹) wider ku-
men, haben ʰ) ein entliche antwurt wollen haben, weß wir uns noch be-
dacht hetten; hab ich gesagt, wöll dy antwurt E W geben, demnach ha-
ben wir nach E W geschickt ⁱ), dyselb rots zu frogen als unßern getre-
wen pfleger, der uns pißher vil guts hat gethun, wy wir uns in dißer
sach hallten sollen, daz wirs vor got kuntten verantwurten, dann es ye
auf daz hochst beschwerlich ist, daz man uns mit gewallt will tringen
von dem regiment der frumen vetter, dy unßerm closter pißher ob 250
jarn mit aller tapffrikeit und ersamkeit vor sind gewest in geistlichen
dingen, als ir selber woll wist, daz nye keyn schandt oder ergerung irent-
halben pey uns entsprungen ist und uber daz will man uns uberladen
mit personnen, dy uns nit eben¹⁰) sind, dy ein leben furn, wye ir selbs ʲ)
wist, welchs [S. 15] wir in keinerley weiß werden annemen, allermaist
so wir mercken, daz diße ding alle allein darauf gespilt sind, daz man
uns durch solche mytel will tringen zu dem newen gelauben, den wir in
keinerley weiß werden annemen, so lang piß er von der ganzen gemey-

---

³) besondern   ⁴) Historien, Geschichten   ⁵) Lebewohl sagen, sich verabschieden
⁶) w[eiser] l[ieber] h[err]
⁷) erwähnt   ⁸) dienen   ⁹) Dienstag   ¹⁰) erwünscht, angenehm

---

ᶠ) „vil history her unter" in A und H   ᵍ) „und ist dy" fehlt in A und H
ʰ) „haben" fehlt in A und H   ⁱ) „dy" bis „gethun" fehlt in H
ʲ) „selbs" fehlt in A und H; dafür in A: „lebst" durchgestrichen

nen h[eiligen]k) cristlichen kirchen wirt angenumen, dann wir haben uns all miteinander vereynt, dazl) wir uns weder leben[d] noch sterben[d] mit der hilf des lebentigen gotts von der mutter der h[eiligen] kristenheit wollen loßen tringen und von den dingen, dy wir got gelobt haben; und was ich hye red, daz red ich auß befelh des ganzen convents.

Do stunden all swester auf und gaben mir gezeugtnus. Sprach ich darnach weytter: Auf daz ich nit gezigen werd, ich mach solche ding an meinen swestern und sy mußen thun und reden, was ich woll, so will ich außtreten, so frogt all swester in gemeyn oder ein itliche in sunderheit, wie es euch gefelt und hort, was einer itlichen will in dißer sach ist. Aber er wollt mich nit auß loßen tretten, saget es wer auch on not, dy swester zu verhorn; pat ich in zum 3. mal, daz er dy swester allein verhoret, ich wolt im daruber vertrawen, auf daz der ungelympf nit allein auf mir belieb. Sprach er hynttennach: Ich waiß vor woll, waz sy mir zu antwurt werden geben, er se an irn geperden woll, daz im keyne wurd folgen.

Darnach hub er aber[11]) ein lange red an, wy im layd wer, daz wir eins e[rbern] rots vetterlich wollvermeynen uns so schwer furnemen, so sy doch ye in dißen sachen nit irnm) eigen nucz, sunder alleyn unßer sell selligkeit suchten und wer furgeschlagen mit großem fleiß als ein bequembs myttel dardurch unßer closter mocht enthallten wern, denn wir woll westen, das etlich person ire kinder allein darumb von uns hynauß gefodert hetten, daz wir pißher nit erleucht wern worden in dem h[eiligen] ewangelium. Das wurden auch noch mer person thun, dy kind pey uns hetten, dy het man pißher aufgehallten mit dem, daz man sy vertrost het, man wollt uns auch versehen mit gelertten personen, dy uns erleuchten; mit demselben trost het man sy gestillt und aufenthallten, daz sy pißher styl hetten gehallten. Wo daz nit wer, so wern etlich lengst nit in dem closter, darumb sollt wir solchs sellig mytel mit danckperkeit aufnemen, wir wurden sunst schuldig an dem großen plutvergißen und aufrwr, wir wurden in kurcz woll sehen, was geschehen wurd. Wir hylten im imer an umb einen andern rot und peßers myttel, sagt er, er kundt uns keinen andern rot geben, dann daz wir uns gutlich darein geben, dann es wer unmuglich, daz diße sach geendert wurd, dy so tapfferlich gerotschlagt und eingeschriben wer worden. Sprach unter anderm, got sind alle ding muglich, aber menschlich zureden ist nit muglich, das ir zu ewigen tagen wider untter daz regiment der parfusser kumpt, ee lyessen meyn herren kein steyn auf dem andern. Sprach ich: Was haben sy dann gethun? Sprach er: Daz ist dy sach, das sy meyn herrn furpaß weder dulden noch leiden wollen.

Darnoch saget ich im, wir hetten ein supplicacion gestellt an einen e[rbern] rot, in der wir unßer beschwert anzaigten, hofften, wenn sy dy vernemen, sy wurden uns uber daz keinen gewalt anlegen; pat in, das

---

[11]) abermals

---

k) „h[eiligen]" fehlt in A und H   l) „daz" fehlt in H   m) „jm" in H er dy verleß und uns darnoch ryett, was wir darzu oder darvon sollten thun, aber er wollt ir nit leßen. Do hyeß ich dy .pryorin, das sys[12]) offenlich laß vor dem pfleger und ganzem convent; dy laut von wort zu wort[n]), wy hernoch stet:

Kapitel 16

Bittschrift der Äbtissin und des Convents an den Rat — Wegen des Predigers wollen sich die Schwestern nicht beschweren, sie wehren sich nur gegen die Behauptung, daß sie den Predigten nicht beiwohnen, wegen der Beichtväter aber bitten sie, wenn man ihnen schon die Franziskaner nicht mehr gestatten wolle, so wolle man sie auch nicht zwingen, die Anhänger der neuen Lehre als Beichtväter zu nehmen, sie wollten dann lieber ohne Beichtväter sein und Gott unmittelbar beichten — Sie bitten den Rat um Besichtigung des Beichthauses zum Schutz gegen Verleumdungen, daß sie geheime Gänge im Beichthause hätten und die Franziskaner die Schwestern heimlich Beichte hörten

[S. 16] Fursichtigen, weisen, gunstigen, lieben herren!
Nachdem uns in vergangenen tagen E W maynung furgehalten ist worden durch herrn Cristoff Koler und Bernhart Paumgartner, das ir die parfussen von unßerm closter abschaft mit predigen und peichthörn, haben wir uns dieselben zeit erpotten E F W derhalben unser beschwert vor zu eröffen ungezwaifelter hoffnung, dieselb werdt solchs von uns ewrn armen demutigen kinden nit als von ungehorsamen, sunder als von den beschwerten in vetterlicher gutigkeit vernemen, wiewol wir uns genzlich versehen, das E W solchs uns zu gut furnymt und nit zu beschwerung. Erstlich des predigen halb beschwern wir uns[a]) nit hoch, das heilig ewangelium werd uns gepredigt nach einem kristlichen verstant, unvermengt[b]) mit menschlichem damit, von wem es wöll, gutwillig, begirlich, mit dürstigem herczen zu hörn als das wort des ewigen lebens, wiewol wir desselben auß gotlichen gnaden pisher nit gemangelt haben, doch dieweil E W vergangen montag einen andern verordent hat, haben wir denselben gehort, wiewol uns an[1]) woren[2]) grunt peygelegt wirdt als heten wir solchs zu hörn veracht und were uns das durch die obrikeit verpotten worden, die auch den chor zugespert und die schlußel darzu genumen hat, welchs sich in hochstem gelauben gar nit mit der warheit verleicht[c])[3]), dan keiner s[wester] ist solchs gewert noch verpotten worden. So kan auch unser chor nit an allen ortten verspert werden. Demnach wöll E F W uns nit als verachterin[d]) des goczworts eingetragen losen werden, dann wir ye von gotes genaden auch cristenmenschen sind, die das heilig ewangelium mit ganczem herczen begern zu hörn und zu gelauben. Got helf uns auch in warheit dem zu leben, so

---

[12]) sie sie
[1]) ohne   [2]) wahren   [3]) vergleicht

---

[n]) „zu wort" fehlt in A und H
[a]) „uns" fehlt in H   [b]) „ungemengt" in A und H
[c]) „verlacht" in A und H, „vergleicht" in B   [d]) „verachtern" in H

doch auch nit allein die hörer, sunder auch[e]) die würcker des worts nach
der lere scti. Jacobi sollen sein.

Aber des abschaffens des peichtvaters ist uns, wie wir vormals in
unser ersten suplicacion erzelt haben, auß pillichen erzelten sachen
gancz schwere, so daselb nit zeitliche ding, sunder unser gewissen an-
trift, die nit yderman zu befelhen ist, besunder zu dißen geferlichen zei-
ten, do sich wol nach dem h[eiligen] ewangelium vor den leuten zu hut-
ten ist, dan man sicht und erfert yczo mit der tatt offenwerlich[4]), was
frucht von etlichen geistlichen und weltlichen pristerschaft pey frawen-
clostern erscheint, darumb wir uns nit unpillich vor solchen fürchten[f]),
nit das uns sust[5]) so vil an den parfussen sey gelegen, denn das wir pey
unserm closter pisher nit anders den dapferkeit, zucht und frümkeit von
in haben erfarn, wiewol uns, als wir warlich bericht werden, unser ere
und leymunt zu peden seiten jemerlich wirdt abgeschnytten als ob wir
unerlichen sachen und mit püberey wern umbgangen und in dem peicht-
hauß heymlich geng heten in unßer closter mit vil andern unverschemt-
ten wortten, die wider alle prüderliche lieb und das h[eilig] ewangeli-
um sind, das ein cristenmensch das ander an[6]) allen grunt der warheit
also verleymuntten soll und wiewol wir mit dem h[eiligen] Paulo fur
das mynst[7]) achten, das wir von dem menschlichen tag[8]) geurteilt wer-
den, wan wir urteiln uns selber in der sach gar nit, dann wir wissen
uns in solchen hendeln nichcz schuldig, des wir got zu zeugen nemen,
ist auch unser glori die gezeugtnuß unser gewissen nach ergerung zu
vermeyden, als wir schuldig sind und zu ern der warheit, das die an tag
kom, beger wir, das ir unser peichthauß lost besichtigen hintten und for-
nen, ob ein eyniger fußstapf eins eingangs mug gefunden werden. Wann
ir die warheit an dem ortt erfart, so lost uns arme kinder, die wir
uns selber nit mugen versprechen[9]), furpaß in andern hendeln derglei-
chen nit also neidisch in E E W getragen werden, das ir uns oder den vet-
tern auß neyd etwas liest zumessen, dann wir in ye umb nichcz anders,
dann umb ir frümkeit und ernsthaften dapferkeit willen gunstig sind
und lenger in solcher zucht gern pey in wolten beleiben, denn unsers
bedunckens haben wir weder fug noch recht, stet auch nit in unßerm
gewalt, das wir uns mit willen von dem orden sollen lassen[g]) abtrennen,
dann es stet in unser regel, der wir nit verlaugnen[h]) wollen, das wir
puß und andere kristliche sacrament sollen entpfahen von den, die den
gewalt entpfahen von dem cardinal, dem diser orden befolhen ist.

So man nun pawrn und andern leutten in zeitlichen hendeln nit ge-
stat, das sy sich begeben untter ein herschaft anders dann sich gepurt,
will sich unsers bedunckens solchs in geistlichen dingen auch[i]) nit wol
reymen. E W tragen gut wissen, das wir in zeitlichen dingen ye und ye

---

[4]) offenkundig   [5]) sonst   [6]) wie 1   [7]) mindeste, geringste   [8]) [Gerichts]tag
[9]) verteidigen

---

[e]) „auch" fehlt in A und H   [f]) „früchten" in H
[g]) „lassen" fehlt in A und H   [h]) „verlangen" in H
[i]) „auch" bis „dingen" fehlt in H

derselben willfarn, gutwillig gehorsam sind gewest, aber so der geist und die gewissen frey sol sein, pitten wir E F W als unser getrew hern und vetter so demutiglich als leg wir vor ewrn fussen umb der [S. 17] lieb willen des hern Jesum, der mit seinem cospern plutvergiesen unser gewissen gereynigt hat von den todten wercken, das ir uns nit zwingen wölt in den dingen, die unser gewissen antreffent, dann es ye ein cleglich, erpermlich ding were, solten wir zu der^j) leiblichen beschlyßung¹⁰), in die wir uns willig ergeben haben, auch in unser gewissen gefangen sein zu der zeit, so die ewangelisch freyheit gepredigt wirdt. Es ist pißher nit gewonheit gewest, das man nymant genöt und gemüßigt hat einem zu peichten, der im nit eben ist gewest, oder zu gelauben, was ein ander gewolt hat. Hoffen ye E F W werd uns dise gemayne cristenliche freyheit auch nit abschlagen, wiewol etlich möchten sagen, was die prediger gutmachten, verderbten die peichtvetter wider, welchs pey uns pisher kein stat hat gehabt, denn pey glauben hat sich unser alter peichtvater nichcz in solch hendel geschlagen und deshalben schaden gethun, sunder uns in gutem frid gehalten; darumb wir^k) E W aufs hochst piten umb gotes willen in uns lenger zu lossen, wo^l)¹¹) aber solchs E W nit gelegen will sein und ir ye kein parfussen pey uns wölt lossen, des wir uns doch gar nit versechen, begern wir doch auf das hochst, das ir uns mit keinen andern beschwert, dann so man doch ycz helt, das die orenpeicht on not sey, wöllen wir, so es nit anders mag sein, der auch wol entpern und unser manigfeltig sundt mit herczlichen misfallen¹²) dem peichten, dem alle abgrunt der herczen offenwar sind und genczlich hoffen in sein gruntlose parmherczigkeit, er werd uns durch das pitter leiden seins eingepornen suns dieselben genediglichen verzeihen. So wir denn nit peichten wöllen^m), bedurff wir auch keins peichtvaters, dann wir hoffen E W als die hohverstendigenⁿ) werd uns armen einfaltigen frawenpilden, die nit groß verstants^o) sind und nit hoh disputirn kunen, in dem wir leicht verfürtt möchten werden, nit verargen, das wir in dißer aufrwrigen, zwispeltigen zeit, in der vil verenderung und neurung yczo furgenumen, denn wider abgethun und verendert werden, beleiben in dem gelauben der heiligen cristenlichen kirchen und in den guten loblichen gewonheiten, die on mißprauch wol mit der hilf gotes gehalten mügen werden, pis die enderung von der heiligen gemeynen^p) kristenlichen kirchen auch angenumen und bewerdt werden und die sach, die zweyfelhaltig sind, in rwe gestelt werden; von welcher gemeynen kristenlichen kirchen wir uns nit trennen wöllen durch keiner sach willen; man geb uns^q) auch, zu wem^r) man wöll, wann wir haben

---

¹⁰) Einschließung, Klausur   ¹¹) wenn   ¹²) Reue

ⁱ) „der" fehlt in A und H   ^k) „wir" fehlt in A und H
^l) „wo" bis „des" fehlt in H   ^m) „durffen" in A und H
ⁿ) „verstendigen" in A   ^o) „verstand" in H
^p) in A und H noch „eynigen" hinzugefügt   ^q) „uns" fehlt in H
^r) „wenn" in H

36

derselben profeß thun im sacrament des heiligen[s]) tauffs, in demselben gelauben wöllen wir mit der hilf des lebendigen gotes verharren pis in das endt. So verhoff wir nach der verheyßung unsers behalters[13]) selig zu werden, nit auß unser gerechtigkeit, sunder auß seiner gruntlosen parmherczigkeit.

Begern demutiglich, wolt unser gepet gutwilliglich erhörn und unser beschwertte gewissen trösten, dann got weiß, das wir nit gern wider E W thun wolten noch uns ewrer ordnung schwer lassen sein, wann solchs nit unser gewissen und die sel antreff, die Christus mit seinem tewrn plut gekauft hat, darumb sy auch von den menschen nit gering geacht sollen werden noch in gefarlikeit geben, so sie von got, unßerm hern, so tewr geacht ist worden; darumb so wir alle ding hin und her wegen[14]), sprechen wir wol mit der heiligen Susanna: Angt sind uns allenthalben, aber dennoch ist peßer zu fallen in den zorn der menschen, denn in die hent des lebendigen gotes.

Kapitel 17

Bericht über die Unterredung mit dem Pfleger nach Verlesung der Bittschrift — Bedenken des Pflegers, die Bittschrift dem Rat vorzulegen, er rät den Schwestern davon ab, will aber mündlich im Rat die zwei Hauptpunkte, nämlich Rückkehr des Beichtvaters, bezw. keine Beichtväter von den Anhängern der neuen Lehre, dem Rat vortragen — Die Schwestern bitten den Pfleger beim Abschied kniefällig, sich beim Rat für sie einzusetzen — Längere Unterredung des Pflegers mit der Äbtissin allein, versucht sie für die neue Lehre zu gewinnen, indem er erklärt, es läge nur an ihr, die neue Lehre anzunehmen, die Schwestern würden ihrem Beispiel folgen. Die Äbtissin erklärt, daß sie nicht gegen ihr Gewissen handeln könne und, auch wenn sie es täte, würden ihr die Schwestern nicht Folge leisten. Auch könnte sie nicht zugeben, daß der Rat auf die Wahl der Äbtissin Einfluß nehme und das Kloster visitiere wie früher die Ordensoberen. Zum Schluß bittet den Pfleger seine Tochter Clara mit anderen Schwestern, deren Väter im Rat sind, kniefällig, sich dafür einzusetzen, daß sie im Kloster bleiben dürfen. Er läßt sich auch dadurch nicht rühren und geht verärgert weg

Da diße supplicacion geleßen und von dem convent bewert[1]) was worden, daz es ir aller[c]) meynung wer, do gefyell es dem pfleger nit gar woll, ward fast ernstlich; saget, es wurd dy meynung gar nit haben, wir sollten unßer pests bedencken und uns loßen weißen[b]).

Saget wir, wir wurden ye nit anders thun, sunder pey dißem beleiben, wy die supplicacion innen hyelt. Darumb begerten wir demutiglich, das er solche supplicacion selber geschriftlich in rot geb oder daz ers mundtlich sprech, welchs in[2]) am fuglichsten bedeucht. Sprach er: Es wer nit zu thun, daz mans geschrifftlich geb, dan in[3])gedeucht nit, das furtreglich wer, denn ein E R het gar wollbedechtlich in den dingen ge-

---

13) Erlösers   14) abwägen
1) bestätigt   2) ihm   3) wie 2

s) „heiligen" fehlt in A und H
c) in A und H „will und" eingefügt   b) „weihen" in H

handelt, hetten auch iczunt alle handlung und was sy newerung und enderung thetten und ceremonia ablegten, hetten sy all keisserlicher majestat pey einem eygen potten^c) geschriben, hetten keinen zweiffel K[eisserliche] M[ajestat] wurd ein genedigs wollgefallen daran haben werden [S. 18] sich auch vill stet⁴) darnoch richten. Darumb deucht in⁵) weder gut noch nott, das diße supplicacion geschrifftlich geantwurt wurd, dann wir wurden doch nichs darmit kunen erhallten, wen wirs aber ye nit gerotten⁶) wollten, so wolt ers^d) mundtlich nach allen trewen sprechen. Er fund diße lange geschrifft gegrunt newrt⁷) auf 2 punckten: Der ein wer, daz wir begerten, daz man uns unßern allten peichtvater wider geb. Do sprach ydermann^e): O ya, gern. Do stellet er sich ein weyl, als wollt er uns getrewlich darzu helfen und uns sye widergeben; uber ein weyll sprach er, es wer unmuglich zu ewigen tagen.

Der 2. punckt wer der, daz wir begerten, wenn man uns unßer vetter nit wollt loßen, daz man uns dann mit andern auch unbeschwert lyeß. Dazu sprachen wir aber all: Ya, es wer unßer entliche meynung, daz wir keyn peichtvater wollten annemen, dan der uns eben wer. Sprach ich unter andern dingen: Gunt uns doch der freyheit^f), dy ir daußen⁸) [!] habt, so ir nichs von der peicht halt und nymer wollt peichten, so woll wir hynnen auch nymer peichten denn dem obersten prister. So wir denn nymer peichten wollten, so bedurff wir auch keins peichtvaders. Sprach er: Wye getz zu, daz ir in keinem ding lutterisch wollt sein dann in dem stuck, daz ir nymer peichten wollt?

Sunst wurden vill wort geredt, dy nit alle mugen geschriben werden, denn daz er ye seinen hochsten fleiß thet, daz er uns gern het bekert; ward ser trawrig, do nichs an uns wollt helfen.

Do er nun aufstund^g) und auß dem rebenter⁹) wolt ging [!], do lyeffen dy swester zu im wider ir gewonheit, knytten fur in nyder und fyellen im zu fussen und patten in mit aller demutigkeit auf daz aller hochst, daz er^h) unsⁱ) wollt helfen und unßer beschuczer und beschyrmer wollt sein und wollten in nit auß dem rebenter¹⁰) loßen, (er) sagt in¹¹) denn zu, das man uns keinen gewallt in geistlichen dingen wollt anlegen. Aber es was im ubel vermaynt, stellet sich zornlich und hefftiglich, ryß sich mit gewallt von den swestern.

Do er auß dem rebenter¹²) kam, sagt er, er het allein mit mir zu reden, furet mich in den chor, redet mer den ein gancze stund alleyn mit mir mit^j) vil liebkoßenden, auch troenten wortten, suchet mich auf all weg doheymen¹³), pat mich auf daz hochst, ich solt mich auf den rechten weg kern, daran thet ich im und dem ganzen rot daz hochst

---

⁴) Städte   ⁵) wie 2   ⁶) entraten, darauf verzichten   ⁷) nur   ⁸) draußen
⁹) Refektorium   ¹⁰) wie 9   ¹¹) ihnen   ¹²) wie 9
¹³) heimsuchen, hier: zu beeinflussen suchen

---

^c) „posten" in H   ^d) „es" in A
^e) „Eydermann" in H   ^f) „freytag" in A und H
^g) „ausstund" in H   ^h) „er" fehlt in A   ⁱ) „uns" fehlt in H
^j) „unter vil liebkosen denn auch" in H

wollgefallen, denn sy hetten mich so lieb und wern mir so gunstig, wenn sy mich allein hetten auf ir meynung, so hetten sy dy ganz lantschafft; es hetten sich doch all prelatten in seiner herrn clostern gutwillig erzaigt, wollten all volgen, dann allein ich wer so halßstreytig und machet auch den c[onvent] widerspenig wider sein herrn; wenn ich woll[k]) wollt und den c[onvent] darzu hilt, so het er keinen zweiffel, dy swester wurden all gern volgen, es wer aber daz geschrey uber mich, daz ich nit alleyn meinen convent gegen den herrn verweißet, sunder auch alle umbligente frawencloster, dy all rot pey mir suchenten und sagten, wy ich mich hyelt, wollten sy sich auch hallten. Darumb wen ich mich bekeret, so wurd sich daz ganz lant bekern; wurd ich aber in[l]) dißen irtum verharn, so thet ich meiner sel einen großen schaden, wurd auch ursach geben zu großem plutvergißen und auffrwr. Mit vill langen, hefftigen wortten, mit den er anzaiget, wy auß großer lieb er diße ding alle thet und auch auß schuldigen pflichten, nachdem er unßer pfleger wer.

Do er nun ein weyl außgeredt, nam ich mir ein herz und sagt im, was mir zu mutt was, unter andern sprach ich: W L H[14]), ich kan mich nit genug verwundern, wy ir euch so heyß annempt umb unßer sel selligkeit, so euch doch pflegsampts halben dy selsorg nit befolhen ist, dann ir seyt allein pfleger uber dy zeitlichen gutter[m]), so nempt ir euch an gewalts, den ir nit habt, entzicht uns von unßern ordenlichen selsorgern, den wir von bebsten, kungen und keißern befolhen sind, des habt ir weder fug noch recht; darumb kan ich meinen willen weder wenig noch vil darzu geben, denn ich sich[15]) und wayß, daz diße enderung wirt dyennen zu zerstorung unßers closters und aller geistlichen[n]) ordnung. Ir begert an mich, daz ich dy swester soll hallten und weißen zu den dingen, dy wider mein gewissen sind; das wir[16]) ich nit thun durch keins menschen gunst oder forcht wegen, ken auch meinen convent so frum und redlich, wenn ich schon nit wer, so werden sy sich mit nichten begeben in daz wider ir gewissen ist. Nun ist zu dißen zeitten so vill zwyspeltigkeit und irthum, daz schir nymant wayß, was er glauben soll; darumb hab wir [S. 19] all miteinander beschloßen in dem allten gelauben und in geistlichem stand zu verharn und nichs news wollen aufnemen, das nit von der cristlichen kirchen aufgenumen werd[o]). Es haben mir auch meyn swester unter augen[17]) verpotten, ich soll[p]) mich zu nichte verwilligen, thw ichs aber, so wollten sy nit darein vergunstigen[q]) und mir nymer gehorsam sein. Ir habt die ordnung mit den vettern furgenumen, wer nott, daz ir uns vor gefrogt het, ob es uns[r]) muglich wer zu hallten; ir habt uns unßer[s]) frum peichtvetter on alle redlich ursach genumen und wollt uns uber daz beschwern mit wildem gesynd.

14) w[eiser] l[ieber] h[err]   15) sehe   16) werde   17) offen, direkt

k) „woll" fehlt in H   l) „an" in H   m) „ding" in A   n) „göttlichen" in H
o) „ist" in A   p) „will" in H   q) „günstigen" in A
r) „uns" fehlt in H   s) „unßer" fehlt in A

Do sprach er: Liebe mutter, wenn euch schon dy nit gefallen, dy man euch hat furgeschlagen, so nent mir neurt[t])[18]) einen andern; ist er nit hye und uber vill meyl, woll wir besehen, das wir in zu wegen pringen und keyn kostung ansehen, daz ir neurt[u])[19]) versehen werd. Aber das[v]) will ich euch sagen, man wirt euch keyn geben von der allten sect.

Sprach ich: So woll wir worlich keyn von der newen sect; gebt ir uns aber uber das ein mit gewalt, so wist, daz wir im weder trawen noch peichten wollen, auch keyn sacrament von im entpfahen noch kein meß von im horn; so will ich euch[w]) auch keinen nennen herzupringen, dann ich waiß, daz ir uns keinen wert geben noch unßern trost, denn ich kenn dy gesellen woll, dy man izunt herfurzeucht; behut mir got meine liebe[x]) schefflein, dy ich in der lieb Cristi nun[y]) XXI jar erzogen hab, vor dißen wolffen. Wir haben der obenteur nit gewont, mit den diß gesellen umbgen. Ich hab dy parfusser nun lenger denn 45 jar erkent, aber kein unzuchtig wort von keinem[z]) nye gehort, sunder alle tapfrikeit und ersamkeit von in erfarn; so durff wir ir nit allein zu dem peichthorn, sunder auch zum visityrn und was zu demselben gehort.

Sprach er: Maynt ir denn nit, daz sich der c[onvent] meinen herrn begeb zu visityrn? Sprach ich: Neyn, in keinem weg, wo gedenckt ir hyn, daz wir dy freyheit der wal der abtey auß den henden wollen geben; wir haben nach unßer regel dy freyheit, das wir mugen erwellen zu einer abtissin, wen wir wollen; hat uns nymant darein zu sprechen, so hat auch nymant gewallt uns keine zu geben uber unßern willen; mit der weiß wurd es darzu kumen, daz ir uns etwan ein abtissin wurd geben ewrs gefallens, des woll wir nit wartten, dann als wenig wir wißen, wer euch eben in ewrn rot ist, als wenig kundt ir wißen, wer uns duglich[20]) in unßerm closter ist. Unßer vetter haben uns pißher zu nichte genott, alleyn dy stym von den s[western] eingenumen und darnoch dy wall bestetigt.

Also krigten[21]) wir lang miteinander, er meynet ye, wir sollten dem rot in allen dingen getrawen, so meynet ich neyn, denn wenn sy izunt schon unßer gut freunt wern, wer wayß, wer hernoch köm.

Darnach kom er an dy prediger, kont seinen Osiander und Poliander und ander nit genug verloben, wie erleucht menner sy wern und disputyret vill von dem newen gelauben und von dem pilligen ablegen der verfluchten ceremonien, wywoll er unter andern worten sprach, er must dy worheit sagen, es het im dy deutsch meß nye recht wollen gefallen, aber unßer prediger sagen, es sey dy recht appostolisch meß. Sunst saget er von vill irthum, dy preist er all auf daz allerhochst.

Sprach ich: Weiser h[err], ich hab euch lieb und[aa]) gun[22]) euch guts, ir erparmt mich von grunt meins herzens, daz ir euch also jemerlich

---

[18]) wie 7   [19]) wie 7   [20]) tauglich   [21]) stritten   [22]) gönne

---

[t]) „neust" in H   [u]) „neyst" in H   [v]) „das" fehlt in A und H
[w]) „auch" in H   [x]) „kind" in H, in A und D gestrichen
[y]) „im" in H   [z]) „in" in A und H   [aa]) „und" fehlt in A und H

verfurn und verplenten lost. Zu der zeit Arry[23]) und ander kezer ist es
eben auch also gangen, do man dy leut in gutscheinenter weiß mit
sussen wortten verfurt hat; worlich, worlich, lost ir euch dy leut izunt[bb])
auch zu solchen sachen furn, dy euch noch selber herzlich layd wern
werden und euch noch in angst und nott werden[cc]) pringen.

Meyt er ye: Neyn, es dawet und regnet mer genad denn in hundert
jarn wer geschehen.

Also krigten[24]) wir lang miteinander; ein itlichs het darfur, daz an-
der wer verplendt und verfurt.

[S. 20] Als wir nun pede aufstunden, kom sein dochter Clara, nam
dy andern swester, dy vetter im rot hetten mit ir und fyel im zu fus-
sen, paten in auf das hochst, das er ir vetter pet[25]), das sys im closter
lyeßen. Aber er wendt sich unwirslich[dd])[26]) von in; ging also mit großer
schwermutigkeit und ernst auß dem closter. Sprach: Ich pyn mit großen
frewden hereingangen in hoffnung ich wurd meinen herrn eines E R
eine gutte potschafft pringen. So ist mir dy genad nit beschaffen, wayß
nit, was ich zu antwurt soll geben, dann ich spur noch nit keinen h[eili-
gen] geist.

Am negsten tag darnoch kom sein hawsfraw mit großem zorn, laß
uns ein groß capitel[27]), wy wir irn herrn gethun heten, sy het in nye
betrubter gesehen, er het die ganze nacht keinen schloff gethun, es
döcht[28]) dy weiß uberall nit, wir sollten nit also eygensynnig sein, soll-
ten den leutten volgen, es wurd uns sunst ungeluck angen.

Nun het wir noch imer hoffnung der pfleger sollt auf unser saytten
sein, do schrib er uns am negsten samstag darnoch, was samstag vor
Laetare und unßer frawen tag Annuntiationis[ee])[29]) dißen poßen[ff]) priff,
in dem wir woll merckten, wo wir mit im daran warn.

Kapitel 18

Brief des Pflegers an die Äbtissin: Bericht über seinen mündlichen Vor-
trag der Anliegen der Schwestern beim Rat — Einstellung des Rates dazu —
Der Pfleger rät der Äbtissin zu einer Unterredung mit dem Prediger Poliander,
den er sehr lobt, und erbietet sich an dieser Unterredung teilzunehmen, falls
dies die Äbtissin wünscht — Zeigt seinen Unwillen über das Benehmen der
Schwestern, daß sie ihm auf die Knie fielen, tadelt die Schwestern wegen
ihres eigensinnigen Festhaltens an den Franziskanern und an ihren sonstigen
Ansichten und schiebt ihnen die Schuld an dem Bauernaufstand zu — Der Brief
des Pflegers wird dem Convent vorgelesen, die Schwestern verbleiben aber ein-
mütig bei ihrer Ansicht und raten, dies dem Pfleger und dem Rat mitzuteilen

Genad und fryd von got, unßerm vater, und seinem eingeborn sun,
Jesu Cristo, unßerm erloßer und einigem furpitter!

23]) [des] Arius   24]) stritten   25]) bitte   26]) unwirsch   27]) Strafpredigt
28]) tauge   29]) Maria Verkündigung

---

bb) „gezunt" in H   cc) „werden" fehlt in A und H
dd) „unverwirßlich" in H
ee) in A und H: „Annunciacionis M[ariae]"   ff) „poßen" fehlt in H

E[r] w[irdige] fraw und recht geliebte swester in Cristo!

Als ich mitwochs vergangen in ewrn versamelten convent gewest, hab ich gepflegner handlung einem e[rbern] rot, unßern gunstigen herrn, pfinztag[1]) darnach bericht und desselben mit pesten fugen, so ich verstanden und erstlich°) in dem, daz ir, dy w[irdige] mutter, mir habt vergunen wollen dy swestern samentlich oder sunderlich zu vernemen, im selbenᵇ) eines erbern rots wollgefallens vermerckt.

Zum 2. hab ich anzaigt, daz ir ein supplicacion gestellt, dy ich dahyn gegrunt vernumenᶜ), so einem rot gefellig sey daz gozwort euchᵈ) durch den verordenten prediger zu verkunden, daz ir euch in dem nit widerwertig erzaigen, aber des peichtvaters halben het ir euchᵉ) mit anzaigen viler ursachen zumᶠ) hochsten beschwert mit pit euch den wider zuzustellen oder, wo daz ye nit sein wolt, des ir euch doch nit versechtᵍ), euch alsdann mit andern peichtvettern nit zu beschwern, dann ir alle gedechtet got dem herrn zu peichten, piß esʰ) peßer wurd.

Auf solchs haben sich geleichwoll meyn herrn beschwertⁱ) und befinden, das ir vorhaben von euch nit so getrewlich verstanden als sy daz ewrnthalben cristlich und gut meynen, sagent, daz sey in woll wissent, wenn euch dy parfusser hye vorgeben, daz ir darein willfart. Nun seyen in dieselben zu solchen auß gutten beweglichen ursachen nit mer der end zu wissen gelegen, wie ir des zum teyl von mir mundtlich bericht, darumb sy vermeynen, ob euch geleich dy person von in furgeschlagen nit gefeln darzu oder andern, wy dy parfusser gethunⁱ), sye euch nit notten; ir sollt nach andern zu trachten wegern[2]) und nit also allein auf den, so meyn herrn nit erleiden kunen und gelegen sein.

Als ich in aber anzaigt, [das] ir der sach gedencken und daz wort gotts mit fleiß zu horn gewillt und dazselb wurcken loßen, sind meyn herrn als dy euch zu eyln nit willens dißer ze[i]t auch zufriden. Beschließlich hab ich angezaigt, daz ir euch het horn loßen, daz ir nit liebers wollt denn den wollgefelligen willen gotts zu wißen als dann sollt euch zum hochsten gefallen denselben unangesehen aller ursachen geleichformig zu machen, aber unwissent desselben wider ewr selbs gewissen in dem, daz dy selligkeit berurt, werd euch ganz beschwerlich einzulossen mit pit euch solchs nit zu verargen und keiner ungehorsam oder widerspenigkeit zuzumessen. Solchs anzaigens hat ein rot als dy auch keyn anders nye gewillt und noch nit sind vast[3]) guts gefallen und wyrdet gelaubt, so bed teyl in dem got, den almechtigen, anruffen, sein genad werd darein mitgeteyltᵏ), dardurch wir zu rechter erkantnus kumen darzu helf uns got, der vater, der sun und der heillig geist! Amen.

---

[1]) Donnerstag   [2]) begehren   [3]) sehr

°) „ernstlich" in H   ᵇ) „demselben" in A und H
ᶜ) nach „vernumen" in A und H „hab" eingefügt
ᵈ) „auch" in H   ᵉ) „auch" in H   ᶠ) „am" in A und H
ᵍ) „seht" in A und H   ʰ) „es" fehlt in H   ⁱ) „bewert" in H
ⁱ) „gethun" fehlt in A und H   ᵏ) „nit geteilt" in H

Mein getrewer rot wer, daz ir, dy wirdig mutter, nit hetten unterloßen den prediger anzusprechen, wy ir zu thun wist, dann ir werdet eygentlich alle bescheidenheit pey im finden. Ich erfind, wo ir daz unterlost, daz euch pey[l]) rot und gemeyn solchs nit zum gutten außgelegt mocht werden, dann er[m]) vast in einem gutten ansehen[n]) ist.

Ich hab in erst gestern entpfangen und gepetten euch und dy ewrn befolhen zu haben, darin hat er sich vast[4]) erelich und cristlich und auch also erpotten, daz er sich auch euch weißen wurd loßen. Ich pitt euch, lost euchs nit schwer zu thun sein und wollt ir mich einmol darpey haben, soll an mir auch nit mangeln.

[S. 21] Worlich, worlich sag ich euch, nit ich, sunder der herr, ir seit plindt und durch plindt pißher gefurt, trawt[o]) euch noch ewrn furern[p]) nit zu vil, denn ich hab pey euch gesehen, daz mir layd ist, daz ir dahyn seyt gefurt vor dem menschen mit so hocher irrung, daz ir demutigkeit acht nyderzufallen, welchs sich allein im herzen und nit[q]) mit eusserlicher erzaigung vor got und nymants anders gepurdt. Mir ist schwerlich zu erleben, das ich sich[5]) ewr selligkeit allein in parfussermunchen stet, denn den allein wollt ir peichten, daran doch dy selligkeit nit gelegen und nymant ist sunst ewrs achtens ewr wirdig genung; ir seyt allein dy, so es cristlich und recht meynen, sunst nymant; herr got, hielf! Der grost gewalt iz[6]) in unßerm reich hat sich lang auch selbs also geurteylt, fynden und werden noch mer teglich ir irrung gewar mit vergissung vill cristlichs pludts, daz ir im[r]) vall ewr verharung[s]) auch werdt verursachen, wiewoll ich got vertraw, dazselb nit furgeen werd loßen, dyweyl ich ye bekennen muß, daz ir und ewr hawff in suma iz[7]) ligt ewr verfurung allein an ewr vernufft und weißheit, dy ir euch selbs zumest, dann wo daz nit wer, wurdt ir euch anders und also erzaigen, daz ewr unttertenig gehorsam gegen got erkennt und das abgenumen, daz ir doch williglich horn und bericht nemen wollt, auch daran gar nit zweiffeln, daz dy parfusser nit alleyn die sind, darinn ewr[t]) selligkeit stund. Ich muß auß gottes willen bedranglich und noch deutscher reden, ir wollt dy sein, dy pludtvergeßen, mordt und alles ungluck verursachen wollen, wye dann iz[8]) im schwebischen pundt geschicht. Do haben dy gewaltigen gewiß keyn anders gelaubt, dann daz sy mit irm harthallten[u]) ob der lang eingefurten irrung guts noch irer vernufft wollten erlangen und dazjeen[9]) in[v]) rw stellen, daz der will gottes iz in[w]) wurkkung treibt und auch entlich unverhindert der gedichten und falschen ceremonien in wurckung kumen mußen; selzsam wer vor jarn gehort gewest, daz iz fur dy thur kumpt, nemlich daz ein volck on ein haubt,

---

[4]) wie 3   [5]) sehe   [6]) jetzt   [7]) wie 6   [8]) wie 6
[9]) dasjenige (Hs. B), kann aber auch „gehen" bedeuten

[l]) „pey" fehlt in A und H   [m]) „es" in A und H
[n]) „angesehen" in A und H   [o]) „trawen" in A und H
[p]) „verfürern" in A und H   [q]) „nit" fehlt in A und H
[r]) „mit" in A und H   [s]) „verhärtung" in H   [t]) „die" in A
[u]) „hart hatten" in H   [v]) „zur" in H   [w]) „zur" in H

des wir heut zeitung[10]) entpfangen, ungeferlich 2 oder 3 tagreiß von hynnen, ob 50 taußent starck versamelt, darzu sich teglich auch mer leut, auch reichs- und pundtsstet in 4 tagen haben geschlagen und all irn grundt dahyn stellen, dy secten, dardurch[x]) daz ewangelium irrig gemacht, zu verdilgen und daz cristlich wideraufzurichten mit erpiettung, daz wider sye sein mocht, auch alles anzunemen. Kann nit anders finden, dann daz uns got hyemit sundern genaden ansicht und teglich genad und fryed regnen und thawen lest. Pey demselben gelauben styrb ich, pit euch aber und aber zum allerhochsten verstendiger leut rot zu haben dann ir pißher gethun, ob doch darauß weytterer verstand, des ir eygentlich notturfftig seyt, erfolgen wurd und habt euch[y]) dy wal, wen ich euch zu einem freuntlichen gesprech zuorden soll, eyn oder mer unter den 8 predigern, dy auß genaden des almechtigen gotts iz hye in ubung sind und zu denen der vater von Kartheußern eyn fast[11]) gelert, frum, cristlich, alt und erfarn man[z]) und wo ir mich pey der einen oder mer haben wollt, soll mir ryng[12]) sein.

Von got beger ich nit lenger zu leben, dann daz sein will pey euch erge, euch in den rüff zu pringen, daz ir euch gern weißen wollt loßen und dazselbig mit der that und wercken zu gelauben verursacht, daz doch daz das endt sey, daz ir pey einem pfleger noch[13]) mir mit herzen und worheit redet: Wolan, wir haben Caspar Nuzel, unßerm pfleger, nit wollen volgen, unangesehen seins getrewen ermanens, wollten woll, daz wir es thun hetten[aa]), ist aber villeicht nit zeit gewest, iz wollen wir volgen und uns weißen loßen; allein sorg ich, es werd zu lang gepitten und nit alweg der bischoff sein, der iz regirt und es wer großer herzenlayd hernoch volgen, darvor euch got behutten und mit[bb]) genaden bedencken woll und damit befilh ich got, dem almechtigen, dißen handel und euch all und mich in sein gruntloße parmherzigkeit.

Casper Nuzel

Dißen priff laß ich dem convent, wurden dy swester herzlich betrubt, do horet ich etliche insunderheit, stymenten sy aber ganz einmuttiglichen, sy wollten sich durch keins leiden willen in dißen newen glauben geben, weder von der cristlichen kirchen noch closterlichen leben scheyden, sich auch mit nichten unter ir abtrunig pfaffen geben[cc]), sollten sy halt lange zeit ongepeicht und daz h[och] w[irdig] sacrament gen. Ryetten, man solt dem pfleger solchs teutsch schreiben, daz[dd]) er west, wo er mit uns daran wer und[ee]) daz er dasselb auch dy allten herrn lyeß leßen, daz sy entlich westen, wo sy mit uns daran wern. Also macht ich dy nachgeschriben supplicacion, dy ich dem convent wider laß, ver-

---

[10]) Nachricht   [11]) sehr   [12]) gering, eine kleine Mühe   [13]) nach

---

[x]) „darnach durch" in H   [y]) „auch" in H   [z]) in A „ist" eingefügt
[aa]) „thetten" in A   [bb]) „mit" fehlt in A   [cc]) „begeben" in A
[dd]) „der" in H   [ee]) „uns" in H

willigten all swester darein, begerten, man sollt sy all darunter schreiben, sy wollten mir getrewlich helfen tragen, was leidens darauß wurd entspringen[ff]).

Kapitel 19

Bittschrift an Pfleger und Rat: Entschuldigung und Erklärung wegen des fußfälligen Bittens — Widerlegung des Vorwurfes der Schuld am Bauernaufstand — Gründe, warum die Schwestern das Kloster nicht übergeben, ihre Gelübde nicht brechen und zu den neuen Predigern kein Vertrauen haben können und bei ihrem alten Glauben bleiben wollen

[S. 22] Die supplicacion an den pfleger und die alten hern:
Fursichtiger, weiser, gunstiger, lieber[a]) pfleger!

Ewr prif ist uns[b]) conventlich verlesen, versten[c]) darauß, wie E W unser sach pey einem erbern rat aufs glympflichs[1]) furgeben hab, des wir[d]) groß danckper sind; haben aber darpey mit besundern beschwert verstanden, das ir euch unsers thuns so hoch geergert habt, besunder des nyderfallens halb (ewrns achtens) auß geleichsnischer[e])[2]) demutigkeit geschechen, welchs wir doch sunst nit gewonheit zu thun pflegen. Nachdem wir aber darfur achten die sach treff mer denn zeitlichs an, haben wir uns umb gotes willen gegen E W erzeigt als kinder gegen[f]) irem getrewen vater, zu dem wir uns gucz[3]) versehen, hetten es sunst woll untterloßen. Aber wie dem allem, beger wir durch gottes willen, das ir uns das[g]) verzaicht und euch des nit ergert; es sol mit der hilf gottes nymer geschehen; wöllent uns got, unsern hern, der alle verporgene maynung der herzen ansicht, helfen pitten umb die genad warer ungestyfter[4]) demutigkeit und umb erleuchtung unser finsternus, mit der wir uns bekennen umbgeben und das pillich, wan wir fürchten, wo wir uns hielten von dem hauffen der gesehenten[5]), so belieben uns nach der lere Cristi unser sundt, so wir aber bekennen unßer sund, hoffen wir verzeihung derselben und erleuchtung unser plintheit, des wir den herzlich begern, wan wir uns ye nit auf unser aygne verstentnus und weißheit, die vor got ein torheit ist, verloßen, wie wir geurteilt werden[h]), noch auch auf die plintten furer, wie mans nennt, sunder begern von dem woren[i]) hirtten und pischoff unser sel, der alweg lebt und furpas nymer styrbt, regyrt zu werden, der selbst der weg, die warheit und das leben ist, den wir herzlich pitten, das er uns nit eingefürtt laß werden in anfechtung, in den wir allein und gar in keinen lebendigen menschen auf erden seczen unser hoffnung, zuflucht und seligkeit und nit in die parfussermunch, als man uns zeycht, wan wir wissen wol, das der mensch verflücht ist, der sein getrawen in einen menschen seczt.

---

[1]) beste, rechtmäßigste   [2]) heuchlerischer   [3]) Gutes   [4]) aufrichtiger
[5]) der Sehenden

[ff]) „ward entsprungen" in H   [a]) in A „herr" eingefügt
[b]) in A „worden" eingefügt   [c]) „wir seen" in H   [d]) „wie" in H
[e]) „geleichnerischer" in H   [f]) „gegen" fehlt in A   [g]) „das" fehlt in A
[h]) „werden" fehlt in A   [i]) „woren" fehlt in A

Und gelaubt uns[i]) fürwar, wo man uns schon parfussermünch gern wolt geben, die solchs wessens weren als die man uns furschlecht, wolten wir uns eben als ser wern, dann wir E W negst gesagt haben, das uns an dem peichten nit so vil gelegen ist als an andern dingen, darumb dieweil ped orden sind anfencklich aneinander eincorporirt, nachvolgent durch keyßer, kung und bebst privilegyrt, der und[k]) ander sachen halb haben wir nit gewalt uns williglichen darvon[l]) lossen trennen, müsen wir aber gewalt und betrangung leyden, muß wir got, dem almechtigen, befelhen, der woll durch sein genad, plutvergiessen und ander ubel genediglichen verhutten, dann wir ye nit darfur halten, das ein protmesser, geschweigen ein schwert, durch der veter willen, die uns pisher versorgt haben in geistlichen dingen, aufgehebt werdt, ist auch wissiglichen, das die pawrn dalygen, das sy nit aygen wöllen seyn und sich cristlicher freyheit dermoß wöllen praüchen, das sy nach dem hellen clarn ewangelio nymants nichcz schuldig wöllen sein. Demnach hoff, wir sind kein ursach zu solcher aufrwr, dan wir haben nymant untter dißen leutten, darumb habt uns umb gottes willen nit verubel, das wir dem closter sein freyheit nit begeben, des wir doch nit gewalt haben, dann wir es doch ye nit gepaut haben, darumb zympt uns auch nit zu ubergeben noch uns von unsern gelubtten, die wir got gethun haben, durch keinen menschen abweysen loßen, wie gutscheynet auch die sach furgeben wirdt als ob das gelübtt nit pynnt, auch nit müglich wer zu halten. Mit der weyß wer auch nit müglich zu halten, was wir got im sacrament der h[eiligen] tauff gelobt haben, wiewoll wir wissen, das wir an[6]) die hilf und genad gottes nichcz vermügen, aber sprechen mit sancto Paulo: Ich vermag alle ding in dem, der mich sterckt. In des[m]) kraft hoffen wir zu laysten, was wir got verheissen haben, darumb furchten wir uns nit unpillich vor allen den, die uns ursach möchten geben zu abtrünigkeit, als wir uns dan versehen von allen denen, die uns furgeschlagen und zugeben werden, die doch das merer teyl außgeloffen münch und pfaffen sind. Was solten sy uns dann anders lernen dann das sy selbs thun, darzu uns mit der hilf gotes weder das schwert noch todt sol pringen, das wir got, unßerm hern, meynaydig wöllen werden.

Unser got, dem wir uns ergeben haben, ist ein eyffeyrer[7]); darumb wir mit gewissen keynen kunen zulossen von den, die selbst meyneydig an got werden und irem pischof, dem sy geschworn haben keuscheit zu behalten und darnach weiber nemen und andern poßen hendeln nachgen, ir pristerschaft von in legen, ir orden verlossen, ir clöster ubergeben, die doch nit ir aygen sind. Sagt man, der prediger uns verordent, hab auch ein weib, der heut nach vil verwerffung geistlich stants entlich gesagt hat, das sich nymant darauf zyehen sol, das vil frumer heiliger leut in den orden sind gewest, welchs wol war sey, aber das sey gewiß, das kein

---

[6]) ohne   [7]) Eiferer, eifersüchtig

---

i) „uns" fehlt in A   k) „und" fehlt in A   l) „darum" in H
m) „der" in H

frümer noch heiliger darinnen belyben sey, got hab im vor seinem endt heraußgeholffen, welhs unsers achtens manchen frumen heiligen alten vater vil zu nahent geredt ist, auch uns gefer[8]), künen wol darauß nemen, was das endt diß spils ist, das man uns gern auß dem closter betrigen wolt als mancher armen tröpfin leyder geschehen ist, die sich solches ding haben lossen verfüer[n], sind darnach zu gespot der leut und zu verzweyflung in ir gewissen kumen, darvor uns got behut. [S. 23] Was solten wir dan vil zu schaffen haben oder vertrawen und guts gegen in versehen, so sy in selb so ubel thun und got, dem hern, nit halten, was sy im geschworn haben; deshalb will[n]) uns auch in keinem weg gezymen in ein freuntlich[9]) gesprech zu vergünstigen mit den 8 predigern, dan wir hörn nit vil gucz nachvolgen auß dem freuntlichen gesprech, das auf dem rothauß gehalten ist worden, das auch fur freuntlich verkundt wardt, doch darpey gesagt, die ordensleut machten es, wie sy wollten, würdt dennoch mit in entlich geschehen, was beschlossen wer.

Nun wissen wir wol, das etlich untter denselben predigern sind, die uns nit cristlich halten, sunder uns untter der gestalt des h[eiligen] clarn ewangeliums unprüderlich auf offner canczel außschreyen, auch ettlich gesagt, sy wöllen nit rw haben, pis sy nunnen und munch auß der stat predigen und ein kugelplacz[10]) auß unßerm closter gemacht werdt, als uns oft zu entpotten ist worden. Solt nun ein solchs uber uns auch beschloßen sein, wer peßer, wir würden vor[11]) außgetriben, ee wir mit disputirn und anderm also genottigt und betrangt werden, wiewol uns solchs mit dem todt vermaynt wer, so wir doch ye mercken, das aller handel dohin gestelt ist, das wir uns williglichen solten begeben[o]) in die newen sect, welchs kein swester in ir gewissen kan gegen got verantwurtten; mit des hilf wir wollen beleyben in dem gelauben der h[eiligen] cristenlichen k[irchen] und uns weder todt noch leben von dem lossen pringen, so lang pis diße zwytrechtikeit von der h[eiligen] c[ristenlichen] kirchen in einigkeit gepracht werdt. Aber ee nit, dann wir nach herczlichem anruffen gottes in unser gewissen ye noch nit künen fynden, das wir sollen glauben und halten, was ein ytlicher[12]) will und verwerffen die langen, guten gewonheit der cristenheit, wie es ycz ein ytlicher[13]) macht, der auch ein mensch ist nach seinem kopff und ubergeben den glauben und gut ordnung der h[eiligen] kirchen, die pisher nach der verheissung Cristi auch durch den h[eiligen] geist regirt ist worden, von der wir uns nit trennen wöllen loßen und darumb leiden, was uns got zu leiden gibt, denn es ye pesser ist alles ubel leyden denn in das ubel vergünstigen[p]), dan was wir leiden, turffen wir got nit verantworttten, aber in etwas vergünstigen und ursach zum fall geben,

---

8) gefährlich ?   9) freundschaftlich, friedlich   10) Kegelbahn   11) vorher
12) jeder   13) wie 12

---

n) „will" fehlt in A   o) „ergeben" in A und H
p) „dan" bis „vergunstigen" fehlt in H

müsten wir tewer verrechen vor dem strengen richter, denn wir on das nit eins fur taußenten kunnen verantworten.

Darumb pit wir E W in der lieb unsers schöpffers, erloßers und seligmachers, habt geduldt mit uns armen und lost uns ungezwungen zu dem glauben, den[q]) wir nit in uns haben; lest doch der dürck yderman in seinem gelauben und nottet nymant. Wollen wir got herczlich teglich pitten, das er seinen rechten woren cristlichen gelauben in uns mere; gibt er uns ein andern verstant, wöll wir euch nit verhalten; es ist ye der glaub und die gewissen von keinem menschen zu notten, wan got, unser aller herr, will selber die gewissen frey haben und nit zwingen, darumb gezymt sich keynem menschen die zu pintten und gefangen zu nemen. Begern herczlich und demutiglich, das E W diß unser schreiben, das den auß aygner bewegung on aller weltlicher und geistlicher rotschleg und angeben, wie wir verzigen werden, sunder allein auß treibung unser aygner gewissen und betrubten herczen entspringt.

Ist uns besunder beschwerlich, das diß ein sach ist, in der wir nit schlecht[14]) mügen E W und einem erbern rat volgen als wir pisher gethun haben in zeitlichen. Wir haben aber E W des hohen verstants, das ir woll wist, das man got, den wir allein ein richter unser concienz[15]) begern zu haben, mer gehorsam müsen seyn denn dem menschen. Lert[r]) uns auch sanctus Paulus, das ein ytlicher[16]) sich selbs bewer, denn ein ytlicher wirdt sein selbs pürd musen tragen; fert nymant fur den andern weder gen hell noch gen himel.

Seczen in keinen zweifel, wo ewr W sampt den eltern[17]), unßern günstigen lieben hern, den wir begern disen priff auch zu lesen, in unßer hercz und gewissen sehen, ir würdt zufrid sein und die sach on alles menschlichs zuthun, eyln und treyben allein got, unßerm hern, befelhen, der diße sach woll pesser wurd machen denn wir alle gedencken. Seinen genaden befelh wir E W ewiglich.

E F W arme kinder, abtissin und ganczer convent zu sanct Clarn, ein ytliche s[wester] insunderheit.

K a p i t e l 20

Antwort des Pflegers: Berichtet, daß er die Bittschrift den Ältern Herren vorlesen ließ, diese aber vorläufig keine Entscheidung über die Auswahl der Prediger treffen wollen — Pfleger teilt mit, daß der Rat Boten nach Rothenburg o. T. und Windsheim gesandt habe, wo die Bürgerschaft den Bürgermeister und Rat gefangen genommen habe, weil diese ihnen die evangelischen Prediger entzogen hätten

[S. 24] Auf diße supplicacion schrib der pfleger diße antwurt:
Jesus[q]). Wirdige mutter und swester!

Auß ewrn schreiben mir iz gethun kan ich vermercken mir wy andern, dy sich zu vill vermeßen, geschicht, dann wywoll ich mit liebko-

---

14) schlechthin, einfach   15) Gewissen   16) wie 12   17) älteren

q) „den" bis „und" fehlt in H   r) „ler" in H
q) in H „C. statt „Ihs"

ßen, davon ich vor langst protestiert, geschriben, wayß doch got meyn herz, den ich kunfftig mit genaden zu wurcken pit.

Wie ir begert, also hab ich gethun, nemlich ewr schriefft pey den eltern herrn loßen verleßen, dy sich[b]) aber noch auch der gancz rott nye in dißen fellen so weiß geacht, daz sy zu urteyln willens, wy dann auß ewr schrifft geschicht uber dy prediger cristlichers lebens und lere, dann ir vor nye erkendt. Sy wollen aber dy sach bedencken, nit pey innen allein, sunder pey einem ganczen rot und wo weydter ir notturft sein wirt und allsdann den genaden in weyttern thun und loßen got vertrawen alleyn.

Wollt mich verstendigen, ob ir einem rot, damit ich daz ewr auch nit versaum, weytter mynder oder[c]) mer zu wißen thun wollt oder ob ir[d]) es pey dißer schrifft, an mich iz gethun und pey den eltern zu leßen begert, pey einem rot beleiben, dy sye daselbst verleßen mochten loßen. Ir werdt kurzlich bericht, ob ir von den der worheit bericht seit, dy euch der[e]) paurn versamlung und ir ursach allein auf dy leibeygenschafft und, daz sy keyn zynß geben wollen, eingepilt.

Es ist gewiß war, daz ir on mytel nit ursach seyt[f]), daz aber dy sectanrichter auß Rom und ire anhenger sich von dißen und noch großerm ubel entschuldigen mugen, loß ich sein, will an keinem menschen dann an mir allein verzagen, etwas pey euch auß zurichten.

Mein herrn haben hewt in 2 stet[1]) nochent[2]) hye pey[g]) Rottenwurck[3]) und Wynßheym[4]) ir treffenlich pottschafft geordent, dyweyl dy gemeyn beder ort dy rot und burgermaister darumb gefangen, daz man in dy ewangellischen genumen und gauckler darfur aufgestellt, so hat Salzpurg geistlichen und weltlichen ire concubin von in thun und zu der ee[5]) zu greuffen gepotten, welchs dy[h]) gotloßen nit loben werden. Begern sich ganz nach hyeiger[6]) ordenung zu halten, als war got lebt, wa dy genad gottes nit dy gauklprediger abgestelt, wir hetten etwas mitessen mußen, daran villeicht ezlichen selloßen pfaffen nichs gelegen; mir zweiffelt nit, gesecht[7]) ir paß, ir gelaubet mir mer; hof, dy wenig zal der ungehorsamen werden pald herpey durch gotlich myttel kumen oder zum wenichsten nichs ubels, als ich hof, wenig und doch etlich darzu genaygt seyen außrichten mugen.

    Damit befilh ich uns got

Casper Nuczel.

---

1) Städten   2) nahe   3) Rothenburg o. T.   4) Windsheim   5) Ehe
6) hiesiger   7) sähet

---

b) „sich" fehlt in H   c) „oder" fehlt in A und H   d) „je" in H
e) „die" in H   f) „seyt" fehlt in A und H   g) „pey" fehlt in H
h) „wie" in A und H

Kapitel 21

Antwort der Äbtissin an den Pfleger: Sie wollte mit ihrem letzten Brief den Pfleger nicht kränken, aber der Convent habe seinen Inhalt gebilligt, der Pfleger solle entscheiden, ob die Bittschrift nur den Ältern Herren oder dem ganzen Rat einzureichen sei — Man möge mit ihnen Geduld haben und sie vorläufig zu keiner Entscheidung bezüglich der Beichtväter drängen

Auf dißen seinen[a]) priff gab ich im diße antwurt:
Fursichtiger w g l herr pfleger[b])!

Ewrn priff hab ich verleßen und vill beschwert E W darauß verstanden mit betrubtnus meins herzens des negsten[1]) priff halben, dann wir E W denselben ye nit zuwider oder verachtung geschriben haben, sunder lautter auß getrewen herzen haben wir euch angezaigt on alles liebkoßen, was unßer forcht und beschwert in dißer sach sind und so ewr brif an mich und den convent gestanden ist, hab ich den offenlich vor allem c[onvent][c]) loßen leßen und ein itliche insunderheit jung und allt gefrogt, was ir will sey, daz sy wider antwurten wollen; also hat mir ein itliche ir gut beduncken gesagt, dy meynung, wy dann der priff innhelt. Hab darnach mit eygner hant dyselben ding an eyn taffel geschriben und der schreiberin abzuschreiben geben; daz meld ich darumb, daz ir in worheit keinem andern[d]) menschen verzeihen sollt. Nachfolgent[e]) hab ich denselben priff als man in sollt sigeln wider dem convent loßen leßen; haben mir dy s[wester] all auf ein news verpotten mich in nichten wider irn willen zu begeben, verwillig ich aber on sye, so soll ich wißen, daz sye solchs nit stet wollen hallten und mir auch furpas nymer[f]) gehorsam wollen sein.

Hab ich nun auß meiner s[wester] befelh etwas ungeschickts und unpilligs geschriben, mit dem wir imants zu vill angrieffen hetten, wollt solchs in der lieb gottes mer unßer frewlichen plodigkeit[2]) und[g]) unverstandt zuschreiben, denn freffelm urteyl oder hoffertiger vermessenheit; dann got, unßer herr, weyß den grunt unßers herzens, daß wir uns in[h]) dißen dingen allen allein furchten vor den leutten, dy uns ursach zu appostasey mochten sein, daz uns E W nit verargen soll, dann ye noch dem h[eiligen] ewangelio not ist, daz man sich hut vor den leutten. Es ist war, daz wir begert haben den priff dy alten herrn loßen leßen als unßer gunstig herrn und getrewen vetter, so sye mercken unßer anligent, welchs ye auß der lieb und forcht gottes entspryngt, [S. 25] sye wurden in[3]) daz zu herzen lossen gen und im pesten versten; denselben herrn und zufoderst E W als unßern getrewen pfleger und versorger befilh ich zu ermessen[i]), ob es zu thun sey, daz dißer priff vor dem gancizen rot zu leßen sey oder nit; begern in dißem umb der ere gottes wil-

---

[1]) letzten   [2]) fraulichen Unvernunft   [3]) sich

---

[a]) „seinen" fehlt in H
[c]) „c[onvent]" fehlt in A und H
[e]) in A und H „so" eingefügt
[g]) „unserm" in H eingefügt
[i]) „messen" in A und H

[b]) „pfleger" fehlt in H
[d]) „andern" fehlt in A und H
[f]) „nit" in A und H
[h]) „zu" in H

len noch dem h[eiligen] ewangelio, das ir[i]) darinnen thut als ein itli-
icher[k]) wollt, daz im selber gescheh und pitten, daz man uns dy genad
thw, daz man gedult mit uns armen hab, piß got seinen wollgefelligen
willen in uns wurcket, so wir doch noch eins e[rbern] rots meynung daz
h[eilig] ewangelium horn und der parfüsser ledig sten, daz man uns
weytter unbeschwert loß.

Wir wollen mit der hilf gottes woll unßers dings wartten, auch ny-
mant weder auf diß noch daz weißen und nymant keinen schaden thun.
Auch erpeut ich mich, so ich ye also parteysch wirt geurteylt, daz ich
vergunen[4]) will, daz man den convent verher, will ich außtretten, daz
mir nymant weder zu lieb noch zu layd turff sein notturfft kunlich re-
den; anders kann und will ich meinen convent nit zwingen, gezympt mir
auch nichs hynter in[5]) zu thun. Ich hoff, der h[eilig] geist werd euch
und in nit verhallten seinen gottlichen willen, so man doch in seinem
nomen versamelt ist.

Hyemit befilh ich E W der genaden gottes, der uns allen woll zu thun
geb.

4. Um die Predigttätigkeit Polianders und Koberers (Kap. 22—23)

Bericht über den Beginn der Predigten Polianders

Zw wißen, nachdem man unßer vetter von uns het geschafft, wy vor
geschriben ist, hub am montag nach Oculi an pey uns zu predigen eyn
lutterischer prediger, hyeß Poliander, het auch eyn eeweib[a]), was eyn
chorherr gewest zu Wirczpurg, aber von der lutterey wegen was er und
der pryor zun Karteusern auß der stat vertriben, daz sy nit mer do
torfften sein.

Derselb Poliander predigt uns von dem obgeschriben montag noch
Oculi piß an den eritag[1]) noch Judica VIII predig; het ser einen großen
zulauff, horten in dy leut so gern, das der pfleger zu mir sprach, kunt-
ten sy in hye[b]) behallten, wolten sy im ein jar gern 600 gulden geben,
daz er uns neurt[2]) bekeret; aber weder ich noch keyn swester sprachen
im nye keyn wort zu. Damit[c]) macht ich mir vill feyntschaff pey den
leutten von desselben Polianders wegen. Schrib mir der pfleger dißen
nachgeschriben priff:

. [4]) zugestehen, zugeben   [5]) ohne sein Wissen
[1]) Dienstag   [2]) nur

---

[i]) „einer" in A und H   [k]) „yder" in A und H
[a]) „weib" in H   [b]) „hye" fehlt in H   [c]) „darumb" in H

Kapitel 23

Brief des Pflegers: Teilt auf Befehl der Ältern Herren mit, daß Poliander noch eine kurze Zeit als Prediger bleiben, später aber vom Grafen von Mansfeld abberufen werden wird, dann werde der Kartäuser Koberer anfangen, bei ihnen zu predigen — Ihre Bitten seien bis zu einer Besprechung des gesamten Rates aufgeschoben — Bericht über die Zustände in Windsheim — Ein weiterer Brief des Pflegers, worin er mitteilt, daß der Kartäuser abwechselnd mit dem Prediger von St. Sebald die Predigten bei den Schwestern halten wird

Dy parmherczigkeit got des vaters und dy genad uns durch seinen sun erworben sey mit euch allen! E[rwirdige] l[iebe] mutter und recht von herczen geliebte swester, der^a) ich auch pey der hochsten worheit, dy got selbs ist, nit anders beger mitzufarn dann ich herwider gern haben wollt.

Ewr jungst schreiben mir gethun hab ich verleßen und geleichwoll etlicher eltern abweßen halb, piß wir alle zusamenkumen, daz erst hewt geschehen, nichs in^b) der sach kunen oder wollen handeln. Mir ist aber befolhen euch anzuzaigen, daz mit allem fleiß gehandelt sey mit dem graff Albrecht von Mansfelt, das er den Poliander, ewrn iz zugesezten prediger, doch eyn zeitlang hye wollt loßen mit anzaigen vill gutten, das ein rot verhoffet darauß erfolgen. Ein rot auch solchs an keinen costen^c) hat erwinden^1) wollen loßen, daz uber daz alles er nit erhallten hat mugen werden, dann der graff hat dißen trost durch sein gottlich lere alle seine landt und leut und auch etlich sein pruder, vettern und freunt in eyn cristlich leben und einigkeit zu pringen; zudem daz er darvor in das landt Preußen daz ewangelium zu verkunden so hoch begirlich von hochen und nydern stenden erfodert, also daz er auch dem graffen in dy harr^2) nit beleiben mocht, welches valls ir villeicht gar nit erschreckt.

Got geb, daz ir dy sach verpessert, wy dann er^d), der Poliander, vermaynt und woll trost, daz ir mit dem vatter zu den karteussern vill paß dann mit im versehen sein sollt; darauf mit gemeltem^3) karteuser so vill ist gehandelt, also daz derselb auf den pfincztag^4) negst frw^5) zu gewenlicher zeit pey euch wirt anheben zu predigen.

Villeicht gibt got dy genad, daz euch der angenem wirt sein, darzu pit ich got zu helffen, sofern[?]^e) er von im erleucht ist, alsdann wirt dy frucht nit veln als wenig gotliche werck pey einem rechtgelaubigen verpleiben. Ewr ursach und erpietten in ewrn schreiben vermelt^6) sind alle verschoben piß zu gelegner zeit mit wissen eines ganzen rots zu erwegen.

In ezlichen umbligenten stetten ist vill aufrwr und worlich alles von den harthaltern der romischen kirchen verursacht. Zu Wynßheym^7) habens meiner herrn gesandten gestylt^8) und in 8 tagen, darin dy stat gespert gewest, entlich^f) vertragen; haben aber zu allerfoderst 2 prediger,

---

dy ein rot sawr angesehen, derhalb sy herauß sind, wider einsezen mus-
sen, sorg, sye dannoch nit [S. 26] genung grundet seyen, wy doch vill pey
uns sind, da ich noch hoff ir selbs bekennen werdt allein durch ewr ay-
genwilligkeit und der, so euch darzu helfen, möcht es allerley sorg wall-
ten, wa ir aber auß rechten grundt der schrifft euch und dy ewrn wollt⁹)
berichten loßen und doch zu wenigst gelauben, das ir irren het mugen,
so hab ich ewr und auch unßer aller, dy on das darunter ungeluck wart-
ten mußen, gar keyn sorg.

Ist meyn pit umb gottes willen, daz alles pruderlicher und vertrew-
licher meynung zu versten; aller meiner herrn ordensleut und ander
loßen sich doch zum teyl erpitlich finden, alleyn ir und dy parfusser nit.
Hof unangesehen, das ir spet in den weyngarten werdt kumen, euch
werd ganze belonung darnach nit mangeln; der herr des weyngarttens
geb euch seinen willen, darumb ich in herzlich, mer denn umb mich
selbs, pit. Amen, damit der ewr und der ewrn⁾ʰ) dyner willig und geflis-
sen, ir wollt oder wollt nit.   Casper Nuczel.

Auf dißen prif gab ich keyn antwurt, do ward es aber anders, do
schrib er mir dißen prif.

Erwirdige fraw!

Wywoll ich euch gestern zugeschrieben, daz ein E R euch den vater
zun karteußern zugeordent hynfuran zu predigen, hat doch derselb so
vill ursach anzaigt also, daz im allein zugeloßen ist pfinztag⁹) und eri-
tag¹⁰) pey euch zu predigen und am suntag soll der prediger zu sant Se-
bolt nachmittag pey euch predigen, piß ein rot die sach weytter bedenckt.
Hab ich euchⁱ) auß befelh meiner herrn nit wollen verhalten. Unßer
herrgot macht ye selczam rutten, damit er uns vill stroffen, dyweyl wir
sunst von unßer abtgoterey nit wollen loßen. Befilh euch und mich sampt
dennen uns befolhen in dy genad und schyrm des almechtigen. Amen.
                                        Caspar Nuczel.

5. Bitte des Konvents um freie Wahl der Beichtväter (Kap. 24—27)

Bericht über die Predigten und Prediger in der Fasten- und Osterzeit 1525
— Vorschlag des Convents, den Rat um Herrn Conrad Schrötter, Weltpriester,
aber Mitglied des Dritten Ordens, als Beichtvater zu bitten mit dem Vorbehalt,
nach seinem Weggang wieder die Franziskaner oder einen andern Beichtvater
nach Belieben des Convents wählen zu dürfen — Dieser Vorschlag wird dem
Pfleger vorgelegt, er verspricht, ihn dem Rat vorzutragen

Also am pfinztag¹) noch Judica sollt der karteußer zum ersten predi-
gen, do ward er kranck. Am palmtag²) doᵃ) predigt der prediger zu sant
Sebolt, Dominicus; am montag derᵇ) prediger zu sant Gilgen³), am eri-
tag⁴) und mitwoch der prediger zu sant Lorenzen, Osiander, am antlaß-
tag⁵) der widerᶜ) zu sant Gilgen, am karfreytag und ostertag der Domi-

---

⁹) wie 4   ¹⁰) Dienstag
¹) Donnerstag   ²) Palmsonntag   ³) St. Egidien   ⁴) Dienstag   ⁵) Gründonnerstag

---

g) „wollt" fehlt in H   h) „und der ewrn" fehlt in A   i) „euch" fehlt in H
a) „do" fehlt in A   b) „der" bis „und" fehlt in H   c) „wider" fehlt in A

nicus, am andern und 3. ostertag der Osiander, am samstag der karteu-
ßer daz erstmal, am suntag Quasimodo der Dominicus daz lestmal.

Also musten wir dy ganzen marterwochen[6]) all prediger horn, daz
man uns neurt[d])[7]) mit gewallt bekeret, daz wir nymer weichen kund-
ten; hetten worlich ein schwere marterwochen, groß geleuff, geschrey
und unrwe in unßer kirchen.

Man[e]) hyelt uns auch gancz hart an, daz der gancz c[onvent] predig
sollt horn und keyn swester dy versaumen; was wir sagten, so gelaubt
man uns nit, daz wir do wern; troet uns, wenn man erfur, daz wir nit
predig horten, wollt man uns leut uber den halß hereinsezen, dy pey
uns an der predig wern und uns aufmerckten, ob wir all do wern und
wy wir uns hyellten und ob wir nit wolln in dy orn styßen[8]). Es ryetten
auch etlich tapffer, daz man dy thur in der[f]) capeln sollt[9]) abprechen
und eyn gytter dohyn machen, daz wir also offenlich an der predig mu-
sten siczen vor iderman[h]).

Also am montag nach Quasimodo fing der karteußer an, thet all wo-
chen 2 predig, montag und samstag; der prediger zu sant Lorenzen Osi-
ander prediget all suntag und feyrtag piß auf Michahely. Aber wy gar un-
cristenlich sy dy h[eilig] geschrifft auf einen fremden syn zwungen, wy
gewaltiglich sye dy saczung der kirchen umbstyeßen, wye sy dy h[eilig]
meß und alle[i]) ceremonia schmechlich verwurffen, wye großlich sye
schentten[9]) und lesterten all orden und geistlich stend, schundten[10]) we-
der babst noch keyßer, dy sy offenlich thyrannen, teuffel und antycri-
sti nennten, wye grobtlich, uncristenlich wider alle pruderliche lieb sye
uns antasten[11]) und, was großer sundt sye erdencken mochten, von uns
predigten, damit sye dy leut uber uns mochten rayczen, dy sy trewlich
vermanten, das sy uns gotloß volck gancz außdilgten, dy closter zerris-
sen[12]) und uns mit gewalt auß den clostern sollten zern, dann wir wern
in einem verdemlichen[13]) standt, keczerin, abtgotterin, gotlesterin[i]) und
mussten ewiglich des teuffels sein. Das kan und mag nit alles geschri-
ben werden, aber dem almechtigen got haben wir immer und ewiglich
zu dancken, der uns so parmherziglich behut hat, daz pey dißen freffeln
predigen uns dennoch keyn hochmud bewißen ist worden, wywoll wir
manche predig in so großen engsten und notten sind gewest, daz wir
all augenplick warttenten, wen man uns daz closter aufstyeß[k]). Wir sol-
len den almechtigen got auch ewiglich loben[l]), der uns so vetterlich be-
hut hat, daz keyn swester von dißen schedlichen, kezerlichen[m]) predigen

---

6) Karwoche   7) nur   8) stopften   9) schändeten, beschimpften   10) schonten
11) angriffen   12) zerstörten   13) verdammenswürdigen

---

d) „newst" in H   e) Das Folgende ist in Hs. D am Rande quergeschrieben
f) „die" in H   g) „sollt" fehlt in H
h) Hier endet das am Rande Geschriebene   i) „alle" fehlt in A
i) „ketzern, abgottern, gotlestern" in H   k) „styeß" in A
l) in D „dancken" durchgestrichen und „loben" daruntergeschrieben, in A
„dancken und loben", in H „loben"
m) „kezerlicher" fehlt in A

vergyfft ist [S. 27] worden, wyewoll wir vill schand und schmach dardurch haben mußen leiden. Haben auch dy prediger uns zu vergifften keinen fleiß gespart, aber ye mer sy uns predigten, ye mer wir merckten, mit was lystigkeit[n]), falscheit und irthum sy umbgingen; got behut uns weytter durch sein parmherzigkeit!

Unterdes ward uns von etlichen gutten freunten geratten, wir sollten uns erwellen einen frumen, erbrigen[14]) prister, dem wir in notten mochten peichten, auf daz wir nit als verachterin[o]) der h[eiligen] sacrament geurteylt wurden, denn es was vil geschreys uber uns, wir wollten ee sterben, ee wir imants anders denn den parfussern wollten peichten. Dyselb meynung hyelt ich dem convent fur, do es ye nit anders mocht sein, daz wir keynem vatter kuntten peichten, do ryetten dy s[western], wir sollten herrn Conrat Schrotter nennen, der was ein frumer tapfferer prister, pey 65 jar alt. Daz thet wir auch mit rot und willen des w[irdigen] vater gardion[15]), dy zeit Michel Fryeß, der vergunt uns solchs und gab im gewallt, daz uns der vorgenant herr ein zeit vor wer und vergwist[16]) uns, das wir darumb nit von dem orden unßer w[irdigen] vetter gewichen wern als etlich swester besorgten[p]), denn dißer prister wer auch eyn gelyed[17]) des ordens, denn er hylt dy 3. regel s. Francissi, darumb ryet uns der w[irdig] vater gardion, daz wir den rot petten, daz man uns dißen prister vergunet, wyewoll er großlich besorgt, der rot wurs[q]) in keyn weg nachgeben, denn, was sye an den parfussern fluhen[r])[18]), wurden sy an dißem prister finden.

Befalhen mir die s[western] nach dem pfleger zu schicken und im furzuhallten dy nochgeschriben meynung ungeferlich. Also kom er denselben freytag zu obent; sagt ich im diße meynung: Nochdem uns ein E R unßer vetter und sellsorger beraubt het und wir nun keynen selsorger hetten und wir alle todtlich wern, wollten wir dennoch auch nit gern als daz vyech on peicht und dy h[eiligen] sacrament sterben; so het er am negsten[19]), do er mit mir alleyn im chor redet, mich gepetten, wir solten uns eyn erwellen zu einem peichtvater und sollten einen nennen, wen wir wollten, der neur[s])[20]) keyn parfußer wer und ob er nit hye wer, so wollten sy in herpringen und keyn kostung[21]) daran sparn. Das het ich meym c[onvent] furgehallten, dy hetten mir befolhen und auch dy rotswestern, dy do entgegen[22]) werden, sy hetten sich des bedacht auf daz er und ayn e[rber] rot seh, das wir nit in allen dingen auf unßern kopfen wollten sten und unßer herz[t]) alleyn auf dy parfusser hetten gesezt, so wollten wir erwellen einen frumen, alten, erbern, tapffern prister, den wir lange jar gekent hetten, der alwegen[23]) einen gutten leymundt gehabt het und ein pristerlich leben gefurt, dem wir

---

14) ehrbaren   15) Guardian   16) vergewisserte, versicherte   17) Mitglied
18) flohen, vermeiden wollten   19) unlängst   20) wie 7   21) Kosten
22) gegenwärtig, anwesend   23) immer

---

n) „lystiger" in H   o) „verechtern" in H   p) in H steht „nit" vor „denn"
q) „wurd" in H   r) „fluchen" in H   s) „nye" in H   t) „herr" in H

torfften vertrawen und ein herz zu im hetten; aber wir wollten in zu dißer zeit noch nit nennen, es wer denn, das wir von einem e[rbern] rot vergwist wurden, daz uns ein e[rber] rot denselben und keinen andern wider unßern willen wollt geben. Doch wollt wir solchs nit anders thun denn mit dem geding[24]), ob uber kurz oder lang diß geschwynd leufft[25]) peßer wurden, das wir nichs damit begeben wollten haben unßer w[irdig] vetter halben; wollten uns auch daz vorbehallten, wen dißer prister, den wir nennen wollten, abging, daz wir denn gewallt wollten haben wider einen andern zu erwellen, wen wir wollten und dyselben freyheit wollt wir uns nymant loßen nemen; wir wollten peichten, wer uns eben wer und nymants anders.

Es wurden auch sunst vill wort dazumal geredt des peichtvaters halb, das wir dem pfleger unßer beschwerd genungsamlich furlegten und im sagten, was uns daran leg; vermantten in auf daz hochst und patten in als unßern getrewen pfleger, daz er im[26])dy sach zu herzen lyeß gen und unßer endtliche maynung einem e[rbern] rot also furhyelt.

Diße red nam er gutlich auf, meldet doch darpey, er het sorg, wenn wir einen so ganz schlechten[27]), unerfaren und ungelerten erwellten, es mocht seinen herrn nit gefallen, wir musten dennoch einen nennen[u]), der ein ansehen het. Sprach ich[v]), den wir nennen wollen, der ist erfarn genung, denn er hat vill und lange jar peicht gehort, wir durffen[28]) keyns hochgelerten, denn on not ist vil dißputyrns in der peicht, turffen auch keins, der ein groß ansehen hat, denn ye mynder geschefft wir in der peicht mit im haben, ye lieber es uns ist, dann wir beturffen vill paß eins trewen, verschwigen, der unßer sundt gedultiglich hort und uns absolvirt, denn eins, der vil wort treybt.

Diß nam er noch alles gut auf und sagt herwider, wy er dy sach sprechen wollt vor einem e[rbern] rot, ob es dy meynung also wer ongeferlich, daz wir einem e[rbern] rot zu gefallen, auf daz sy sehen, daz wir nit alleyn auf den parfussen stunden, wollten wir einen leyenprister nennen unßers gefallens dem zu peichten, doch mit der protestacion, daz wir unßer vetter halben nichs begeben wollten haben, wen es peßer wurd und auch wen der prister abging, so wollt wir aber einen andern stymen und uns dy freyheit [S. 28] der wall behallten und henkket doch hynten daran, wir lyeßen uns dy predig auch woll gefallen.

Sprach ich: Ya, wir mußen es leiden, gewallt kunen wir uns nit erwern, wir haben zum ersten nit dareyn vergunstigt, do man uns zum ersten hat angesagt, do hab wir geantwurt, daz clar lautter h[eilig] ewangelium mugen wir von idermann woll horn, doch on begeben unßer freyheit, aber gewalts kun wir uns auf diße zeyt[w]) nit erwern. Diß lyd er auf das mal als offt ich es meldet zu 3 maln, daz wir gewallt musten

24) unter der Bedingung   25) gefährlichen Zeitläufte   26) sich
27) schlicht, einfach   28) bedürfen

u) „nemen" in A, fehlt in H   v) „sprach ich" fehlt in A
w) „mal" in A und H

leiden. Also schyed er in gutter freuntschafft von uns, daz wir darfur hetten, wir hetten es gar woll geschafft. Aber am samstag darnoch, am h[eiligen] palmobent²⁹), schrib er mir dißenˣ) priff:

Kapitel 25

Antwort des Pflegers: Berichtet, daß er die Bitte des Convents beim Rat vorgetragen und zwar, daß die Schwestern bereit seien, die Prediger zu hören und Conrad Schrötter als vorläufigen Beichtvater wünschten, darauf habe der Rat beschlossen, sie mit Predigern zu versehen und auch Vorsorge zu treffen, daß sie von den Predigern nicht mehr beschimpft würden, bezüglich des Beichtvaters aber sei es dem Rat unangenehm, daß sie ohne seine vorherige Bewilligung einen gewählt hätten; ferner, daß sie dem Beichtvater nur ihre Sünden beichten, aber von ihm keine Belehrung annehmen wollen, der Rat sei aber trotzdem bereit, den von den Schwestern benannten Beichtvater nach Überprüfung seiner Eignung ihnen zu gestatten, doch mit dem Vorbehalt, ihn wieder abzuberufen, falls er sich als ungeeignet herausstellen sollte — Der Rat habe ein langes Schreiben an den Bischof von Bamberg geschickt als Antwort auf einen Brief des Bischofs, das diesem die Ansichten des Rats in den strittigen Angelegenheiten darlegen solle

Genad und fryd alleyn in got dem vater, welche er uns in seinem sun Jesum Cristum so miltiglich mitgedeilt, zuvor¹) in dißen letzten zeitten, so wir doch woll verschuldt hetten, daz er uns noch piß zu dem endt der welt het irrn loßen, derhalben wir im nymer genug thun kunen dann alleyn mit den wercken, dy er uns geheyßen und durch in selben in uns und nit auß unßerm gutduncken vollpracht werden.

Ewirdige fraw und mutter!

Ich hab den befelh mir durch euch und ewr rotmutter²) gethun pey einem e[rbern] rot mit dem fleiß, so ich kundt, anpracht und gesprochen und nemlich den ersten artickel, daz ir sampt dem ganzen convent urputtig³) seyt dy prediger, so euch ein e[rber] rot wer aufstellen, zu horn und allein darinᵃ) vorbehallten ᵇ), ob einer oder mer etwas uncristlichs wurd sagen, dasselb alsdann pey meinen herrn zu anten⁴) und anzuzaigen, genzlicher hoffnung euch wurd darin fursehung mitgeteylt.

Zum 2. wer der parfusser und ewr orden vor alter also eingeleibt⁵), derhalb in ewr macht nit stund dyselben entlich⁶) zu begeben, dyweyll ir aber derselben auß ernstlichen furnemen ewrer herrn der ye mangeln⁷) must und damit dann nit gedacht wird, wy von ewrn myßgunern außgeben, als wollt ir auch aller andern peichtvetter geratten, so euch diß nit zugeloßen, so wer doch ewr demutig pitt euch wider der swester willen zu keynem peichtvatter zu nottigen, wye ir dann gelaubet heraußen sich auch nymant zu keinem tringen lyeß und euch diße wall loßen einen peichtvater zu nennen, so wer ewr convent und ir beschloßen einen solchen prister zu nennen, der doch ewr gemüdt noch nit west, aber ewrs verhoffens des gesindt[8]), daz er pißher weder einem noch dem 2.[c]) teyl nit angehangen, sunder sich pristerlich und woll gehalten. Wer euch auch on nott in der peicht zu disputyrn und vechten, sunder gedecht dy sach dahyn zu setzen, daz ir schlecht und gerecht, wye vor[9]) wollent peichten und absolucion von im wollent[d]) nemen und dapey beleiben loßen; wo aber daz wort gots, das ir doch wye oben zu horn zugesagt [habt][e]), ichz[f])[10]) wurd weytter wurcken, wollt ir euch wye alwegen untterwerffen mit ungeferlichen weyttern wortten, erbern erpyetten und untterdeniger befelhnus gegen einen e[rbern] rott.

Darauf ist pey einem e[rbern] rot nochmals zu rotschlagen verordent euch mit predigen durch eyn oder mer person zu versehen mit dißem zusagen, daz sy ye nymant uncristlich, unpruderlich noch unfreuntlich allda wollten zu predigen gestatten, wye ir dann das ye gute ursach habt zu gelauben, dyweyll vill im rot ir dochter und freuntyn[11]) allda haben, dy ye sich schuldig erkennen ir selligkeit zu fudern[12]) und warlich, wo sye nit weytter sehen, dann ir gefangen[9][13]); sy wurden hyerzu zu furdern und zu arbeitten sich woll enthallten, welche arbeit und furderung auch mit keyner unordnung wirdt gehandelt.

Aber des 2. artickels den peichtvater belangent, der ist pey einem e[rbern] rot etwas beschwerlich angesehen, erstlich darumb, das ir habt gesunnen euch zuzuloßen und zu bewilligen einen leyenprister, den ir erwelln und fur gut ansehen wurdet zu nennen, doch daz dy bewilligung eines rots ewrem benennen eines peichtvaters vorgeen solt, das wirdet darfur verstanden, daz ir einen rot mit irer bewilligung[h]) verpinden, ir aber mit ewr wall und benennung frey sein wollt. Zum 2. darumb, daz ir einen peichtvatter verstricken[14]) wollt euch alleyn zu horn, ime aber [S. 29] sollt dagegen verpotten sein mit euch von den mengeln ewr concienz[15]) nit zu reden, den trost und liecht, so got erscheinen lest, nit zu eroffen[i])[16]) und euch durch dasselb von unpilligen dingen zu erledigen; wy nun das pey meinen herrn angesehen, gib ich euch zu urteyln.

Dann was wer doch das fur ein peicht und bekantnus, dy ein sunderin vor einem thet und dagegen aber den [!] peichtvatter nit gunen wollt dy mengel irs gewissens und gelaubens anzuzaygen. Auf daz ir aber meiner herrn vetterlich und cristenlich gemudt mer befyndt, dann sye sorgen mer den[j]) ir in zutrawt und geleich naygung, wye sye dy gegen in[17]) selbs auch gegen euch vermercken mugt, so sind sye urput-

---

[8]) so gesinnt   [9]) vorher   [10]) etwas   [11]) Verwandte   [12]) fördern
[13]) gefangen, auch in Hs. B. am Rand wiederholt, Sinn: wenn sie merkten, daß man euch hintergehen will, würden sie ihre Zustimmung nicht geben.
[14]) verpflichten   [15]) Gewissen   [16]) eröffnen   [17]) sich

---

[c]) „andern" in A und H   [d]) „wollent" fehlt in A und H
[e]) „habt" in A eingefügt   [f]) „yetz" in H   [9]) „gesang" in H
[h]) „willigung" in A   [i]) „offen" in A und H
[j]) „mer den" ist in D durchgestrichen

tig[18]), wa[19]) ir inen izo den prister, so euch fur einen peichtvater als tuglich und gefellig ansicht, wennendt[k])[20]), das sye sich alsdann seines cristenlichs und uncristenlichs verstadts, lebens und wessens halben mit solchem fleiß, als ob sye dem ir aygen sellen vertrawen sollten, erkundigen und wo[21]) sye den zu einen cristlichen peichtvater fur geschickt und tuglich befinden[l]), euch den auf ewre wellen[22]) und benennung vil lieber zuloßen und gestatten wollen, dann ob sye euch den selbs zugeordent[m]) hetten. Doch wirt im[23]) ein rot dy handt[n]) in dem nit spern loßen, wo einer sich ungeschickt oder strefflich wurd hallten gegen im wye gegen andern und sich zu thun gepurd[24]) zu hallten.

Mein herrn haben gester ein antwurt 10 pogen pletter groß loßen an pischoff zu Bamberg außgen, ist ein antwurt auf ein schreiben durch sein genad in wenig tagen gethun, wo ich nit sorget euch ewrer gelegenheit halben damit zu beschwern und villeicht in weytter unmudt zu furen, so kundt ich nit loßen euch dy zu[zu] stellen und euch leßen zu loßen, dann darin wirt nit allein ware bekantnus gehandelter sachen bekandt, sunder auch daz vermerckt, so sich noch zu thun gepurn wirdt und ist doch im beschluß mit aller demutigkeit dahyn beschloßen, wo er oder dye sein in aufgerichten oder kunfftigen sachen etwas mit heilliger geschrifft verfast kun anzaigen, das sich zu endern, zu myndern oder zu mern gepur, das man sich darin cristlich und also erzaigen, das darauß eines rots gerechts, pruderlichs und ganz gleichmessigs gemudt sollt gespurt werden; will er nun, so stet keyn mangel pey meinen herrn[o]), an dem sich cristlich weißen zu loßen; gleichwoll wirt man sich mit unworheit nit zaln loßen. Es[p]) will mir zu spet werden, vermerckts von mir trewlich und pitt got mir dy genad zu geben euch wider seinen willen nichs zu rotten, schreiben oder reden, sunder allein sein willen. Amen.

    Ewr williger pfleger

       Casper Nuczel der elter.

Kapitel 26

  Antwort der Äbtissin auf den Brief des Pflegers: Da der Rat dem Vorschlage des Convents bezüglich der Wahl des Beichtvaters durch die Schwestern nicht zuzustimmen gewillt sei, obwohl die gute Absicht des Rats von den Schwestern anerkannt werde, glauben sie doch nicht, daß er für sie den Richtigen auswählen werde, dem sie Vertrauen haben können, sie wollen daher den Namen des Priesters nicht nennen, um ihm nicht vielleicht dadurch Schwierigkeiten zu bereiten, sie wollen lieber noch abwarten, auf Gott vertrauen und die bösen Nachreden der Leute mit Geduld ertragen

  [S. 30] Auf den vorgeschriben prif gab ich dem pfleger diße antwurt am[o]) montag in der marterwochen[1]):

---

[18]) erbötig   [19]) wenn   [20]) benennt   [21]) wie 19   [22]) Wählen   [23]) wie 17
[24]) gebührt   [1]) Karwoche

---

[k]) „benendt" in A   [l]) „fynden" in A und H   [m]) „geordent" in A und H
[n]) „dy handt" fehlt in A und H   [o]) „herrn" fehlt in A und H
[p]) „es" in A durchgestrichen; fehlt in H
[q]) „auf" in A und H

Jesum Cristum crucifixum pro salute!

Fursichtiger, weiser, günstiger, lieber herr pfleger!

Auß ewrm negsten[2]) schreiben haben wir vernumen, das E W unser sach gegen einen erberg rot getrewlich gesprochen hat. Got, der herr, wöl euch solchs und alles gut bezaln, mercken aber dapey auch, das unser furschlag mit dem peichtvater nit stat will haben in der maynung als wirs fur ein bequems mitel begert haben, durch das die beschwerung der gewissen der swester und auch die nachred unser myßgüner möcht hingenumen sein worden und auch ein erber rat seh[b]), das wir nit in allen dingen auf unsern köpffen stunden. Es ist war, das wir die wal begern zu behalten, wie wir E W nechst[3]) mündtlich auch gesagt haben, das wir mit dem nichcz in geistlichen dingen wöllen begeben haben; in zeitlichen dingen wissen wir wol, das wir umb frids und guter sach willen sollen nachgeben und einem erbern rat willfarn. Aber in den dingen, die die gewissen antreffen als peicht und andre ding, kan man auß dem h[eiligen] ewangelio nit bewern[4]), das ymant zu notten oder zu betrangen sey. Wir halten wol dafür, das ein E R solchs auß besundern trewen thw, wie E W melt[5]), haben desselben halb kein myßtrawen zu unsern günstigen herrn und vettern, gelauben wol, sy versehen uns gern nach dem pesten, aber sy kunen dennoch den leutten nit in das hercz sehen, man sicht den man von außen an, weiß aber nit, was er innen kan, aber nach langem erkennen und gutem leben ist dennoch etwas zu vermessen, mer zu einem den zu dem andern, demnach wie war ist, das gesagt mag werden, wir wolten einen rot verpintten uns einen peichtvater unsers gefallens zu loßen, so ist doch ye das widerumb auch wor, wenn wir hirinnen wilfarn und uns solten lossen nötten zu peichten den, zu den wir kein herczen hetten und denen wir nit vertrawen möchten, das unser gewissen, die got frey will haben, größlich verstrickt weren. Es kumt[c]) ye einem leiblichen krancken der rot des arccz nit wol, zu dem er weder glauben noch trawen hat, wie solt denn einem beschwerten gewissen geschechen?

So nun unser furschlag nit stat solt haben, gedencken wir, es sey villeicht peßer, wir nennen den nit, den wir im syn haben gehabt, den solten wir einen anzaygen, der andern leutten nit gefellig wer, würden wir villeicht nit allein[d]) nichcz schaffen, sunder denselben auch[e]) in unglück pringen, wo der nit glauben und halten wolt, was andern leutten eben wer; denn wiewol wir warlich noch nichcz mit im geredt haben, halten wir in doch fur einen solchen man, der weder von menschlicher forcht oder gunst wegen nichcz wider sein gewissen werd thun als auch recht ist. Dann wiewol in andern sachen zu wilfarn ist, aber das ymant sein gewissen sol beschwern einem andern zu lieb etwas zu glauben, das nit in sein gewissen get, ist wider got und sich selbs; tregt nymant fur

---

[2]) letzten   [3]) neulich   [4]) beweisen   [5]) erwähnt

---

[b]) „sich" in H   [c]) „kunt" in H   [d]) „nit allein" fehlt in A und H
[e]) „auch" fehlt in A und H

beschwert allein, wirdet auch nymant fur das ander rechnung geben, sundern ein ytlichs sein pürd vor den augen gotes tragen; darumb als wir alwegen gesagt haben, dieweil die new lere in vil weg so zwyspaltig ist gegen dem alten cristlichen verstandt und doch ped[6]) teil die h[eiligen] geschrift vor in haben, die ein ytlicher auf sein ortt zeucht, so ist uns armen aynfeltigen das nüczt[7]), das wir in dem glauben des h[eiligen] ewangelium beleiben pis die sach mit der gnad gottes in eynigkeit gepracht werdt.

Wöllen mit disem still halten mit der hilf gotes, nymant kein ursach zu aufrwr geben, dan waz get die leut an, wem wir peichten, so wir doch öffenlich predig hörn, wie irs verordent habt; wern wir uberdas geurteilt als verachterin der h[eiligen] sacrament, der wir doch von grunt unsers herczen begern, als wir mit got und seinen h[eiligen] engeln bezeugen, und wider unßern willen die h[eilig] zeit mangeln und als gotloß gleischnerin[8]), gotlesterin und anders; musen wir got befelhen. Cristus, unser seligmacher, hat selbst schandt und nachredt von den menschen müsen leyden; wöll wir uns als arme gelyder nit pesser machen[f]) dann das haubt selbs; wöllen mit sancto Paulo sprechen: Mir ist das mynst[9]), das ich von euch geurteilt werdt oder von dem menschlichen tag[10]); got ist, der mich urteilt, der sicht das hercz an, vor des augen sind wir weder peßer noch pößer; man sag von uns, was man wöll; dem wöll wir unßer sundt peichten in der pittrikeit der rew unßrer herczen und im allein vertrawen, er werd schir ein seligs mitel schicken, dardurch ein E R unßern halben und auch wir arme in unser gewissen zu frid komen, wenn wir uns ye gern nach seinem wolgefelligen willen wolten richten, wo uns unßer gewissen nit strafft.

Dieweil habt umb gotes willen gedult mit uns armen und verstet unser schreiben, das auß betrangtnus unser gewissen entpringt[!] im pesten; damit vil seliger zeit!

E F W demutige dochter abtissin und all ratswester
zu sant Clarn.

[S. 31 steht nur:] von hern Conrat Schroter.

---

[6]) beide   [7]) nützlichste   [8]) Heuchlerinnen   [9]) mindeste   [10]) Gerichts(tag)

[f]) „achten" in A (corrigiert) und H

Kapitel 27

Bericht über den Besuch des Abtes von St. Egidien und die Unterredung mit ihm, er ermahnt die Schwestern, in allem dem Rat gehorsam zu sein — Tags darauf Besuch des Pflegers: Teilt mit, daß der Rat darüber unwillig sei, daß die Schwestern ihren Beichtvater selber wählen wollen. Obwohl sie keinen Namen genannt hätten, wisse der Rat trotzdem, daß es sich um Conrad Schrötter handle, der jedoch dem Rat nicht genehm sei — Der Pfleger drängt die Schwestern, den Kartäuser, der ihnen predige, auch als Beichtvater zu nehmen, dagegen aber sträuben sich die Schwestern, weil er ein Apostat sei — Der Pfleger erwidert, daß man nur verheiratete Priester als Beichtväter in Frauenklöstern zulassen wolle, droht wiederum mit dem Aufstand der Bauern und des gemeinen Volkes in der Stadt, das die Klöster nicht länger dulden wolle

[S. 32] Am mitwoch, was der h[eilig] antlaßobent[1]), kom der abt von sant Gilgen[2]), zayget an, do unßer closter reformyrt wer worden, do wer der abt zu[a]) sant Gilgen zu einem executor vom babst geseczt worden, nachvolgent wern all ebt seins closters unßer conservatores, darumb wollt er sich auch anzaigen als unßern hyrtten, nem in wunder, so wir iczunt so vill anligens hetten, das wir nit lengst noch im geschickt hetten; er wollt doch ye auch gern helfen und rotten und ermanet uns auf das hochst, daz wir in allweg einem e[rbern] rot als unßer von got eingeseczter obrikeit in allweg[b]) sollten volgen, was sy uns ansynnen und mit uns[c]) anheben wollten, des wer wir schuldig zu geleben[3]), mit vill geschmyrten worten.

Antwurt ich mit kurczen wortten auf daz erst: Wir erkennten Cristum fur unßeren worn hyrtten, der seyn sel fur seine scheflein geseczt het, sunst wer wir layder auf diße zeit mit solchen hyrtten versehen, vor den wir uns als woll als vor den wolfen zu furchten hetten; seiner und ander hyrtten halben wer nit wunder, daz dy wolff dy scheflein lengst zuryssen hetten. Aber auf daz 2.[d]) wer wir nit gewillt, daz wir den leutten folgen sollten in den dingen, dy wider unßer gewissen und unßer gelub[4])wern, denn wir hetten das miteinander beschloßen[e]), daz wir uns [durch] nymant wollt loßen treiben von der einigkeit der cristlichen kirchen und unßers ordens.

Do wollt er vil disputyrn von dem h[eiligen] sacrament in peden gestalten zu entpfangen und andern dingen, aber ich wollt im nit statten geben; saget wir wern ungelert, einfeltige frawenpild, wollten solche ding den gelerten befelhen und ee ein[f]) einigkeit in der kirchen wurd, wollt wir pey dem allten gelauben pleiben und uns nymant darvon loßen treiben. Do wollt er ye wissen, wye mir sein prediger zu sant Gilgen[5]) gefyell, kundt er[g]) mir keyn ander antwurt außpringen, denn es gefyel mir einer wy der ander, den text der h[eiligen] geschrifft wollten

---

[1]) Abend vor dem Gründonnerstag [2]) St. Egidien [3]) folgen [4]) Gelübde
[5]) wie 2

[a]) „von" in A und H [b]) „in allweg" fehlt in H
[c]) „uns" fehlt in A und H [d]) „ander" in A und H
[e]) „schloßen" in A und H [f]) „ein" fehlt in A und H [g]) „es" in H

wir gern horn und gelawben, aber daz wir sollten annemen dy außlegung, wy es einem itlichen im kopf fur, daz wollt in uns nit.

An dem h[eiligen] karfreytag nach der predig kom aber einmal der pfleger, nam ich dy rotswester mit mir; hyelt er uns denselben h[eiligen] tag auf piß zu der colacion[6]), saget herwider, wye es im rot ergangen wer, do er unßer meynung furgehallten het des peichtvaters halben, wy[h]) ein e[rber] rot nit woll zufryd mit uns wer, daz wir so gar ir vetterliche trew nit zu herzen wollten nemen, so sy uns selber auf daz pest wollten versehen, so wollten wir in nit getrawen, sunder selber dy wall behallten, wurd uns nit zu gut kumen. Er schemet syh [!] von herzen, daz er alleyn unter allen closterpflegern so ubel mit uns bestund, dann alle closter sagent irn pflegern zu, sy wollten thun, was meyn herrn wollten, alleyn wir wern so eygensinig und so wiczig, daz wir nymant wollten folgen denn unßern eygen kopfen; damit wurd wir uns worlich selber verfurn, mit vill andern wortten dergeleichen. Er saget auch, wyewoll wir den prister nit genent hetten, dem wir peichten wollten, so kundt er und ein e[rber] rot dennoch woll ermeßen, daz keyn ander wer denn herr Cunrad Schroter; er het aber unter allen herrn keynen gemerckt, der einen gefallen an demselben pfaffen het, es wollt auch keyner sein stym darzu geben.

Sprach ich: Es ist doch nit von notten, daz wir dem mußen peichten, der einem rot gefallt, so sy uns dy nit wollen loßen, dy uns gefallen, woll wir auch der nit, dy in gefallen. Sagt er: Es wirdt alles anders werden mit den gelltsuchtigen meßknechten, wir sollten uns darvon seczen, man wurd uns keyn geben, er wer den auf der ewangellischen seytten. Sagt ich: So dyselben nichs von der peicht hallten, so woll wir ir auch woll geratten[7]); ir durfft nit eyln mit keynem peichtiger, wenn ir uns pey unßer freyheit nit wollt beleiben loßen. Er drug uns imer den abtrunigen karteuser an, der von Wirzpurg vertriben was worden umb der lutterey willen, den man uns verordent het zu predigen; den kundt er nit genung außloben, wy ein heilliger, gelerter, erfarn man er wer, wye er ein visitator des ordens wer gewest und eyn pryor, mit[i]) demselben wer wir auf daz hochst versorgt, wen wir in zu einem peichtvater und visitator an- [S. 33] nemen.

Sprach ich: Wir sind clarisserin und nit karteussin, darumb beger wir keins karteussers, wir musten villeicht seinen orden annemen. Sprach er: Er wollt mir gut darfur sein, daz er keyn karteußer oder kein munch wurd[j]) beleiben, wurd auch dy kutten nit anbehalten. Do sprach ich: Ey, so[k]) peicht im der todt! Soll wir erst einem trewloßen appostaten peichten, so er got sein trew nit helt, was sollt er uns denn trew beweyßen oder was sollt er uns anders lern denn daz er selber thut; so musten wir all appostatyrn; do behut uns der lebendig got vor!

---

6) kleine Mahlzeit   7) entbehren

---

h) „wy" fehlt in H   i) „unter" in H   j) „wollt" in H
k) „so" fehlt in A, dort „do" durchgestrichen

Kurz ab, ye mer der pfleger dißen munch lobet, ye mer ich verschwur fur mich und den ganczen convent, daz wir im worlich und werlich keyn peicht nymermer thun wollten und wollten in auch weder zu keynen visitator noch obern haben.

Diß gezenck weret auf diß und andermal offt und vill diß munchen halben, daz man uns ye wollt notten, das wir im sollten peichten. Sprach ich etwan zu im: Hewt oder morgen nympt dißer munch auch eyn weyb, so wer es denn eyn feyn ding, das wir pfaffen und pfeffin und pfaffen-kinder musten[l]) zyechen; was wurd man darzu sagen, zu dem daz man-che wurd besorgen, was sye pey dem tag peichtet, wurd er zu nachts seinem weyb sagen. Sprach der pfleger[m]): Ya, es wer auch eyn feyns ding, er und ander herrn vill wollten auch darob sein, daz man keinen pey keinem frawencloster ließ peichtvater sein, er het denn ein eeweib, so torfft man unßer nit sorg vor im haben. Sprach ich: Dunckt euch daz feyn, so dunckt es uns[n]) gar nit feyn und wollen uns worlich nit notten loßen solchen leutten zu peichten.

Do er nun mit dißem stuck nit gesigen[8]) kundt, do hub er aber[o]) an und saget von der versamlung der pawrn, dy izunt mit großem her zu felt legen alleyn in der meynung, daz sy alle closter zerstorn wollten und all geistlich genennt verterben und vertreiben; er hylt darfur, daz sy auf denselben karfreytag wern zu Bamberg und zerstorenten dy clo-ster, er gelaubet, das auf denselben heutigen[p]) tag keyn swester mer do zu sant Clarn wer in dem closter; darumb sollten wir schawen, warmit wir umbgyngen, daz wir nit ursach wern zu dem großen pludtvergye-ßen und ob die paurn schon nit herkomen, so wer doch der gemeyn man hye des durch das clar ewangellium unterricht, daz der geistlich standt nichs wer; darumb wurd[q]) wir eygentlich unßers weßens nit ku-nen erhallten, sollten gutlich darvon loßen.

Mit dißen und vill dergeleichen troewortten verzertten[9]) wir den h [eiligen] karfreytag, desgeleichen auch den 2. ostertag, an dem der pfle-ger widerkom und aber seinen hochsten fleyß furkeret, wye er uns mocht bekern, aber von den genaden gottes half nichs an uns. Wir het-ten worlich ein lange betrubte vasten voll angst und not, schrecken und vorcht von innen und außen; hetten[r]) auch nichs, was zu der h[eiligen] zeit gehort mit passion und andern gutten dingen, musten daz h[eilig] kreucz und alleluia selber erheben, das wir keynen prister kundten ha-ben.

---

[8]) obsiegen   [9]) verbrachten

---

[l]) „solten" in A   [m]) „sprach der pfleger" fehlt in A   [n]) „mich" in A
[o]) „aber" fehlt in H   [p]) „karfreitag" in A
[q]) „wenn" in H   [r]) „hetten" fehlt in H

64

6. Bericht über die Ereignisse seit Ostern 1525 (Kap. 28—29)

Bericht über die Ereignisse nach Ostern 1525 — Verbot der lateinischen Messe und der Spendung des Buß- und Altarssakramentes für die ganze Stadt — Verbot des Chorgebets und des Glockenläutens für die Franziskaner — Abfall der Klöster (Benediktiner, Augustiner, Karmeliten, Kartäuser) — Inventarisation des Klostergutes und Übergabe an den Rat — Die Schwestern von St. Klara waren die ganze Zeit in großer Angst, daß sie mit Gewalt aus dem Kloster vertrieben oder dieses in ein Spital umgewandelt würde — Wegen des Bauernaufstandes mußten die Schwestern von Pillenreuth und Engelthal nach Nürnberg flüchten, hatten von den Leuten, wo sie untergebracht waren, vieles zu erleiden, auch traten einige Schwestern aus dem Orden aus — Die Clarissinnen halten trotz des Verbotes weiterhin ihr Chorgebet und läuten dazu auch die Glocken — Der Rat schickt einen Bier- und Weinmesser, um die Höhe des Ungelts, das die Schwestern von jetzt an zahlen sollen, festzustellen — Die Pflegerin kündigt an, daß sie in einigen Tagen ihre Tochter aus dem Kloster holen werde

Do wir nun mit jamer[a]) und nott kaum[b]) auß der vasten komen, o, do wurd es nach ostern vil poßer, dann am freytag in der osterwochen berufft man all prister auf daz rothawß, verpot in allen dy lateynischen meß zu leßen, sagenten, wy sy pey den gelerten funden, das es so ein abtgottisch, gotlesterlichs ding umb dy meß wer, darumb sye nit lenger zu leiden wer, sunderlich des canons halben; es wurd auch allen leyenpristern und den in den clostern, außgenumen den in der pfarr[c]), verpotten peicht zu horn und ander sacrament zu raychen.

Von demselben tag an hab wir layder keyn meß in unßer kirchen gehabt, außgenumen an dem tag unßer h[eiligen] mutter sant Clarn, do hetten dy lutterischen weyber mit den lutterischen pfaffen und dem cantor zum spytal zu wegen pracht, daz sye ein teutsche meß in unßer kirchen plartten[1]), aber wir lyeffen all auß dem chor, horten ir nit.

Auf denselben freytag verpott man auch[d]) unßern w[irdigen] vettern zu den parfussern, daz sy ir glocken nymer sollten leutten noch keinen gotlichen dinst weder pey nacht noch tag sollten hallten; noch nichs in der gemeyn miteinander sollten petten. Diß belengenlich[2]) weßen haben sy syder dy langen zeit also gehallten. [S. 34] Diß thett man keinem closter denn den armen parfussern; den andern verpot man neurt[3]) die meß, lyeß sy aber daz gotlich ampt[4]) hallten, wie sy wollten. Aber sy fyeln layder selber all pald ab, ungezwungen begaben sy sich dy teutschen meß zu singen und anders wye in der pfarr zu hallten; gaben auch daz sacrament dem volck in bederley gestallt in allen kirchen, außgenumen dy parfusser nit.

Es musten auch all leyenprister purger werden und schwern[5]) ungelt und loßung zu geben und sich mit allen solchen dingen zu hallten wy ander leyen. Man inventtyret auch von rots wegen in allen mansclostern alle goczgezyrd, kelch und ander cleynet, auch ornat, meßge-

---

[1]) plärrten   [2]) ? in A „belengeliche", in B „elendig", in C „elendigklich"
[3]) nur   [4]) Offizium, Chorgebet   [5]) schwören

---

[a]) „kumer" in A   [b]) „kam" in A   [c]) „in den pfarren" in H
[d]) „auch" fehlt in A

want und alltertucher; daz schrib man alles an, auch zu[e]) den parfus-
sern.

Darnach pald ubergab der abt zu sant Gilgen[6]) sein closter mit aller
seiner zugehorung, ligenter und farenter hab, auch all pryff und cley-
nat[7]), daz nam der rot als zu seinen hantten; schwurn dy munch daz[f])
purgerrecht, wurd einem itlichen taxirt, waz man im daz jar geben
solt, ungeferlich einem 25 gulden, aber wenn sich einer des closters ganz
verzeihen wolt und heyraten, so gab man einem 50 oder 100[g]) oder et-
lichen 200 gulden, nach dem er in daz closter het pracht. Darnach zo-
chen sy irs ordens clayder ab, claydten sich weltlich und eyn teyl gar
kostlich; hyelten keyn metten mer noch sunst, was zu dem gotlichen
dinst gehert, denn[8]), was sy wollten. Diß geleichen thetten auch dy au-
gustyner, dy eyn anfang diß ungelucks alles warn; thetten auch also dy
carmelyten und karteußer; ward in allen clostern ein wildes leben und
keyn ordnung mer gehallten; thet itlicher, was er wollt; man aß in der
vasten und an den[h]) pantten[9]) tagen flayß [!] in dißen clostern; luffen vill
munch darvon auß allen clostern und namen weyber. Dy prediger-
munch hetten ir closter auch gern den herrn ubergeben, patten sy selber
darumb, aber man wollt sy nit annemen, dann sy warn zu arm, hetten
nit als[10]) vill jerlicher nuczung als dy andern closter. Do zogen dy
munch all dovon piß an 9; dy verkaufften, was sy fur cleynet[11]) funden,
zerten[12]) darvon als lang sy mochten. Dann all zufell[13]) in allen kirchen,
alles opffer, alle begegntnus[i])[14]), alles almußen, alle styfftung ward von
allen kirchen hyngenumen und in den gemeynen peudtel gelegt.

O, do war wir in großen engsten und notten nacht und tag; troet
man uns, wir wurden auch also mußen thun; do hetten wir uns vor
miteinander vereynt, daz wir daz closter in keyn weg wollten aufgeben,
dann wir hetten seyn nit macht, es wer nit unßer, wir heten sein nit
gepawt. Teglichs troet man uns außzutreiben oder daz closter zu pir-
chen[15]) oder zu verprennen. Etwan gingen poß, verwegen puben umb
daz closter, troeten unßern ehalten[16]) noch heynt in der nacht wollten
sy durch das closter lauffen, also daz wir in großen engsten und notten
warn und vor forchten wenig schlyeffen, wan es war sunst auch gar
aufrurig[j]) in der stat, daz man teglich eins auflauffs besorget.

So wollt dy gemeyn zum ersten uber dy prister und closter; wir
warn in solchem[k]) haß und ungunst und warn uns obern und untern so
veynt, daz syh[17]) unßer ehalten[18]) etwan kaum dorfften lußen sehen un-
ßer notturft zu kauffen; man hyelt uns vil schmecher[19]) denn dy armen
frawen hynter der maurn[20]), dann man prediget offenlich, wir wern
erger denn dyselben; unßer gut freunt torfften nit zu uns gen denn mit

---

[6]) St. Egidien   [7]) Kleinodien   [8]) als   [9]) gebannten = verboten
[10]) eben so viel   [11]) wie 7   [12]) zehrten   [13]) Einkünfte
[14]) Leichenbegängnisse, Jahrtage   [15]) ? brechen   [16]) Dienstboten   [17]) sich
[18]) wie 16   [19]) schmachvoller   [20]) öffentliche Dirnen

---

e) „zu" fehlt in A   f) „zu" in A   g) „wo" in H   h) „ander" in H
i) „begegnus" in H   j) „ganz rwrig" in H   k) „großer" in A und H

großen forchten und gar heymlich; dy sunst zu uns komen, dy fexir-ten[21]) uns piß auf daz marck, dann dy prediger auf allen canzeln sag-ten hefftiglich fur und fur, man solt keyn closter noch kutten mer hye leiden. Wollten auch dy leut nit, daz man dy closter mer sollt closter nennen, sunder spytal; man sollt auch dy swester nit swester nennen, sunder pfruntnerin, keyn abtissin noch pryorin, sunder furweßerin[22]), solt keyn unterscheyd zwischen weltlichen und geistlichen, sunder sollt als geleich sein. All tag het wir newe troung, dardurch wir so cleyn-mutig warn, das wir schyr all nacht besorgten, wir wern dy leczten nacht in dem closter, dann wir hortten teglich so vil iemerlicher, er-schrocklicher ding, wy dy paurn so vill closter zerstorteten und dy ar-men closterkind so elendiglich außiagten von allem dem irn.

Dißer osterfrewd hetten wir zwischen ostern und pfingsten so vil, daz nit wunder[l]) wer, daz uns daz marck in den peyn gedorrt wer. Do dy paurn so nochet[23]) zu der stat komen, do furt man dy swester von Bildenrewt[24]) und von Engeltal hereyn in dy stat mit großer[m]) [S. 35] betrubtnus; dy musten auch ire clostergut und pawrschafft dem rot uber-geben, was der anschlag, daz man sy nymermer in ire closter wider wollt loßen, aber der pundt[25]) kom in zu hilf und schaffet mit den herrn, daz mans uber etlich wochen, nachdem dy paurn verloffen warn, wider heym lyeßen zyechen und ir closter und gutter wider ledig zelt, sy mus-ten ser vill leyden in den hewßern, do sy zu herbrig[26]) warn; lyeßen dy von Pildenrewt 2 profeß und 2 noviczen hynter in, dy von in komen, aber dy von Engeltal zu mynsten[27]) 5.

Do wir nun also in vill engsten und notten warn und teglich mer ungelucks warteten und wir uns also truckten und schmuckten[28]), das wir kaym[29]) den gotlichen dinst dorfften hallten noch dy glocken im chor leutten, denn wen man etwas von uns hort, so hub sich fluchen und schelten, schryren[n]) in der kirchen herauf gegen uns, wurffen mit steynen in unßern chor und zerwurffen uns dy fenster in der kirchen und sungen schentliche lyeder auf dem kirchof, troeten uns offt, wen wir noch ein nacht metten leutten, wollt man uns große ding thun. Aber wir wogten es imer auf dy genad gottes, lyeßen keyn nacht on geleudt und ungehallten dy metten; sunst warn lengst all metten abgangen; dy swester zu s. Katterina leutten woll in[o]) einem halben jar keyn metten.

An dem aufferstobent[30]) schickten die herrn irn visyrer[31]) herein, der must in unßern weyn- und pyerkeller vysyrn, alles, was wir fur getranck hetten. Darnoch am freytag schickt ich in einer sach einen knecht zu un-ßerm pfleger, do entpot mir dy pflegerin, sy wollt auf den negsten mon-tag komen und ir dochter holln; dy herrn wurden auf den negsten sun-

21) quälten   22) Verweserin, Verwalterin   23) nahe   24) Pillenreuth, Kr. Schwabach
25) Schwäbische Bund ?   26) Herberge   27) zumindest   28) schmiegten   29) kaum
30) Vorabend von Christi Himmelfahrt   31) Visierer = Wein- und Biermesser

l) „sunder" in H   m) „großer" fehlt in A und H
n) „schreyen" in H   o) „zu" in H

tag zu uns kumen und so vill mit uns handeln, daz wir irns woll wider musten geben. Es wurd auch der rot auf den negsten suntag zu uns schicken und uns ein ander regel geben, dy musten wir furpaß hallten. Es was auch Sigmundt Furer do gewest, der het seiner 2 swester dochter, der Ebnerin und Teczlyn, auch gewaltiglich gefodert; do ich diß inner ward, schrib ich dem pfleger diß zettellein:

Kapitel 29

Brief der Äbtissin an den Pfleger: Mitteilung wegen der Abholung seiner Tochter und der Schwestern Ebner und Tetzel aus dem Kloster — Bitte an den Pfleger, falls es seine Gesundheit gestattet, selbst dabei anwesend zu sein, andernfalls seine schriftliche Zustimmung zu geben

Genad von got, unßerm vater, durch unßern herrn Jesum Cristum in vereinigung des h[eiligen] Geist beger ich E F W zuvor! W g l h pfleger und getrewer vater!

Ich wird bericht durch unßern dyenner Wilhelm, wy herr[a]) Sigmundt Furer negsten[1]) in E W gegenwurtigkeit mir ernstlich zu entpotten hat, ich soll seinen 2 swestern Teczlin und Ebnerin ir dochter wider heym schicken; des geleichen hat auch ewr ersame haußfraw begert; dy syh[2]) auch syder hat loßen horn auf den negsten montag zu kumen und in der sach ernstlich zu handeln. Nun wollt ich gern als ich auch negst[3]) mit euch geredt hab, wo solchs gehandelt wurd, daz E W selbs personlich darpey wern, dann ye der vatter so vill, ya mer gewallts uber dy kindt hat denn dy mutter; demnach ist meyn beger, daz solchs verzogen werd piß auf ewr gesuntheit, dy got schyr[4]) geben woll; wo sy aber ye nit lenger kan oder will peytten[5]), beger ich, daz mich E W geschrifftlich ewrn willen und meynung loß versten. Ich hab diße und andere kindt nun etliche jar in aller[b]) freuntschaft und mutterlicher trew auferzogen, will in noch dy freuntschafft thun, daz ich sye nit selbs will heymschicken, auf daz man nit sagen mocht, sye hetten sich der moß gehallten, daz wir sye außjagt hetten, wo aber vatter und mutter ire kind hollen und nit lenger pey uns wollen loßen, will ich sye in keyn stund vorhallten und als wenig wir keine wider irn willen wollten behallten als wenig wollen wir keine mit gewallt von uns treiben.

Beger hyrinnen ein antwurt und ewrs getrewen rots als von unßerm getrewen herrn pfleger, ob ich herr Ebner[c]) und der Teczlin dy meinung auch soll schreiben oder ob ich soll harrn, piß sye[d]) selber kumen.

E W hat uns pißher alwegen daz pest gerotten und thun, dann ich mitsampt dem ganczen convent ye nit anders beger, dann daz der wollgefellig will gottes in allen dingen vollpracht werdt. Hyemit der genad gottes ewiglich befolhen!

---

[1]) neulich   [2]) sich   [3]) wie 1   [4]) bald   [5]) warten

[a]) „herr" fehlt in H
[b]) „lieb und" in A und H eingefügt
[c]) „Eberer" in H
[d]) „sye" fehlt in H

7. Das Fünf-Punkte-Programm des Rates (Kap. 30—32)

Bericht über den Besuch von drei Abgesandten des Rats (Siegmund Fürer, Sebald Pfinzing, Endres Imhof), die dem Convent 5 Punkte als Beschluß des Rats bekannt geben:

1) Die Äbtissin soll die Schwestern von ihren Gelübden entbinden
2) Jeder Schwester soll es freistehen, aus dem Kloster auszutreten, bezw. sollen ihre Eltern das Recht haben, sie aus dem Kloster zu nehmen, der Rat werde für ihren Lebensunterhalt sorgen
3) Die Schwestern sollen weltliche Kleider anziehen
4) Es sollen Gesichtsfenster angelegt werden, damit die Verwandten bei Besuchen die Schwestern sehen können, ob sie bei der Unterredung allein seien
5) Die Schwestern sollen ein Inventar ihres gesamten Besitzes anlegen.

Alles dies soll innerhalb von vier Wochen geschehen

Auf dißen priff ward mir keyn antwurt; hetten fast ein betrubte kyrbey[1]), dann wir wartteten dy ganczen wochen all stund, wen dy herrn komen und etwas selczams mit uns anfingen.

[S. 36] Darnoch am mitwoch in der pfingstwochen frw[2]) unter der preym[3]) kom herr Sigmundt Furer, Sebolt Pfinzing und Endres Imhof und begerten in das closter, sy hetten ein werbung[4]) an den convent zu thun von rots wegen. Eylten also, daz sy kaum wollten harrn, piß dy preym auß was. Also lyeß ich sye in den sumerrebenter[5]), berufft den convent. Hub der Furer also[a]) an zu reden: So durch daz clar hell ewangellischs goczwort nun offenlich an tag kumen wer, das dy sunderlich sect als nemlich der geistlich abgesundert[b]) closterstandt ein verworffner, irriger[c]), suntlicher, verdampter stant wer, in dem man lebet wider dy gepott gottes und das h[eilig] ewangelium; daz und anders wer dem gemeynen man gancz und clar[d]) eingepilt, darumb dy gemeyn also uber dy geistlichen ergrymt wer, daz sy schlecht[6]) keyn closter noch geistlichen stand mer wollten leiden noch gedullen, nit alleyn hye, sunder weyt und preyt in allen landen und dasselb wer auch dy ursach des großen plutvergyeßens, das iczunt gescheh von den pawrn, dy darumb versamelt wern, daz sy den geistlichen standt uberall wollten verdilgen und außrewtten[7]). Desselben halben het ein e[rber] rot als unßer getrew vetter große sorg fur uns und auch fur sich selber unßerthalben, daz wir nit mit unßern kutten und sundern weyßen[8]) der gemeyn ursach zu einem auflauff geben, der weytter mocht raychen denn pey uns alleyn oder mocht uns in ander weyß ein hochmudt bewißen werden, das im ye layd wer. Darumb het ein e[rber] rot auß vetterlicher wollmeynung ein einsehen gethun und in befolhen uns 5 artickel furzuhallten, wo wir dieselben annemen und dy zu werck zugen, kundten sye uns dester paß vor der gemeyn beschuczen und beschyrmen, wo wir aber dy nit wurden annemen, des sye sich[e]) doch nit versehen, so kundten sy weder uns noch unßer closter nymer erhallten.

---

[1]) Kirchweihe   [2]) früh   [3]) Prim (kirchliche Tagzeit)   [4]) Mitteilung
[5]) Sommerrefektorium   [6]) einfach, schlechthin   [7]) ausrotten
[8]) Art und Weise, Sitten und Gebräuchen

[a]) „also" fehlt in A und H   [b]) „absunderlich" in A und H
[c]) „ircziger" in H   [d]) „und clar" fehlt in A und H   [e]) „sich" fehlt in H

Das erst, daz ein e[rber] rot von mir als von der obern wollt gehabt haben, daz ich all s[wester] iczunt sollt ledig zellen aller gelubd, dy sye gethun heten und sye loßen prauchen dy cristlichen freyheit, daz sy furpaß nichs schuldig wern noch zu nichte gezwungen wurden, sunder was sye thetten, sollt auß freyem willen gen, daz sy mochten aufhern und darvon loßen, wen sy wollten.

Das 2., das ich keyn swester uber irn willen sollt hynnen behallten; ich sollt auch den eltern ire kindt nit vorhallten, dy sye nit hynnen wollten loßen, wenn es^f) schun der kindt will nit wer, dann es wer^g) wider daz^h) gepot gottes, denn dy kinder wern ye schuldig irn eltern gehorsam zu sein, doch sollt es alwegen vor^9) einem rot angesagt werden, wen eine hynauß wollt kumen oder dy eltern eine mit gewallt hynauß wollt haben. So wollt auch ein rot einer itlichen, so^i) hynaußkom, von des closters gut geben, was sy hynein het gepracht, auch den, dy nichs hynein hetten gepracht, wen dy^j) hynauß komen, wollt man in dennoch^k) ein zymlichs leibgeding^10) geben und den, dy heyratten wollten und menner nemen, den wollt man auch ein erbrige^11) außfertigung geben; nach vermuglichkeit des closters wollt man daz alles thun mit solcher bescheidenheit, das dennoch dy allten^l), dy darinnen beliben, dennoch auch ein außkumen hetten und nit ganz verarmut wurden.

Das 3., so wer des rots und der gemeyn entliche meynung, daz wir dye kutten hynlegten und uns claydten wie ander leut, so doch keyn unterscheyd unter weltlichen und geistlichen sollt sein, so sollt auch keyn unterscheyd in den claydern sein, es stund doch ye daz hymelreich nit in den claydern.

Das 4., so wer pey einem e[rbern] rot entlich beschloßen, daz unßere redfenster nit alleyn redfenster, sunder gesichtfenster^12) sollten sein und also gemacht werden mit gyttern, wen ein person mit einer swester wollt reden, das dy freunt^13) mochten sehen, daz sye dy recht wer und daz sy alleyn wer und nymant pey ir het und wer mit einer swester allein wollt reden, daz sollt man geschehen loßen und dy aufloßerin^14) sollt man hynweck heyßen gen, daz sy frey mocht reden, was ir im synn wer, daz wollt eyn rot also gehabt haben.

Das 5., nachdem ein e[rber] rot in allen clostern hye hetten lossen inventyrn und alle ding beschreiben, wollt man uns dennoch dy genad thun, das wir selber ein inventarium sollten aufrichten und einem rot dazselb uberantwurten und anzaygen all unßer [S. 37] einkumen, alle zynß, rent und guldt, alle hof, wo dy gelegen wern und was sy trugen, auch alle cleynat^15) und was ein itliche herein het gepracht; diße ding wollt ein e[rber] also gehabt haben und zu dißen dingen allen wollt man uns 4 wochen fryst geben und dyß punckten und vil ander mer

---

^9) vorher   ^10) Leibrente   ^11)ehrbare   ^12) Gesichtsfenster   ^13) Verwandten
^14) Aufpasserin, Zuhörerin   ^15) Kleinodien

---

^f) „es" fehlt in A und H   ^g) „wer" fehlt in H
^h) „die" in A und H   ^i) in A und H nach „so" „sy" eingefügt
^i) „sy" in A und H   ^k) „wollt man in dennoch" fehlt in A und H
^l) „allten" fehlt in A und H

wern nit alleyn von unßers closters wegen gerotschlagt worden, sunder sy hetten auch im befelh, daz sy diß 5 punckten und noch ander mer sollten auflegen den swestern zu s[ant] Katterina, den zu Byldenreut[16]) und den zu Engeltal, dy dazumal noch hye warn.

Kapitel 31

Fortsetzung der Verhandlung mit den Abgesandten des Rats — Stellungnahme der Äbtissin zu den fünf vorgebrachten Punkten — Erwiderung der Abgesandten auf die Stellungnahme der Äbtissin

Do sye nun außgeredeten, do antwurt ich auf den ersten artickel der gelub halb. Es west aller convent hye entgegen[1]) woll, daz keyn swester weder mir noch keinem lebentigen menschen auf erden gelobt het, sunder got, dem almechtigen, darumb gezymet mir als einem armen menschen und unnuczen creatur in keym weg daz aufzuloßen, das got verpunden wer; wollt und kundt mich in keym weg darein schlagen, denn es stund nit in meinem gewallt, ich het genung zu tragen an meinen eygen sunden, wollt frembder sund nit mer auf mich laden.

Darauß machten dy herrn ein groß gespott, sagten, wir fundens selber in unßer eygen gewissen und auch in der geschrifft, das nichs um dy gelub wer, sy gulten vor got nichs, dy gelub wern schun alle hyn, man het keyn gewallt etwas zu geloben denn in der tauff; ich sollt neurt[2]) dy swester ledig[a]) sagen, was sy mir schuldig wern, was got anging, wer on daz nichs.

Darzu sagt ich, was sy meiner person schuldig wern, wollt ich sye gern ledig sagen, dann ir[b]) keyne het mir nichs gelobt, doch so ferr[3]), das mich der convent auch des ampts ledig saget, dann ich west und kundt nit regirn, wenn man mir nit gehorsam solt sein. Ich het nun 22 jar mit meinen lieben kinden hawßgehallten, dy wern mir pißher alw[eil][c]) williglich und demutiglich gehorsam gewest, damit wer swesterliche lieb, fryd und einigkeit erhalten worden, des kundt ich mich nun nymer vertrosten, denn so man mir dy swester wollt widerspenig machen, hetten sy selber zu ermessen, was daz fur ein regiment wurd seyn und was in dy leng darauß entspringen wurd; darzu wern etliche kinder hynnen, den ir mutter an dem redfenster verpudten, das sy nichs sollten thun, was ich sy hyeß, sy wern schuldig in[4]) gehorsam zu sein und nit mir und meiner pryorin; dazselb wer mir unleidlich.

Sagten sy, was zum hawßhallten gehort, wer pillich, daz sy mir volgten und gehorsam wern, aber ein e[rber] rot wollt nit haben, daz ich sye nottet[d]) zu fasten oder petten oder gelub zu hallten, dann diße ding sollten alle frey sein; dy herrn wollten nit, daz keine nichs schuldig wer zu hallten.

---

[16]) Pillenreuth
[1]) gegenwärtig   [2]) nur   [3]) insofern   [4]) ihnen

---

[a]) „ledig" fehlt in A und H   [b]) „je" in H
[c]) „alw[eil]" fehlt in A und H   [d]) „woltet" in H

Item der claydüng halben sprach ich, wir westen woll, daz uns dy kutten nit sellig machet, westen aber auch wol, daz das hymelreich nit in den schamleten^e) schauben^5) stund; zog vill entschuldigung fur auch der kostung halb, daz es nit muglich wer einen so großen convent von newen zu clayden; wir hetten pißher unßer mentel und clayder selber gezeugt und gewurckt, wo wir mit den allten claydern hyn sollten.

Sagten sy, wir sollten dy kutten zertrennen und anders loßen farben, es schadet nicht, wenn wir^f) schun diß jar 400 gulden einpusten mit der claydung, es wurd doch daz closter on das abgen, so wurd man uns in keyn weg furpaß ewiglich nymant mer vergunen einzunemen^6), darrumb sollt wir neurt^7) reylich zern^8) mit essen, trincken und clayder, es wurd dennoch gut und gelt uberbeleiben, wen wir all sturben. Aber vor allen dingen verpotten sy uns^g) es sollt neurt keyne in der kutten in den gartten gen oder an andere endt, do wir von den weltlichen gesehen wurden, dann das wurd eygentlich ein ursach zu aufrwr geben.

Sprach ich unter andern wortten: L[iebe] herrn, ir sagt imer wir wern mit unsern gelubten und claydern ursach geben zu einem auflauff, ich furcht mer, daz ewr prediger, dy wir horn mußen, gern^9) ein solchs verursachten, so sy uns stettiglich auf der canczel also schentten^10) und lestern und solch groß sund und unreinigkeit von uns sagen, das uns^h) [S. 38] die leut unter dy augen zusprechen^11), thun wir dy ding, dy man von uns predig, so wer gut, daz man uns all in dem closter verprent; etlich ander sagen, es kum iczunt an tag, was unreinigkeit wir im^i) closter umbgen, daz wir erger sind, denn dy hynter der maurn^12). Darumb beger wir, daz ir unßern herrn ansagt, wollen sye auflauff vermeyden, daz sye mit irn predigern verschaffen, daz sy nit so ungepurlich predigen, dann wir siczen manchs mall an der predig, daz wir all zyttern und all augenplick mußen warten, wenn man uns daz closter aufstest^13). Geschicht dazselb, so wirt man eygentlich weytter lauffen.

Aber Sygmundt Furer spottet meyn darzu, saget, man prediget dy ding nit alleyn auf unßer canczel, sunder durch dy gancze welt wurd durch daz ewangelium kundt, waz der geistlich standt auf im het.

Item des geschichtfensters^14) [!] und alleynredens halb het ich zumal einen großen streyt mit in; sprach unter andern: Ich mercket woll, daz sy eyn offens closter wollten machen; wollten sye ein garttendurlein^15) auß dyßem woll reformyrten closter machen, so sollten sys^16) mir vor^17) sagen; wollt ich worlich nit in dyßem closter beleiben, dann ich drawet mir meyn sel nit darin sellig zu machen.

Sagten sy: Neyn, es wer dy meynung gar nit, daz ein offen closter sollt werden, der rot het darumb daz gesicht als ein mytel furgeschlagen, dardurch der eingang vermeden belieb; wen wir aber das ge-

---

^5) Mänteln aus Kamelhaar ^6) aufzunehmen (als Novizin) ^7) wie 2
^8) reichlich zehren ^9) leicht, oft, begierig ^10) beschimpfen
^11) uns ins Gesicht sagen ^12) öffentliche Dirnen ^13) stürmt
^14) Gesichtsfensters ^15) Gartentüre? ^16) sie es ^17) vorher

e) „schumelten" in A und H f) „sy" in A und H
g) „unser" in H h) „uns" fehlt in A und H i) „jrn" in H

schicht nit an wollten nemen und dy kind nit alleyn mit irn eltern woll-
ten loßen reden, so musten wir eygentlich den eingang leyden, dann ein
rot wurd stettiglich angeloffen von vill leutten, daz man in[18]) den ein-
gang in das closter erlaubt; dazselb[i]) zufurkumen sollten wir auf daz
foderligst 3 gesichtfenster loßen machen, darumb daz nymant auf daz
ander dorfft[19]) wartten.

Also gaben uns dy herrn vill gutter wort, gab der Furer[k]) itlicher
swester dy hendt, schyeden mit freuntschafft[l]) von dem convent. Frogt
ich sye unter wegen, do ich sye hynauß wollt loßen, wen dy 4 wochen
auß wern, dye sye uns zu einem bedacht hetten geben, ob sye denn sel-
ber[m]) noch der antwurt widerkumen wollten oder ob ich noch in schik-
ken sollt.

Sagten sye, es wer dy meynung gar nit, daz man uns ein monet zu
einem bedacht het geben, so torfft[20]) es auch keyner antwurt, dann dy
herrn wollten es also gehabt haben, das und keyn anders, dy 4 wochen
wern uns darumb geben, daz wir in demselben monat dy dyng, dy sy
uns furgehallten hetten, alle zu werck zugen.

Sprach ich: Wye wer es[n]) muglich, daz man den großen c[onvent] in
einem monat clayden solt. Sprachen sye: Ich sollt zum ersten 20 fur
mich[o]) nemen zu clayden, darnoch aber mer, piß sye all geclaydt wurden.

Kapitel 32

Nach dem Weggang der Gesandten hält die Äbtissin mit dem Convent eine
Beratung ab und hört jede Schwester einzeln zu den fünf Punkten — Bezüg-
lich der Gelübde sind alle Schwestern einmütig dafür, unter allen Umständen
ihren Gelübden treu zu bleiben und der Äbtissin auch weiterhin Gehorsam zu
leisten — Um Schlimmeres zu verhüten, solle ein Gesichtsfenster angelegt wer-
den, doch wollen die Schwestern nicht allein mit ihren Angehörigen sprechen,
damit ihnen nicht Reden nachgesagt würden, die sie nicht geführt haben —
Wegen der Kleider erkundigten sich die Schwestern bei ihnen gut gesinnten
Personen, diese berichteten ihnen die Begebenheit mit den Schwestern in Pil-
lenreuth, für die sich Christoph Kreß, Vertreter Nürnbergs beim Schwäbischen
Bund, eingesetzt hatte, daß sie ihre Ordenskleidung behalten durften, man wolle
daher mit dem Ändern und Färben der Kutten noch warten

Do sy nun auß dem closter komen, fodert ich den c[onvent] zu capi-
tel[1]), het ir aller rot, wy wir uns in dißem schwern p"uncktten hallten sol-
ten, auf dem dy zerstorung unsers closters und aller geistligkeit stund;
begeret von einer itlichen in sunderheit zu wissen, wes ich mich gegen
in[2]) versehen sollt, ob sye dy regel wollten annemen, dy in dy herrn ge-
ben hetten.

Also stymenten sye alle einhelliglich, eyn itliche in sunderheit, keine
außgenumen, daz sy mit der hielf gottes hallten wollten dy regel, dy sye
got gelobt heten und gar nit dy regel, dy in der rot geben het und er-

---

18) ihnen   19) zu warten braucht   20) bedürfte
1) Bera"ung   2) sie

i) „derselb" in H   k) „urer" in H   l) „frewden" in A und H
m) „denselben" in H   n) „das" in A und H   o) „mich" fehlt in A und H

potten sych gar demutiglich und williglich: sy begertten nit frey zu sein, sye wollten mir gern gehorsam sein und thun, was mir lieb wer, daz ich neurt pey in belieb und sye in den engsten und notten nit lyeß. Also gelobt ich in auch widerumb trew zu laysten, pey in zu beleiben und leib und leben pey in zu loßen piß in den todt, so lang sye stanthafftig belieben in dem worn cristlichen gelauben und in dem geistlichen standt, wenn sye aber lutterisch wollten werden oder trewpruchlich an irm gesponßen[3]) oder eyn offen closter wollten machen, so wollt ich nit ein tag pey in beleiben.

Also trosten wir trewlich an eynander zu peden[4]) seytten mit vill leyßen zechern[5]) und vereinten uns auf ein news miteinander in aller swesterlicher lieb trew aneinander zu laysten piß in den todt. Wir protestyrten auch do conventlich vor dem lebendigen got, daz wir mit willen nichs wollten aufnemen, daz wider got und unßer h[eilig] regel wer; wurden wir aber zu etwas gezwungen wider unßern willen [S. 39], begerten wir, daz[a]) unßer herr anseh, daz wir gewallt musten leiden, des wir uns nit kunden erwern. Verpundten uns auch miteinander, wenn wir geleich izunt etwas musten annemen, daz wider dy regel wer, so wollten wir daz doch nit lenger geprauchen, denn so lang wir musten und sopald diß weßen peßer wurd, wollt wir von stund an des wider absten.

Item des gesichtfensters halb stymeten dy swester, wywoll sye es gancz nit begerten, doch so es nit anders mocht seyn und dy regel daz gesicht auch nit gar abschlug, ein pößers zu vermeyden, sollt ich eyn einigs[6]) redfenster zu einem gesichtfenster machen loßen und daz prauchen, so vill es muglich wer nach der regel. Es meldent vil swester des alleyn redens halben sy begerten desselben gar nit, sy hetten nichs mit irn freunten[7]) zu reden, des sy sich vor den hererin[8]) scheuchten, es wer ferlich[9]) mit welltlichen leutten alleyn zu reden, denn man mocht von in[b]) sagen, sye hetten geredt, des sye in nye gedacht hetten, so man uns doch on das all unßere wort und werck verkert.

Aber der clayder halb was es in gancz schwer, begerten man sollt etlich gut freunt rots frogen, wye wir uns des und anderer ding kundten erwern. Das thet ich, fraget etlich, dy der sach verstendig warn und uns guts guntten. Dy sagten, all gedencken wern daran verlorn, das wir den leutten mochten widersten, wir musten in etwas nachgeben, wollten wir anders nit, daz das closter zu trumern gyng, dann alle ding thetten diß leut mit großem gewallt, man seh nit an weder gerechtigkeit noch pilligkeit, man furchet [!] weder pabst noch keyßer, ya auch got selbs nit, denn alleyn mit wortten; es gelt iczunt nit anders, denn das man sprech, daz wöll wir also gehabt haben, daz muß also sein, daz und keyn anders, denn sye loßen sich horn, sy sind stercker den der bapst selber. Aber sye sagten, das wer wor, daz das gesichtfenster fur ein mytel wer furgeschlagen den eingang in daz closter zu vermeyden,

---

[3]) Bräutigam = Christus   [4]) beiden   [5]) Zähren   [6]) einziges · [7]) Verwandten
[8]) Mithörerinnen, Aufpasserinnen   [9]) gefährlich

---

[a]) „daz" fehlt in A und H   [b]) „uns" in A und H

wann es wer vor etlichen wochen genczlich in einem rot beschloßen worden, daz ein itlicher zu seiner freuntyn[10]) in dy frawencloster het mugen gen, so offt es in gelust und gelangt het. Es sollten auch dy swester herauß zu irn freunten gen, wen sye kranck wern, wen auch etwan dy freunt ein guts mütleinc)[11]) wollten haben, so mochten sye dy swester laden, sollt dy abbt[issin] keyner daz abschlagen, sunder der geladen ein gespyln[12]) zugeben, dy mit ird) außen sollt essen und sye darnoch wider heym belaytet[13]). Dißen eingang[14]) het man zu sant Katerina schun angefangen, was eyn groß ein- und außlauffen, frw[15]) und spet, also daz auch der lutterisch prediger zum spital, der Thomas, mit andern gutten geselln seine clayder verendert hete) und in daz closter kumen was und mit den jungen swestern ungeistlich geschympft und etlich angemut, sy sollten im dy ee verheyssen. Alß er nun wider herauß was kumen, het er vill unzuchtiger und unwarhafftiger ding von den armen swestern gesagt, der sye in nye gedacht hetten. Do hetten sy dem rot uber in geclagt, daz hetten etlich herrn, dy auf unßer seytten sind, nemlich herr Merthen Geuder, herr Jheronimus Holczschucher und herr Jacob Muffel groß zu herzen genumen und getrewlich gearbeyt, daz dy eingeng in dy frawencloster abgetriben wurden; hetten unter andern dingen in dem rot gesprochen: Lieben herrn, was wollt ir euch zeichen[16]), daz ir euch selber dy große schandt wollt anthun, ir habt ewr pludt und flaysch, ewr kinder und dochter, ewr swester, mumen und paßen vill in den clostern; soll denn einem itlichen puben gegunt werden, do auß und einzugen; kundt ir selbs ermeßen, was darauß entspringen mocht, es wirt on sundt und schandt und ergerung nit ergen; es wern mer offener gemeyner hewßer denn closter wern. Dyselben herrn hetten das gesichtfenster furgeschlagen, dann sye achten, es wer uns mynder beschwerlich, das wir dazselb eyn zeit lang annemen, denn daz wir den einganck musten leyden.

Darumbf) ryetten uns dy gutten freunt, wir sollten den herrn willfarn, daz wir ein gesichtfenster lyeßen machen, so man doch dasselb [S. 40] woll mit zucht und eren und gutter bescheydenheit mocht prauchen, aber mit der claydung sollt wir uns der weyll nemen, dann man versech sich, es wurd eyn mittel in dazselb kumen und was dy sach: Dy frawen zu Bildenreut[17]) hetten sich gar hoch beschwert irs ordens clayd hynzulegen, het ir schafferin Magdalena Kerssing) irn pruder herrn Cristoff Kressenh), der dozumall eyn pundtsherrj)[18]) was, gepetten, er sollt ir beholfeni) sein, das sy ir kutlein mochten anbehallten, der het zu den rotherrn gesprochen: Ich hab mein swester geheyßen, hab sye nit genungk) an einer kutten, das sy 3 ubereinander anleg, ich will sehen,

---

10) wic 7   11) Feier, Lustbarkeit   12) Gefährtin   13) begleitet   14) Einführung
15) früh   16) zeihen, dessen bezichtigen   17) Pillenreuth
18) Herr des schwäbischen Bundes ·

c) „mumlein" in A und H   d) „ir" fehlt in H   e) „het" fehlt in A und H
f) „dar" in A, „das" in H   g) „Kressin" in A, „Krepin" in H
h) „Krepin" in H   i) „purkherr" in A   j) „geholfen" in A und H
k) „genung" fehlt in A und H

wer irs wern woll oder ir dy abzichen. Do meynent man, wen sys be-
hyellten, so wurd wir der sach auch genyßen, wenn wir anders all[1]) ein-
trechtiglich auf einer meynung verharenten.

Darnach am samstag der h[eiligen] tryfalltigkeit obent, do entpot
herr Jheronimus Ebner und unßer pfleger[m]) herr Caspar Nuczel irn
tochtern pey uns, Katerina Ebnerin und Clara Nuczlin, nochdem ein e[r-
ber] rot uns gepotten het unßere clayder zu verendern, torfften sy sich
nit anders clayden, dann sye wollten sy auf dy kunftig wochen holn lo-
ßen und sye selber clayden. O, do hub sich angst und not und herczen-
layd umb dy armen kind; man kan nit gelauben, was sy von derselben
stund an fur ein elende zeit haben gehabt, wywoll sye dennoch imer
hoffenten, sye wollten sich erretten.

8. Vier Frauen verlangen den Austritt ihrer Töchter (Kap. 33—34)

Bericht über die Ankunft der Frauen Ebner, Nützel, Tetzel und Fürer, um
ihre Töchter aus dem Kloster zu holen — Die Äbtissin verweigert ihnen den
Eintritt ins Kloster und teilt ihnen mit, daß die betreffenden Schwestern vorher
mit ihren Vätern sprechen wollten — Die Äbtissin will den Frauen jedoch Ge-
legenheit geben, allein mit ihren Töchtern in der Kapelle zu reden, das lehnen
die Frauen aber ab — Sie verleumden die Äbtissin nachher beim Rat — Im
Auftrag des Rats kommen Sebald Pfinzing und Endres Imhof und stellen die
Äbtissin zur Rede — Sie legt den wirklichen Sachverhalt dar, wodurch die
Frauen als Lügnerinnen entlarvt werden

Am montag darnoch kom dy Jheronimus Ebnerin, Caspar Nuczlin,
Fryderich Teczlin, Sigmundt Furerin auf einem wagen gefarn, wollten
mit gewallt herein in das closter. Do ich in das abschlug und in das in
keinem weg gestatten wolt, sagten sye, sy hetten dy erlaubtnus von irn
herrn und von einem ganzen e[rbern] rot, das sye herein wollten gen
als offt sye gelust und gelangt.

Sagt ich: Es wer mir ein anders befolhen von einem e[rbern] rot,
dy mir zu hetten gesagt, sye wollten keyn offens closter haben.

Sagten sye: Wen sye schon hereingingen, es wer darumb keyn offen
closter.

Sprach ich: Wen ir hereynget, so wollen ander leut auch hereingen,
dy kinder ynnen haben, damit wurd das closter geoffent, das will ich
mit der hielf des lebentigen gotes nit leyden, dyweyll es mir zugehort.

Do sy sahen, daz ich sye ye nit herein wollt loßen, do wollten sye
doch mit gewalt, daz ich in[1]) ire kinder in dy kirchen hynauß lyeß gen,
das sy frey mit in mochten reden von gocz wort und der sel hayl. Das
wollt ich auch nit gestatten.

Sagt ich: Ich het dy kind mit der herrn willen hereingenummen, ich
wollt sy on irn willen nit hynauß loßen gen.

Sagten sye: Sy hetten befelh und gewallts genung, wollten wir nit,
so musten wir; ich sollt ins[o])[2]) neurt[3]) kurz sagen, ob ich in[4]) ire kin-

---

der wider des rots gepot wollt vorhallten, so wollten sye einen gewallt pringen, das ich must sehen, das es ernst wer.

Sprach ich: Dy kind hetten begert irer vetter, das sye vor[5]) ir meynung hortten. Wurden sy zornig, sagten, was es ir vetter anging, sye hetten dy kinder getragen und wern in[6]) sawr worden, sy westen woll, was sye thetten und weß sy befelh hetten. Item sye frogten, wo dy gesichtfenster wern, dy uns ein e[rber] rot gepotten het zu machen; sye sehen woll, daz wir in allen dingen einem rot widerspenig wern. Sprach ich: Nun wer es nit[b]) muglich gewest, daz wirs in der kurzen zeit hetten kunen loßen machen, wir hetten 4 wochen fryst, in den wollt ich eins loßen machen. Sprach die Ebnerin: Sye must eins allein fur sich haben, ee sye ir dochter genungsam im goczwort unterrichtet.

Nach langem gezenck erpot ich mich, ich wollt sye allein mit irn dochtern loßen reden an dem redfenster oder in der capeln an dem fensterlein, do man uns das h[och] w[irdig][c]) sacrament geb oder wo sye sunst wollten. Das wollten sye gar nit thun; sye wern nit sicher in der cappeln, das man in[7]) nit zuhoret und zurneten auf das allerhochst[d]), wollten dy kinder nit zu in[8]) loßen kumen, sagten mit vill trowortten, sy wollten auf dißmal hynscheyden und wollten gewallts genung pringen, das ichs must innen werden.

[S. 41] Am eritag[9]) verclagten sy mich hefftiglich vor einem ganczen rot durch Nyclos Haller, der was ir advocat, wye ich so spyczig, stolz und heftig mit in[10]) gehandelt het, wye ich in ire kind mit gewalt wider eins e[rbern] rots befelh vorgehallten het, wy ich sye weder wenig noch vill mit irn kinden het wollen loßen reden, wye ich sye het lyegen[11]) heyßen; das kom auß dem, sy verhuben mir, ich ließ sunst ander frawen in das closter und nennten mir etlich, dy worlich keyn tryt in das closter nye herein sind kumen; sagten, sy wollten mir leut unter dy augen stellen, dy mit irn augen hetten gesehen, das ich dy und dy herein het geloßen. Do ich das mit worheit laugnet, sprach dy Ebnerin, sy west woll, das sye mir alwegen must lyegen[12]), ich het irs vor[13]) mer gethun. Sprach ich: Ich heyß euch nit lyegen[14]), das ist aber ye nit wor. Diß und andere meine wort hetten sye mir hefftig verkert und vill andere poße ding uber mich geclagt.

An demselben tag nach disch schickt man mir 2 rotherrn, Sebolt Pfinczing und Endres Imhof, dy sagten mir das capitel[15]), wy mich dy frawen verclagt hetten und wye ein e[rber] so hart uber mich erzurnt wer, das ich ir gepot veracht het und in[e]) die kind freffelich vorgehallten het irn eltern, den sy noch dem gotlichen gepot schuldig wern gehorsam zu sein; was auch sunst ein e[rber] rot geordent het, dem wer ich widerspenig, das vertruß dy herrn nit unpillich und wurd mir und dem convent nichs guts darauß[f]) erwachßen; ich het dy frawen mit irn

---

[5]) vorher   [6]) wie 1   [7]) wie 1   [8]) sich   [9]) Dienstag   [10]) wie 1   [11]) lügen
[12]) wie 11   [13]) wie 5   [14]) wie 11   [15]) Strafpredigt

[b]) „nit" fehlt in A und H   [c]) „w" fehlt in A und H
[d]) „hochst" in A und H   [e]) „in" fehlt in A und H   [f]) „darauß" fehlt in H

kinden nit wollen loßen reden wider alle pilligkeit, darumb wer eins rots entliche[16]) meynung und befehl, so dy leut ire kindt nit lenger pey uns wollten wissen, so sollt wir wissen, das dy mutter ire kind des andern tags wollten holn, so sollt ich in[17]) dy frey on alles widerreden geben. Das und kein anders, das wollt ein e[rber] rot gehabt haben, es wer halt den kinden lieb oder layd.

Sagt ich in[18]), dy sach het sich nit also verloffen, wie einem e[rbern] rot angesagt wer worden; ich het dy frawen zum dickern mal[19]) angemut[20]), das sye doch mit den kinden selbs redten an dem redfenster oder an dem gesichtfenster in der capeln, des hetten sye nit wollen thun, sunder neurt[21]) mit gewallt wollen[9]) in das closter gen oder das dy kind hynauß in dy kirchen gen sollten; wer woll wor, ich het mich desselben hynauß- und eingens gewerdt nit auß freffel, sunder auß irm befelh, dann sye ped[22]) herrn wern selbs personlich darpey gewest, das uns h[err] Sigmundt Furer zugesagt het an eins [rots] stat, keyn offen closter zu machen, so man denn also auß- und eingen wollt, so wer ye das closter geoffent und wurd pald ein großer einpruch; was man einem thet, wollt daz ander auch haben; hoffet ye, man wurd mir laysten, was mir von eines rots wegen verheyßen wer, auf das wollt ich mich verloßen und mit der hyelf des lebendigen gottes keyn offen closter loßen machen dyweill ich lebet.

Hub doch an und saget in[23]) nach worheit, wye alle ding mit den frawen ergangen wern. Hetten sye ein groß wundern daran, sagten es wer einem e[rbern] rot gar vil hefftiger und anders angesagt worden und ich wer[h]) worlich hart in keßel gehawt worden, ich sollt neurt[24]) gedencken und solt in dy kind nit weytter mit gewallt vorhallten, wenn sys hollten, wir wurden worlich keyn rw haben, dyweyll sye hynen wern; es wurd villeicht dy sach darnoch peßer und wurden wir des teglichen uberlaufs und unrw etwas entladen wern.

Saget ich in[25]), wy dy kinder so[i]) herzlich begerten, das man in[26]) ir 2 vetter heraußhyeß, ee dy mutter widerkomen, das sye doch ir notturft[27]) mit in[28]) mochten reden. Sprachen sye, es wurd eygentlich nit geschehen, wen sye nun in ir vetter hewßer kömen, wurden sye dennoch zeit genung haben mit irn vettern zu reden.

Pat ich sye zulezt, das sy einem e[rbern] rot meyn antwurt wider sagten und mich in der unpilligen anclag mit worheit entschuldigten. Das hetten sy getrewlich gethun, do het man den Nicklas Haller gefragt, warumb er einem e[rbern] rot so un [S. 42] gleiche ding fur het pracht; het er gesagt, er het nichs furpracht, denn was im dy weyber hetten gesagt, er het darfur gehabt[i]), sye sagten wor. Also bestunden sye wy dy rincklerin[29]).

---

16) endgültige   17) wie 1   18) wie 1   19) öfters   20) aufgefordert   21) wie 3
22) beide   23) wie 1   24) wie 3   25) wie 1   26) wie 1   27) das Nötige   28) wie 1
29) Lügnerinnen; rinken = ranken, verdrehen, Umstände, Ausflüchte machen, vergl. Schwäb. Wörterbuch Bd. 5, Sp. 131

9) „wollen" fehlt in A und H
h) „wer" fehlt in H   i) „es" in H   i) „gehalt" in H

Kapitel 34

Bericht über die gewaltsame Herausholung der Schwestern Margaret Tetzel, Katharina Ebner und Klara Nützel durch ihre Mütter aus dem Kloster an Fronleichnam des Jahres 1525

Am mitwoch sant Veytsobent, was auch unßers lieben herrn fronleichnamsobent, welchen allerheilligsten tag man[a]) weder feyret noch beging noch dy allermynste referencz[1]) dem h[och] w[irdigen] sacrament bewyeß, do schickten dy poßen weyber ein stund vor essens[b]) zu mir, sy wollten unter essens kumen und dy kinder holn, wollten auch ander leut mit in pringen, daz ich seh, daz sy gewalts genung hetten. Do schickt ich pald auf das rothawß und begeret, daz man mir 2 zeugen schicket, dy pey dißem hendel wern, so sy leut mit in[2]) wollten pringen, das auch etlich auf unßer seytten do wern, auf[c]) das mich dy weyber nit aber[3]) unpillig verclagten als vor. Aber dy armen kinder westen noch nit eygentlich, wenn es geschehen wurd, hetten vill anschleg[4]), hofften noch imer, wen es schun an das treffen gyng, sy wollten sich noch erretten, man wurd in[5]) wider irn willen keinen solchen gewallt anlegen. Aber do ich sye berufft und in saget, ir mutter wurd sye in der selben stund holn, do fyeln sye all 3 auf das ertrich[6]) und schryen, weynten und heulten und hetten solch cleglich geperd, es mocht got im himel erparmt haben. Sye wern gern geflohen und hetten sich verporgen, des wollt ich in[7]) nit gestatten, dann wir besorgten, man wurd mit gewallt hereinlauffen und sye an allen ortten suchen und das ungeluck noch großer wern. Desgeleichen weynet und claget der gancz convent, dann es sind frume und geschickte kind gewest, dy sych woll pey uns gehallten haben und sich[d]) von herczen und sel ungern von uns schyden.

Dye[e]) swester Margret Teczlin was *XXIII jar alt und IX jar im h[eiligen] orden gewest; Katerina Ebnerin und C[lara N[üczlin] kamen bed[8]) an einem tag in den h[eiligen] orden, theten auch an einem[f]) tag profeß auf inventionis sanctae crucis[9]), was VI jar gewest, das sy in das closter kumen warn; Katerina Ebnerin was XX jar alt, C[lara N[uczlin] XIX, da man sy hinaußnam.* Do theten wyr in[10]) mit vil zehern dy weyels[9])[11]) und sayl[12]) ab und dy weißen rock, legten in[13]) hemdlein an und weltlich gurtel und auflegerleyn auf das haubt. Furt ich sy mit etlichen rotswestern in dy cappeln, do[h]) warteten wir woll ein gancze stund, piß dy grimigen wolfin gefarn komen auf 2 kamerwegen; dyweyl was daz geschrey unter daz gemeyn volck kumen; dy samelten sych in großer menig[14]) als wen man einen armen menschen will außfurn[15]); stund dy

---

[1]) Reverenz, Verehrung   [2]) sich   [3]) abermals   [4]) Vorsätze, Pläne   [5]) ihnen
[6]) Erdboden   [7]) wie 5   [8]) beide   [9]) Kreuzauffindung (3. Mai)   [10]) wie 5
[11]) lateinisch: velum, Schleier   [12]) Gürtel, Zingulum   [13]) wie 5   [14]) Menge
[15]) zur Hinrichtung führen

---

[a]) „man" fehlt in A und H   [b]) „essenszeit" in H   [c]) „als" in A und H
[d]) „sy" in A und H   [e]) „dye" fehlt in A und H
[f]) von „einem" bis „hinaußnam" ist in D quer an den Rand geschrieben
[g]) „weyler" in A und H   [h]) „so" in H

gancz gaßen und kirckhof voll, also das dy weyber mit irn wegen kaum
auf den kirchhof kundten kumen; do schembten sy sich, daz so vil
volcks do was, hetten gern gesehen, das wirs zum hyntern thor im gart-
ten hynauß hetten thun, schickten desselben halben dy 2 herrn Sebolt
Pfinczing und Endres Imhof zu mir, dy von einem rot darzu verordent
warn, als ich begert het zu gezeugtnus. Do wollt ichs nit thun, ich wollt
nit heymlich mit der sach umbgen; sprach, thetten sye recht, so torfften
sy sich nit schemen, ich wollt sye an keinem andern ort hynaußgeben
denn do ich sye herein het genumen, daz was durch dy cappeln thur.

Also umb dy 11. or[i])[16) komen dy grimigen wollf und wollfin unter
meine herczliebe scheflein, gingen in dy kirchen, tryben das volck alles
hynauß und spert die kirchen zu, must ich laider des[j]) closters thur in
der capeln aufsperen, wolten sie ye, ich sollt mit den kinden hynnauß in
die kirchen gen. Das wolt ich nit thun, da wolten sie ye, ich solt die kin-
der mit gewalt allein hynnauß hayßen gen; daz wolt ich auch nit thun;
seczt ins haym[17]), da wolt ir keins in kein weg[k]) uber das tryscheufel[18])
hynnauß, paten, die herrn solten fluxs[19]) endt geben, dann das volck luff
noch imer zu; besorgten sich eins auflaufs. Sprach ich zu den herrn: So
get ir herein und redt mit in[20]), das sies gern thun, ich kann und will
sie nit notten zu dem, das in[21]) von sel und hercz wider ist. Also gingen
die 2 herrn herein; sprach ich, da stell ich euch meine arme waißlein, wie
ir mir gester von rats wegen gepoten habt und befelh sie dem öbersten
hirten, der sie mit seinem tewrn plut erlöst hat. Gesegenten an einan-
der[22]) mit unzelligen hayßen zechern, fielen die kinder alle 3[l]) umb mich,
heulten und schryen und begerten, ich solt sie nit loßen, aber ich kunt
in[23]) laider nit helfen; ging ich mit den s[western] davon und ließ die
armen kindt allein in der capeln und speret die thur der capeln auf den
kirchof zu, das nymant in das closter kunt.

Da lieffen die poßen weyber herein als die grymigen wulfin, die Fricz
Teczlin mit einer tochter, Jeronimus Ebnerin, Sigmundt Furerin, unßer
[S. 43] pflegerin Caspar Nuczlin mit irm pruder Linhart Held, der an des
pflegers stat da was und auch des Sebolt Pfinczing sünlein usw. Da hie-
ßen die weyber die kinder hynnaußgen mit guten worten, wolten sie es
aber nit gütlich thun, so wolten sies mit gewalt hynnauß zerren. Da wer-
ten sich die starcken rytterin Cristi mit worten und wercken als vil sie
mochten mit großem weynen, schreyen, piten und flehen, aber mynder[24])
parmherczigkeit was da denn[m]) in der hel[25]).

Sprachen dy müter zu den kinden, sie wern in[26]) schuldig gehorsam
zu sein nach dem gots gepot; sie wolten gehabt haben, das sie hynnauß-
gingen, dann sie weren darumb da, das sie ir sel auß der hell wolten

16) hora, Stunde   17) stellte es ihnen anheim   18) Trittschäufelein, Türschwelle
19) flugs, sofort   20) wie 5   21) wie 5   22) verabschiedeten sich voneinander
23) wie 5   24) weniger   25) Hölle   26) wie 5

i) „vor" in H   j) „des" fehlt in A, „die" in H
k) „in kein weg" fehlt in A und H
l) „3" fehlt in H   m) „denn" fehlt in H

erloßen, sie seßen dem teuffel in dem rachen, das kunten sy nymer an ir gewyßen erleiden. Schryen die kinder, sie wolten sich von dem frumen heiligen convent nit schayden, sie weren gar nit in der hel, aber wenn sies hynnaußprechten, wurden sies[n]) in abgrunt der hel furen[o]), sie wolten ir sel an dem jungsten tag vor dem strengen richter von in[p])[27]) fodern, wiewol sie ir müter werden[!], so weren sie in doch nit schuldig gehorsam zu sein in den dingen, die wider ir sel wern.

Sprach Katerina Ebnerin zu ir mutter[q]): Du pist ein mutter meins flaysch, aber[r]) nit meins geist, dann du hast mir mein sel nit geben, darumb pin ich dir nit schuldig gehorsam zu sein in den dingen, die wider mein sel sind. Auß dem und andern machten sie ein groß gespött, sagten, sie wolten die sach vor got wol verantwurten und die sund all auf sich nemen. Der Heldt hielt die handt auf, das im Clara Nuczlin darein solt schlagen, das er all ir sundt, die sie in der welt wurd thun, auf sein sel[s]) wolt nemen und die am jungsten tag wolt verantwurten.

Kriget[28]) ein ytliche muter mit ir dochter, verhyeßen in[29]) ein weyl vil und trötten[t])[30]) in[31]) ein wyel vil. Aber die kindt weynten und schryen unaufhörlich, weret der streyt und zangk ein lange zeit, redet die Katerina Ebnerin[u]) so dapfferlich und bestendiglich und beweret alle ire wort mit der heiligen geschrif[!] und fing sie in all iren worten und sagt in[32]), wie sie so großlich wider das heilig ewangelium handelten. Es heten darnach die herrn draußen gesagt, sie heten all ir lebtag des menschen geleichen nye gehort, sie het schier die gancze stundt an[33]) unterloß geredt, aber kein vergebens wort, sunder so wol bedechtlich, das ein ylichs [!] wort 1 pfund het gewogen [?][v]).

Da nun kein teyl dem andern wolt weichen, die kinder wolten nit gen, so wolten die weltlichen das wort nit haben, das sies mit gewalt angryfen; da tröet in der Heldt und auch die weyber, wenn sie schon yczo nit mit in[34]) wolten gen und sie[w]) ab musten loßen, so solten sie doch[x]) wissen, das sies nit hynnen wolten loßen, kurczumb sie musten hynnauß, es stund kurcz oder lang an, das und kein anders, sie wolten in wol leut schicken, die in[y])[35]) starck genug wern, man must in[36]) hendt und fuß zusamenpinten und sie hynnaußtragen wie die hundt. Aber es half alles nit, die kindt wolten sich nit begeben.

Da schickten die herrn wider nach[z]) mir und clagten mir, wie sie so engstig wern, sie westen nit, wie sie all iren dingen thun solten, es wolt kein tayl dem andern weichen; so wer die Katherina E[bnerin] zumol truczig und hefftig, sie heten mit in[37]) gefochten, das sie keinen trucken

[27]) wie 5   [28]) stritt   [29]) wie 5   [30]) drohten   [31]) wie 5   [32]) wie 5
[33]) ohne   [34]) wie 5   [35]) wie 5   [36]) wie 5   [37]) wie 5

n) „sy" in H   o) „faren" in H   p) „im" in H
q) „zu ir muter" fehlt in A und H   r) „und" in A und H
s) „sel" fehlt in A und H   t) „trosten" in H   u) „Ebnerin" fehlt in A und H
v) „getragen" in A und H   w) „sie" fehlt in A und H   x) „das" in H
y) „ir" in H   z) „nach" fehlt in A und H

faden an in[38]) heten; heten sie den streyt vor[39]) gewist, sie wolten nit 30 f[40]) genumen haben, das sie darzu kumen wern, es solt sie mit der hilf gotes ir lebtag nymant zu einem solchen schymf[41]) mer[aa]) pringen; sprachen[bb]), wenn sie schun yczo darvon ließen, so[cc]) wurd worhaftig mir und dem convent ein groß ungluck darauß entsten, man wurd uns mit gewalt uberfallen und must doch am leczten geschechen; ich solt mit in[42]) reden, das sie gingen. Des weret ich mich starck, paten sie mich, ich solt sie doch der gelübt ledig sagen, ob sie villeicht mit der gehorsam verstrickt wern, das sie nit gen dörfften. Sprach ich: Ir habt vor mer[dd])[43]) von mir gehört, das ich nit gewalt hab aufzuloßen, was got gelobt ist. Begerten sie, ich solt doch wider in die capeln zu in[44]) gen, das die frawen sechen[45]), das der mangel nit an mir wer, sie wolten mir schucz und schyrm halten, das si mir kein hochmut bewißen. Also ging ich wider in die capeln hynnein mit etlichen s[western]. Da stunden meine arme waißlein [S. 44] unter den grymigen wolfen und strytten von all iren kreften; grust ich die frawen, saget, het in[46]) nach gepot des[ee]) rots ire kindt frey daher gestelt, so sechen[47]) sie wol, wie gern sie hynaußkomen; begerten sie, ich solt sie der gehorsam ledig zelen. Sprach ich unter andern worten: Lieben kinder, ir wist, was ir got gelobt habt, das ichs nit kan aufloßen, will mich in dazselb[ff]) gancz nit schlagen, sunder dem almechtigen got befelhen, der wirts zu seiner zeit wol außrichten, aber was ir mir pisher schuldig seyt gewest, will ich euch ledig sagen als vil ich soll und mag, als ich dann heut auch hab gethun, da ich allein pey euch pin gewest. Daran heten die weltlichen ein guts benungen[48]), sagten, ich het das mein gethun, begerten nit mer, was got gelobt wer, gelt on daz nit, gelübt wern schun hynn, sie heten nit gewalt gehabt etwaz zu geloben denn in der tauff.

Schryen die 3 kindt als auß einem mundt; wir wollen nit ledig gezelt sein, sunder was wir got gelobt haben, wollen wir mit seiner hilf halten, wenn uns schun die w[irdig] muter außpütt[49]) und aller convent da wer, wolten wir dennoch nit auß, dann wir sind nit schuldig gehorsam zu sein wider unßer profesion[50]). Schrye[gg]) Margaretha Teczlin: O liebe muter, treibt uns nit von[hh]) euch! Sprach ich: Liebe kindt! Ir secht, das ich leider euch nit helfen kann, dann der gewalt ist zu groß; solt dann dem convent weytter unglück entspringen, secht irs auch nit gern; ich hof wir wöllen darumb nit geschyden sein, sunder wider zusamen kumen und ewiglich pey unßerm treuen hirten beleiben, dem befilh ich euch, der euch mit seinem teuren plut erlost hat.

---

[38]) wie 2   [39]) vorher   [40]) Gulden   [41]) Schimpf   [42]) wie 5
[43]) vorher mehrmals   [44]) wie 5   [45]) sähen   [46]) wie 5   [47]) wie 45
[48]) Genügen   [49]) ausbietet, freigibt   [50]) Profeß, Gelübde

---

[aa]) „mer" fehlt in A und H
[bb]) „sprachen" fehlt in A und H   [cc]) „so" fehlt in A und H
[dd]) „mer" fehlt in H   [ee]) „eins" in A und H   [ff]) „dieselben" in A und H
[gg]) „schrey" in A, „schreyt" in H   [hh]) in A und H „also" eingefügt

Sprach Katherina Ebnerin: Da stee ich und will nit weichen, kein mensch soll mich[ii]) vermugen hynnaußzugen, zeucht man mich aber mit gewalt hynnauß, solß doch mein will nymer ewiglich sein, wils got im himel und aller welt auf erden clagen. Als pald sie das gesprach, nom sie der Held unter die armen, fing sie an zu ziechen und zerren. Da lief ich davon mit den s[western], möcht des jamers nit sechen, etlich s[western] belieben vor der capelnthür; die horten das groß zancken, zerren und schleppen mit großem schreyen und weynen der kinder. Heten je 4 menschen an ir eyner[ii]) gezogen, 2 foren[51]) gezogen, 2 hynnten geschoben, also das das Ebnerlein und Teczelein auf dem tryscheuffel[52]) aufeinander zu hauffen[kk]) wern gefallen, het man dem armen Teczelein schier[53]) einen fuß abgetretten, stunden die pößen weyber da und gesegnenten ir döchter hynnauß in aller rytten[54]) nomen.

Dröet die Ebnerin ir dochter, wolt sie nit furpaß gen[ll]), so wolt sies die stiegen auf dem predigstul hynnabstoßen; da sies kaum hinnabpracht, tröt sie ir, sie wolts wider die erden werffen, das sie wider aufprallen müst. Da[mm]) sies nun mit vil schelten und fluchen in die kirchen prachten, da hub sich erst ein ungeleublich schreyen, clagen und weynen, ee sie in[55]) den heiligen orden[56]) abryßen und in weltliche klaider anlegten, sie fürten aber die kutten mit in[57]) haym. Das geschrey und gefecht hörenten die s[western] alles inn dem kor und auch die weltlichen leut, die vor der kirchen stunden, die sich gesamelten heten in einer solchen menig[58]) als wenn man einen armen menschen zu dem tödt fürt.

Da man sie nun auf die wogen[59]) wolt seczen vor der kirchen, wurd aber[60]) großer jamer, ruften die armen kindt mit lauter stym zu den leuten und clagten in[61]), sie lieden gewalt und unrecht, das man sie mit gewalt auß dem closter gezogen het. Die Clara Nuczlin het laut gesprochen: O, du schune muter gotes, du waist, das es mein will nit ist. Da man sie nun hynnfüret, waren ytlichen kamerwagen vil hundert puben und ander leut nachgeloffen, heten unsere kinder imer laut geschryen und geweynnt, het die Ebnerin ir Ketherlein[62]) in den mundt geschlagen, das es angefangen het zu pluten den ganczen weg auß und auß. Da nun ytlicher wagen fur ir vaterhauß wer kumen, heten sie ein neus schreyen und lauts weynen angehebt, das die leut groß mitleiden mit in[nn]) heten gehabt; auch landsknecht, die mit in geloffen warn, heten gesagt, wann sie nit eins auflaufs besorgten und die statknecht, die auch da waren, so wolten sie mit dem schwert dareingeschlagen haben und den armen kinden geholfen. Vor des Ebners thür am obsmark was das Keterlein[63]) abgestigen, het die hendt ob dem kopff zusamengeschlagen und aber mit großem weynen den leuten geclagt, wie im gewalt

---

51) vorne   52) wie 18   53) fast   54) Teufel   55) wie 5   56) Ordenskleid
57) wie 2   58) wie 14   59) Wagen   60) wie 3   61) wie 5
62) Katharinchen, Käthchen   63) wie 62

---

ii) „mich" fehlt in A und H   ii) „je einen" in H
kk) „zu hauffen" fehlt in A und H   ll) „furgen" in A und H
mm) „Da" bis „prachten" fehlt in H   nn) „ir" in H

und unrecht geschech wider seinen willen, das die öbserin[64]) schier all
mit im geweynt heten.

Wie es den armen kinden unter den grymigen wolffen darnach weyt-
ter ist gangen, kunen wir nit wisen, denn das man uns am fierten tag
darnoch saget: die Clara Nüczlin het noch keinen pyßen in der welt ge-
eeßen, so [?] weyneten die andern on alles aufhörn, sie haben ye allen
irn fleyß gethun, des gib ich in gezeugnus vor got und den menschen;
so haben sie dem convent nye nichs poß nochgeredt, sunder alwegen,
wo[oo]) man sie angeloßen het, das pest von uns gesagt und groß senen
und belangen wider in ir closter gehabt. Got helf uns mit freuden wi-
der zusamen! Wir haben uns ye mit großem herczelaidt geschyden. Wir
heten worlich einen betrübten unser herrn fronleichnamsabent; der con-
vent ging erst nachmittag gen[pp]) disch.

9. Neue Auflagen des Rates, neue Methoden (Kap. 35—45)

Bericht über Anfertigung des Inventars — An den Ordenskleidern wird
nichts geändert — Ein Gesichtsfenster wird angelegt, doch war der Andrang
der Besucher dazu nicht sehr groß — Der Visierer teilt im Auftrag des Rats
mit, daß die Schwestern jetzt die Steuer für Bier und Wein entrichten müssen
— Sigmund Fürer und Linhart Tucher fragen an, welche Entlohnung die
Schwestern für die Erziehung der drei aus dem Kloster geholten Schwestern
verlangen — Die Äbtissin verlangt nichts, sondern bittet, die Schwestern wieder
ins Kloster zurückkehren zu lassen

[S. 45] Darnach machten wir das inventarium, als man uns von rats
wegen gepoten het, aber von den genaden gotes hat man es noch nit
geholt. Mit den cleidern hielten wir auch styll, schnyden nichs noch lie-
ßen auch nichs ferben wie andere clöster, da kom es den leuten ein
wenig auß dem synn, das man uns nymer als hart mit den kuten an-
facht; also haben wir uns[a]) von den genaden gotes pisher nit anders
durfen[1]) cleiden. Got behüt weyter!

Das gesichtfenster musten wir laider loßen machen; theten wir erst
auf den negsten[2]) tag vor dem endt der 4 wochen, heten aber von den
genaden gotes nit als große uberlast von den weltlichen als wir besorg-
ten, wiewol etlich iren geschwysten[b]) und freundtin[3]) vil und hart anla-
gen der lutterey halb und des hynnaußkumens, aber von den genaden
gotes hat sich kein s[wester] loßen bewegen. Wolten auch die s[wester]
nit allein mit iren freunten reden, dann sie besorgten, man wurd in[4]) ir
red verkeren, wenn nymant da wer, der zuhöret. Es haben sich auch
die s[western] dermoßen gegen iren freuntin erzaigt; wer einmol da was,
kom nit pald herwider. Laus deo!

Darnach an sant Lorenczenabent *kam der visirer, der pey uns vi-*
sirt het, sagt an von rats wegen III stuck: Das I., das wir keinen weyn

---

[64]) Obsthändlerinnen
[1]) brauchen   [2]) letzten   [3]) Verwandten   [4]) ihnen

[oo]) „wie" in A und H   [pp]) „zu" in A und H
[a]) „uns" fehlt in H   [b]) „geschwisterten" in A und H

fupas ein solten^c) legen on ein zetelein vom ungelter⁵); *das II., das wir alweg wein und pier vor solten visirn loßen, ee wirs einlegen; das III., das wir*^d*) alles die geschworn einleger solten ein loßen legen. Also hab wir syder derselben zeit alweg, wenn wir wein eingekauft haben, ein zetelein vom ungelter müßen holn loßen; aber wir paten den pfleger und Sigmund Furer hoh, das man uns vergunet den wein mit unßerm gesind einzulegen wie vor und erputen uns, das wir den einlegern das gellt gern wolten geben, das wir sy neurt*⁶*) nit herein dorften loßen; das gab man uns nach von rats wegen, doch s'oferr, das man das ein-leggellt*^e*) in die gemeinen puchßen leget, also musen wir nun von itlichem eymer 1 dn*⁷*) geben den einlegern fur irn lon und loßen es das gesind einlegen.*

Darnach am suntag nach s. Lorenczentag kom herr Sigmunt Füerer und Linhart Tucher, foderten mich an das gesichtfenster, sagten^f) wie sie von herrn Jeronimus Ebner, Caspar Nuczel und Friderich Teczlin zu uns^g) geschickt werden uns zu sagen, nachdem wir ir döchter etliche jar pey uns gezogen heten, aber iren eltern nit fuglich het wolen sein sie lenger pey uns zu loßen, künten sie dennoch nit anders mercken denn das wir sie wol und ördenlich gezogen heten und in^s) alle lieb und treu bewisen und kosten auf sie gelegt heten, wolten sie uns gern umb solchs ein widerlegung⁹) thun; begerten nit, das wir sie die langen jar umbsunst gehalten heten, ich solt in¹⁰) ein sumam bestymen, die wolten sie gern nach irem vermugen außrichten fur das kostgelt. Sagt ich in¹¹), es wer nit on^h), wir heten die kindt in aller swesterlicher lieb und treu erzogen, heten uns ee an unsern münden selbst abgeprochen, das wir die jungen auch möchten erhalten, aber wie dem allen, wolt ich nichs födern¹²) denn eyn ding, wenn sie mir den kirchenraub wider geben, den sie uns mit gewalt genumen heten an den 3 kinden, die sie uns mit gewalt wider iren willen geraubt heten, so wolt ich sie quitirn alles kostgelts. Sprach der Fürer: Worumb wir sie wider ein wolten einnemenⁱ), er het uns doch vor gerotten, das wir keine wider ein solten nemen, die von uns kämen. Sprach ich: Das wol wir thun, welche mit willen von uns lauft und nit getraut pey uns sellig zu werden, die wöll wir nymermer wider einnemen, aber es ist wißelich, mit was jamer, weynen und clagen diße 3 kindt mit gewalt wider iren willen von uns genumen sind worden; darumb wöll wir sie gern wider aufnemen, welch stundt sie kumen.

Sagten sie, sie heten geleichwol gehort, wie ein großer streyt darzu gehört het, ee man sie von uns pracht het; wolten auch die worheit sagen, sie gelaubten, wenn es an den kinden leg, sie kömen all 3 noch vor

---

⁵) Steuereinnehmer   ⁶) nur   ⁷) Pfennig (Denarius)   ⁸) wie 4   ⁹) Entschädigung
¹⁰) wie 4   ¹¹) wie 4   ¹²) fordern

---

^c) „wollten" in H   ^d) „wir" fehlt in H   ^e) „ein leggelt" in H
^f) „sagten" fehlt in A und H   ^g) „uns" fehlt in H
^h) „not" in A und H eingefügt   ⁱ) „nemen" in A und H

nachst[i]) wider zu uns, aber sie gedochten wol ir eltern wurden des nymermer gestatten. Darumb solt ich ein andere föderung[13]) thun.

Sagt ich, dieweyl ich am ampt wer gewest, het ich von nymant kein kostgelt oder anders gefödert, wolt ich mit in[14]) auch nit anheben[k]), het man uns etwas geben, heten wir got gedanckt, het man uns nichs geben, heten wir uns nit gezangkt, darumb ließ ich es pey voriger [S. 46] antwurt beleiben. Darpey ließen sie es auch beleiben. Sagten, sy wolten es der kinder eltern ansagen.

Hat uns aber sider nymant nichs angemüt und weder hl[15]) noch dn[16]) geben. Aber der Fürer saget, er sech woll, das wir im[l]) nit gefolgt heten, wir trugen noch unser kuten, heten uns nit anders geklaidt, wie er uns gepoten het. Sprach ich[m]), ist nymant schuld, denn ewr, ir habt den s[western] gesagt, sie durfen mir nit gehorsam sein, so sol ich sie zu nichte nötten wider iren willen. So sagen sie nun, sie wollen mir in den stücken auch nit gehorsam sein, das sie andere cleider anlegen, sie wöllen ir kuten anbehalten und sich nymant ander loßen nötten. Sagt er, es get wol hynn, dieweyl die gemayn ein wenig über euch gestilt ist, wer es aber als aufrurig als vor einem fyrten[17]) jars, so müst es also sein, das[n]) und kein anders.

Kapitel 36

Niklas Groland und Linhart Tucher kommen in das Kloster und überbringen auf Geheiß des Rats einen Brief Osianders an den Bürgermeister, in welchem Osiander anfragt, ob er an einem andern Wochentag als bisher bei St. Klara predigen und ob er auch eine andere Materie behandeln könne

Item am freitag nach Bartholomen kom herr Niclas Gralant[1]) und Linhart Tucher, föderten mich an daz gesichtfenster, sagten, sie weren von einem erbern rat hergeschickt, das sie mir einen prif solten geben, den het der prediger zu sant Lorenczen, der Osiander, dem burgermaister uberantwurt, den solt ich leßen; darnach wolten sie weytter reden. Der prif laut von wort zu wort also:

Fursichtiger, erber, w[irdiger], gunstiger, lieber herr burgermaister! Nachdem mir in vergangenen tagen von eins erbern rats wegen ein zeitlang, pis ein ander verordent werd, zu sant Clarn zu predigen ist aufgelegt, hab ich williglich angenumen, aber doch daneben kein sunderlich matery daselbst zu predigen furgenumen, sunder pey alter bebstlicher gewonheit loßen beleiben, dann ich besorget, wo[2]) ich anfing wurdt ein ander, ee dann ichs endet, an mein stat gestellet. Dieweyl aber solche bebstliche ordnung die materj, so den junckfrawen daselbst am nöttigsten zu wißen, nit gibt, ist mein fleyßig pit, E W wöllen pey einem e[rbern] rat erfragen, ob ir wille sey, das ich solche predig noch lenger

---

13) Forderung   14) wie 4   15) Heller   16) Pfennig (Denarius)
17) Vierteljahr   1) Groland   2) wenn

---

i) „nacht" in H   k) „abheben" in A und H   l) „im" fehlt in A und H
m) „sprach ich" fehlt in A   n) „das" fehlt in A und H

86

verseche, will ich das, wo mir gepürt mit allem fleyß und untertenigkeit thun und ein andere materj inen zu predigen furnemen, dann das babstlich stückwerck nymermer mit solcher frucht mag gefürt werden als so man einen ganczen ewangelisten oder ein gancze epistel Pauli nach ordenung handelt. Dapey wolt ich gern, so ich lenger solt verweßen, obs ein erber rat nit fur beswerlich anseche, so ich einen andern tag in der wochen, dann so ich in der pfarr predig, zu s[ant] Clarn^a) predigen^b), dann wönn das leidlich solt sein, wer ich gar großer beschwerdt entladen, das ich nit auf einen tag 2 predig durft³) thun, wönn aber einem erbern rat nit fur gut ansicht^c), pin ich willig nach all meinem vermugen irem willen zu geleben⁴), wie ich mich des schuldig erkenn; pit unterteniglich solch mein frag guter maynung zu versten und anzunemen.

Andreas Osiander,
prediger zu s[ant] Lorenzen.

Kapitel 37

Unterredung der Äbtissin mit den Abgesandten des Rats wegen der Prediger — Bericht über die Zeit und Art der Predigten des Osiander und des Kartäusers Koberer

Da ich den prif gelaß, sagten sie, ein E W rat het in¹) befolhen uns anzusagen, nachdem wir auß dem prif vernumen heten, was dem prediger zu sant Lorenczen beschwerlich wer, so ließ uns ein erber rat fragen, welcher uns unter den 2 predigern am angenemsten wer, der Osiander oder der karthewßer, ob wir der einen oder gar keinen wolten und was materj sie predigen solten und an was tagen; das solt wir in anzaigen; ein erber rat wolt gern unßern willen wißen und das pest darinen thun.

Sagt ich, die sach betref mich nit allein, sunder meinen ganczen convent, mit dem wolt ich mich unterreden.

Sagten sie, sie wolten ½ stundt verziechen.

Da sie wider komen, gab ich in ungeferlich diße antwurt, dann wir merckten wol, das es nayr²) ein versuchen und maußfallen was: Liebe herren, nachdem mein herrn eins erbern rats in der fasten uns unßer vetter, die parfußenprediger und ander von uns abgeschaft haben, haben sie zu derselben zeit prediger irs gefallens aufgestelt und uns^a) zu loßen sagen, man sol uns predigen das clar hell goczwort, das heilig ewangelium nach rechtem kristenlichem [S. 47] verstant on menschlich gloß³); pey demselben wöllen wirs noch loßen beleiben, wir haben zu derselben zeit kein person, kein materj noch kein tag bestympt noch selbst erwelt, sunder was einem erbern rat gefelt und der ordent^b), das muß wir uns auch gefallen loßen, so lang es got haben will.

---

³) müßte   ⁴) folgen
¹) ihnen   ²) nur   ³) Glossen, Auslegung

---

^a) „Lorenczen" in A und H   ^b) „predigen" fehlt in H   ^c) „ausgeht" in H
^a) „uns" fehlt in A und H   ^b) „verordent" in H

Sagt der Gralant, es theten es ye die herrn guter maynung, das sie ye gern wolten wysen, welchs uns am liebsten wer.

Sprach ich, die antwurt, die ich geben hab, ist mir von meinen s[western] befolhen, hab auf diße zeit kein weytern befelch.

Fragten sy, ob wir uns aber gefallen wolten loßen, wie es ein rot ordent.

Sprach ich, wir leidens.

Sagt der Gralant, es wer aber gut, das wir dem wort gocz und den, die uns das predigten, danckper werden.

Sprach ich, das wort gotes wolten wir gern hörn, doch soferr, das uns das^c) gepredigt wird on eintrag und menschliche gloß^4) mit prüderlicher lieb und das zu frid dynet in der gemayn.

Sprach er, er hielt darfur, das yczo in der ganczen stat kein prediger anders prediget; wer auch seiner herrn maynung nit anders.

Sprach ich: Das befilh ich got und einem ytlichen verstendigen zuhörer^d), wolt nit weyter clagen, wann wir merckten wol, das es ein angerichst ding was, das man uns wolt fachen^5) in unsern wortten.

Darnach prediget der Osiander noch pis am suntag vor Michaely, thet er uns von den genaden gotes die leczten predig; hat 34 predig pey uns gethun, aber^e) ye wenig goczwort pey uns gesagt, sunder uns auf das hochst geschent und gelestert und allen fleiß angekert, das uns yderman feint würd und das man uns gancz verdilget; got vergeb ims und geb ims hie zu bekennen!

Am suntag nach Michaely thet der kartheußer die ersten predig am suntag^f) und thet all wochen 3 predig: samstag, suntag, montag, pis auf die negsten quotemer Rorate^6), predigt er^g) furpas keinen montag mer, ließ selber darvon, wir theten nichs darzu; got helf uns sein mit genaden gar ab, denn er ist als wol verkert als der Osiander!

Kapitel 38

Brief der Äbtissin an den Pfleger wegen des gemahnten Ungelts für die Zeit vor der Benachrichtigung der Schwestern, daß sie jetzt zur Zahlung des Ungelts verpflichtet seien

Item etlich tag vor Calixti schicket uns der ungelter ein schuldzetel umb XVII^1/2^a) aymer weyns, den wir eingelegt heten vor s[ant] Lorenczentag, ee man uns ansagt, das^b) wir keinen weyn solten einlegen; da schriben wir dem pfleger dißen nachgeschriben priff:

Die genad gotes, des almechtigen, won in ewrn herczen, beger ich E F W zu freunt[lichem] gruß! F W g lieber herr pfleger!

---

^4) wie 3   ^5) fangen   ^6) Quatember im Advent

---

^c) „das" fehlt in H   ^d) „zu hören" in H   ^e) „oder" in A und H
^f) „am suntag" fehlt in H   ^g) „er" fehlt in A und H
^a) „XVIII" in H   ^b) „das" bis „einlegen" fehlt in H

Ich muß E W aber[1]) mwen[2]) in einer sach[c]), in der ich umb der lieb willen[d]) gotes, unsers herrn, beger hilf und rat von E W als von unserm getreuen herrn vater[e]) und versorger und ist diß[f]) die sach: Am negsten mitwoch hat mir der ungelter ein schuldzetel geschickt 17$^1/_2$ aymer 1 firten[3]) weins, den wir eingelegt haben vor sant Lorenczen tag, an welchem abent uns zu entpotten ward von rats wegen, das wir kein weyn furpas sollen einlegen on ein zettelein von ungelter; deshalb wir nit gedacht haben, das wir verungelten solten, was vor eingelegt ist worden, wiewol wir sunst auch[g]) gemaynt heten, ein e[rber] rat solt[h]) unser armut und unvermügen angesechen haben und uns nit weytter beschwert haben, dann es ye wisenlich[i]), das wir sunst nit on schuld[4]) kunen außkumen, wiewol wir[j]) uns auf das geneust[k])[5]) halten, so haben uns[l]) die von Ertfurt[6]) die verfallen fryst Walpurgy noch nit bezalt, desgleichen die von Eger und ycz auch Schweynfurt. Sollen wir dann auch ungelt geben, so müßen wir waßer trinken oder, wenn es wol geradt, pier, des ich worlich meiner person halb nit großen beschwert het; wann ich aber an die alten müterlein gedenck, die etlich 80 jar alt sind und vil 70 und noch mer[m]) 60, die am meisten mit dem weyn gelabt werden, so get es mir ye genaw[n]) zu herczen, das sie ersten in iren alten tagen verzadelt[7]) solten werden und in ir leben durch solchen abpruch möcht[o]) verkürczt werden und noch mer werd ich bewegt, wenn ich ir gedult hör und so sie sagen, sie wollen gern mit waser und prot fur gut nemen, das sie allein peyeinander beleiben, es gee in[8]), wie got woll, so kun es in nit ubel gen; hofen ye, es sol sie nymant dann der todt von einander schayden, aber eßen und trincken, [S. 48] als gering es sey, gar nit, dieweyl das menschlich hayl nit in eßen und trincken stee, das allein zu aufenthalt des armen leibs dynt und nit zu der sel selligkeit.

So kann auch worlich einem e[rbern] rat und gemayne[r] stat ein solch gelt nit hoch furtragen, wiewol uns das ser schädt. So waiß auch E W wol, welcher moß wir gefreyt[9]) sind, ich mayn nit von dem bobst, sunder von kungen und kaißern, dann E W hat uns die leczt bestettigung, die auf ein pen[10]) geseczt ist, selber zu wegen pracht zu Wurms[11]), davon villeicht ein e[rber] rat nit weyß, und wenn es E W geraten deucht oder das die meynet, das es füderlich[12]) wer, so wolt wir ein suplicacion an einen e[rbern] rat geben und in piten, das er uns mit dem ungelt genedig wer, angesechen die freyheit, auch unßer armut und un-

---

[1]) abermals   [2]) bemühen   [3]) Viertel   [4]) Schulden zu machen
[5]) genaueste, sparsamste   [6]) Erfurt   [7]) schlecht ernährt   [8]) ihnen
[9]) befreit (von der Steuer)   [10]) poena, Strafe   [11]) Worms   [12]) förderlich

---

[c]) „in einer sach" fehlt in H   [d]) „willen" fehlt in A und H
[e]) „vater" fehlt in H   [f]) „diß" fehlt in H   [g]) „ein" in A, fehlt in H
[h]) „wollt" in H   [i]) „ist" in A und H eingefügt   [j]) „wir" fehlt in H
[k]) „geneugst" in A und H   [l]) „doch" in A und H eingefügt   [m]) „in" in H
[n]) „genaug" in A und H   [o]) „nicht" in H eingefügt

vermügen^p) und, wö¹³) das ye nit sein wolt, damit doch ye unßer gehorsam gespurt wird, das man ein zymlich genant gelt von uns nem fur das ungelt, doch unbegeben und on verleczung obgemelter keyßerlicher freyheit. Wö¹⁴) aber E W meynet, wir wurden nichs erlangen, wolten wir kein suplicacion geben, sunder die sach got befelhen.

So piten wir aber E W wolt uns raten, welche unser güter wir von ersten angreyffen und verkauffen sollen, damit wir nit zu vil zadels¹⁵) leiden müßen und die herrn auch bezalen mügen. Hat er uns etwas gegeben, so ist es sein, er mag uns das wol wider nemen, sein heiliger nom sey ewiglich gelobt und gebenedeyt^q); hoffen aber dapey E F W wer¹⁶) in^r) dißem auch getreulich und vetterlich ob uns halten als ir pisher dergleichen fellen alweg gethun habt. Der ewig got sey ewr reylicher¹⁷) beloner in zeit und in ewigkeit, der genaden ich E W ewiglich befilch. Grust unßer frums Clerlein von allen s[western] freuntlich!

Auf dißen prif gab mir der pfleger die nachvolgent antwurt:

Kapitel 39

Antwort des Pflegers: Klagt wiederum darüber, daß sein und der Schwestern Glaube sich gar nicht „vergleichen" wollen, tadelt die Schwestern, daß sie zu viel Wert auf die Nahrung legen, fragt nochmals an wegen der den Schwestern für den Unterhalt seiner Tochter zu zahlenden Entschädigung — Wegen des Ungelts teilt er mit, daß das jetzt alle Klöster zahlen müßten, rät daher von einer Bittschrift an den Rat, aber auch vom Verkauf von Gütern ab und empfiehlt abzuwarten, bis er mit Hieronymus Ebner zur Überprüfung der Klosterrechnung zu ihnen kommen werde

Genad und frid von got, unßerm vater, sampt merung eines rechten kristenlichen glaubens zu seinem lob^a) und des negsten peßerung wunsch ich euch und mir von seinen gotlichen genad[en]!

Erwirdig fraw und swester in Cristo, das ich euch lang nit geschriben oder haymgesücht ist allerley verhinderung halb und am meysten geschechen, das sich ewr und mein glaub gancz nit will vergleychen, myr auch die weil gnad von got so reylich¹) teglich daut²) und regent³), ja auch stercker, geweltiger und kristenlicher denn vor⁴) in vil hundert jar nye geschechen, das hercz gancz entpfallen, also das ich nachent gancz verzweyfelt euch^b) wider die starcken groben strick, damit ir pisher gegürt und von ewr selb vermeßenheit, eygner vernunft und deren retten, so demselben anhenglich, gleichwol nit on eygen nucz und ander^c) mengel nymermer zu weißen seyt, also das ich mit frucht nit weiß zu schreiben oder zu handeln, dann das ich mer dann fur mein vater, mutter und nymant anders nit unterloßen got fur euch zu pitten, davon gedenck ich noch nit zu sten, wiewol, wie oben stet, mit kleiner hofnung

---

¹³) wenn   ¹⁴) wie 13   ¹⁵) Entbehrung   ¹⁶) werde   ¹⁷) reichlicher
¹) reichlich   ²) taut   ³) regnet   ⁴) früher

---

^p) „unmuglickeit" in A und H   ^q) „Amen" in A und H eingefügt
^r) „zu" in A und H   ^a) „leben" in A und H   ^b) „auch" in H
^c) „dergleichen" in H

angesechen, das ich vernym leider gancz on scheuchen die predig und, was wir durch das gotes wort geheyßen, got gelestert und die eygen verfluchten gedichten ding und die predig, damit man uns wider das[d]) wort gotes schentlich, pößlich, got wolt nit, zum deyl furseczlich verfurt[e]), gotes lob geheyßen und genent werden, welches leider so gar am tag ligt, das got zu klagen und höchlich zu erparmen ist.

Ich kann auch nit anders sechen, dann das denselben allen so vil an ir zeitlichen narung und obgemelten gediechten[5]) gelegen, das, ee sie davon stunden oder schaden und abgang lieden, ee wolten sie, das der ander tayl zu poden ging, deren auch wie vor alten jaren geschechen. Doch vil umb des heiligen worts willen ire reichtum[f]) deuffels, die sie goczgab vorgeacht verzeichen, ja ir vil ritterlich und kunlich[6]) das leben darob verliren in vil landten.

So erfar ich so vil cristenlichs sterbens, des sich pillich zu freuen, hab aber dagegen durch verfürung der geistloßen [!][g]) erfaren darauß in[7]) [S. 49] in sterbnott verzweyffelung, wie offenlich am tag ligt, erfolgt, das zu erparmen ist. Got geb[h]) euch und ewrn anhengern, die ir doch alle wie kung Varon[8]) gesecht, nit mein, sunder sein willen zu thun, dann ich mit got bezeug, das mir das zu vernemen die hechst freud wer.

Ich hab auch vergangner zeit mein freunt[9]) in botschaft pey euch gehabt umb vertrags willen der zeit und costung meiner dochter Clara halben, den ir aber davon einich anzaigung nit thun wollen, dieweyl ich aber bekenn, das ich an irem hyneinthun nichs dann das himelreich[i]) und also ir und mein eygen nucz gesucht, daran ich mich doch gröblich geirrt, so will ich nit, das ir des schaden dragt, sunder das ir mir derhalb noch ein sumam ernendt, damit wil ich mich euch zu widerlegung[10]) erberlich erzaigen, dann ich wol waiß, das ir meiner dochter nit allein nit[j]) genoßen[11]), sunder[k]) ir das pest, so ir gewist[l]), gethun und mitgeteylt, des ich danckper pin und in allweg sein will; allein wolt ich ewr closter nit nemen sie der gestalt dynen zu wißen, wie pisher geschechen und das allein von des glaubens wegen, denn ich nit kan glauben, das er pey euch zu herberig[12]) sey; verhoff auch ir derpey mir nit unzimlich, sunder vetterlich getreulich und reyn mitgeteylt werden sol. Ich acht wol, ir euch dißer meiner geschrift villeicht beschweren und gedencken, das ich mich des vor jarn enthalten het, wie war ist. Das solt ir[m]) aber pey der hochst worheit, die got selbs ist, gelauben, das ichs ycz nit mynder treulich dann zu derselben zeit meyn, ja[n]) auch gancz cristlich und prüderlich ganczer zuversicht, so ich an euch gar verzweyfelt, er werd euch, der sein allein zu geben macht hat, im glauben nit verlaßen.

---

[5]) Erfindungen   [6]) kühn   [7]) ihnen   [8]) König Pharao   [9]) Verwandten
[10]) Entschädigung   [11]) keinen Nutzen von ihr gehabt   [12]) zur Herberge

---

[d]) „das" fehlt in A und H   [e]) „gefürt" in A und H   [f]) „teichten" in H
[g]) „geistlichen" in A und H   [h]) „gott geb" fehlt in A und H
[i]) „reich" fehlt in A und H   [j]) „allein nit" fehlt in A und H
[k]) nach „sunder" in A und H „auch" eingefügt
[l]) „gewiß" in H   [m]) „sol ich" in A und H   [n]) „ir" in H

Ir habt mir vergangner tag angezaigt, das euch von her Jacob Mufel ein clein feßlein wein seines gewechs geschenckt und gefrogt, ob ir das einlegen solt; darauf ich euch entpoten, ich wöll das verantwurtten. Hab aber nachmals uber eczlich tag solchs pey einem rat meiner pflicht halben angezaigt, die[o]) haben auß ursachen das ungelt davon nit nachlaßen wollen und mir nach meinem außtretten[13]) befolhen euch[p]) das anzuzaigen; als ir mir aber ycz schreibt von wegen des ungelters, das er euch ein zetelein zugeschickt und darin $17^{1}/_{2}$ aymer wein angeschriben[q]) und euch doch erst darnach an s[ant] Lorenczen abent eins ratsbefelh eröffent, welchs ich pey einem rat darin anzaigt, dieweyl die von s[ant] Katherina der geleichen anpringen auch gethan und den beschayd erlangt, das vor eins rats ansag und verlaß kein ewr wein verungelt[14]) und dieweyl ir also armut anzaigt, euch ein zeitlang auß dem weg zu halten, verstee ich, pis man das dem ungelter wider werd ansagen.

Zu dem entlichen nachlaßen hab ich mit trost angesechen, das die aufsaczung[15]) nit euch allein, sunder vil berürt, auch bedechtlich beschloßen, das ir aber dardurch eczwas im convent wolt abprechen, das solt ir kein weg thun, dann wo ir den glauben het, den ich hab, so würt[16]) ir des mangels nit sorgen, dann ich glaub, das pald wenig, so glaubt ir, pald wider vil nunnen werden, zu wenigsten lost es sten, pis herr Ebner und ich ewr rechnung halben kumen, das wir in kürcz vorhaben.

Das ich euch aber ratten soll, ob ir ein suplicacion an einen rat stellen und ewr freyheit, nit des babsts, sunder die[r]) keißerlichen, die ich euch zum tayl verpennt[17]) erlangt, darzu kann ich nit ratten; ich glaub woll, das euch diejenen, so wolten, das allein ewr und ander dergeleichen weßen bestund, damit in[18]) auch nit etwas schaden darauß erfolgt und all ander gemayn wider wie vor betrogen, die wurden euchs paldt ratten; der aber nit glaubt, das got diße ding lenger zusechen woll oder werd und euch dannoch guts günt, der wirts nit ratten, darumb erzaigt euch ewrn gemüt gemeß selbes hierin, das ich euch[s]) raten woll, wie ir im endt schreibt; güter und welche zu verkauffen wirt meins achtens noch gancz von unnötten sein; solt euch damit gedynt sein ewr zinß heraußzugeben[t]), das Marthinj verfelt, last mich wißen, sol nit mangel haben, dann ich alwegen ewre zeitliche gütter gern unbeschedigt und gepeßert sechen und darzu nochmols helfen und rotten wolt. Damit pfleg got unßer aller! Casper Nuczel, der elter.

---

[13]) Abreise [14]) versteuert [15]) Auflage, Steuer [16]) würdet
[17]) mit Strafandrohung (gegen die Zuwiderhandelnden)
[18]) wie 7

---

[o]) „da" in H [p]) „auch" in H [q]) „ausgeschrieben" in H
[r]) „die" fehlt in A und H
[s]) „euch" fehlt in A und H [t]) „herzugeben" in A und H

Antwort der Äbtissin an den Pfleger: Bedauern darüber, daß sein und ihr Glaube nicht zu vereinigen sind, aber sie kann nicht gegen ihr Gewissen handeln oder Zustimmung heucheln, sie und die Schwestern werden von niemandem beeinflußt, da niemand mehr zu ihnen kommt, sie glauben nur der Hl. Schrift und vertrauen nur auf Christus — Ihre Ansicht über die guten Werke und die Rechtfertigung, sowie über die Gelübde — Über die Bezahlung für den Aufenthalt der Tochter des Pflegers — Bezahlung des Ungelts — Widerlegung des Ansinnens, die Schwestern sollten sich in Arbeit verdingen

[S. 50] Auff dißen^a) priff gab ich im diße antwurtt:

Die genad gottes sey mit uns allen! F W l her pfleger!

Ich hab E W priff mit danck entpfangen und mich gefrewdt, das ir so demutiglich got fur uns piten wolt^b), got [geb], das iderman also thet, wolten wir vil dings vertragen sein, dann ein cristenmensch schilt das ander nit, verdampt es nit oder schmecht es nit, vil mynder belaydigs[!] oder betrubt es, sunder auß cristlicher lieb; so sich imant nit recht helt, hat das ander mit im mitleiden und pit got fur es.

Aber es ist mir ye layd^c), das sich ewr und unßer glaub nit gegeneinander vergleichen wil, dann wir ye hoffen, wir sind cristenmenschen, wollten auch gern sellig werden und was wir kuntten versten, das nit recht wer, wolt wir uns gern moßen¹), wolten auch nit gern imant betruben, vil mynder got lestern, den nemen wir zu zeugen als ein erkenner aller herczen, das wir gancz ungern etwas auß vermessenheit wider den gelauben, wider die vernufft oder unßer gewissen handeln wollten und, wen wir das thetten, musten wir das urteil selber uber uns fellen; das wir aber wider unßer gewissen solten handeln oder glauben, will uns auch schwer sein, dann wen wir schon sagten, wir gelaubten etwas, das wir doch nit gelauben kuntten, so het wir uns neurt selbs betrogen, dann der gelaub ist ye ein genad von got, will auch ungenött sein, darumb kan er nit mit gewalt oder troe in den menschen gegoßen werden. Erzaigt sich aber der mensch als gelaub er einem andern zulieb, das er nit gelaubt, ist es ein' geleyßnerey²); so suchen wir auch, wayß gott, keinen aygennucz in unßerm thun, vil mynder wern³) wir durch ander verwißen⁴), dann nymant kumpt mer zu uns, der von dißen sachen mit uns reden möcht und ob uns imant verweißen⁵) wolt, sind wir von der genad gottes des verstants, das wir wol wißen, das wir nit volgen solten, zuvor dieweyl wir selbs die heillige geschrifft auch leßen kunen, darumb uns, ob got wil, weder mensch noch engel, vil mynder die zeitlich narung oder eygner nucz sol verfurn, das wir nit gern recht wolten thun und gelauben, dann das ist unßer gelaub, uber den, so wir von den h[eiligen] apposteln gelert sind, das wir die rechfertigung^d) allein got zu geben und dem verdinst und leyden Cristi. Derselb ist unßer

---

¹) mäßigen, anpassen   ²) Heuchelei   ³) werden   ⁴) angeleitet   ⁵) wie 4

---

^a) „den vorgeschriben" in A und H   ^b) zweimal „wollt" in H
^c) „geleid" in H   ^d) „refertigung" in A

gerechtigkeit und gar nit unßer wercken, dann wir leßen und wißen woll, das auß den wercken nymant gerechtfertigt wirt, sunder allein auß dem gelauben, dann hetten wir durch unßere werck kunen sellig werden, so wer der herr Cristus vergebens fur uns gestorben, aber das wißen wir herwiderumb auch, so der mensch durch die genad gottes und nit durch sein verdinst gerechtfertigt ist, das er dann als ein gutter paum gut frucht tregt, die ein anzaigen seins rechten und worn gelaubens geben, dann auß iren früchten, spricht der herr Cristus, werd ir sy erkennen, dann wo die werck des gelaubens und zuvor die pruderlich lieb nit ist oder sich ereugent[e])[6]), do[f]) ist der gelaub auch nichs, ob er auch so groß wer, das sich die perg darvon bewegten und darumb, so wir wißen, das wir durch den gelauben, wie uns der h[eilig] Paulus lert, gerechtfertig sind, wißen wir auch, das wir zu frid mit got sind.

Das ist und soll unser gelaub sein, in dem wir begern zu leben und zu sterben, iderman sag und halt von uns, was er woll. Wir wollen[9]) auch got stettigs pitten[h]), ob wir an unßerm gelauben mangel haben, das er uns den durch sein große parmherzigkeit nem und sein genad verleih, das wir unßern gelauben auch mit den wercken als ein gutter paum bestettigen mugen, dyweil got einem itlichen menschen geben wirt nach seinen wercken, aber unser werck[i]) halben, der kutten halben und das wir peyeinander wonen, zu zeitten styl schweigen, die oder jene sppeiß prauchen und dergeleichen außwendigen dingen, dieweyl sy frey sind, achten wir, wir mugens halten oder nit, allein das wir uns nit[i]) darauf verloßen, dann wir wissen wol, das wir unßere werck fur nichte achten sollen, wenn wirs schon alle gethun haben, wir sind nit peßer darumb oder erger, wir thun oder loßen solche außwendige ding; wo aber so vil leut peyeinander sind, muß ye ein[k]) ordnung sein, damit alle ding, wye sant Paulus spricht, recht und ordenlich geschehen. Got geb uns sein genad, das wir recht thun und unrecht meyden!

Aber E W sol uns verzeihen, eins will ye nit in unßere[l]) herczen gen, das wir got nit halten sollen, das wir im versprochen haben, wiewoll wir einer itlichen erlaubt haben, wo sy nit mit freyem, gutten willen pey [S. 51] uns beleiben woll, mug sy hyngen, wo sy woll; das aber die, so gern beleiben wollen und die mit der hilf gottes, on die wir nichs vermugen, das zu halten verhoffen, das sy got gelobt haben und darvon wider iren willen genot wern[m]), acht ich ye[n]) nit recht, wie dann icz vor augen ist mit unßer swester, der Rechin, die nunmals pey 50[o]) jarn alt ist, die ir pruder und swester wider irn willen auß dem closter notten wolln. Was wer es, wenn wir gleich[p]) all auß dem closter luffen, wern

---

[6]) offenbar wird

---

e) „ertrügent" in H, in A corrigiert
f) „so" in A und H   9) „haben" in A und H   h) „petten" in A und H
i) „werck" fehlt in H   i) „nit" fehlt in H   k) „ein" fehlt in H
l) „unßere" fehlt in A und H   m) „wern" fehlt in A und H
n) „sye" in H   o) „5" in A und H   p) „schon" in A und H

wir darumb dester peßer oder got neher, wenn wir uns allein mit dem mundt rumpten[7]) und unßere werck zeigten ein widerwertigs[8]) dem gelauben an?

Ich kann nymermer gelauben, das E W das leben etlicher munch und nunen, so ire closter verloßen haben und sich halten, das es[q]) woll peßer[en] töcht[ern] gefallen kann, wiewoll sy all sagen, sy[r]) gelauben, aber got wirt zu seiner zeit daruber der recht urteyller sein.

Darumb W l herr, pitt ich euch umb gocz willen, ir wolt nit so gar an uns verzagen oder noch einem won[9]) urteyln, got weiß ye unßer herczen und das wir nichs haben, darin wir gloryrn[10]) mugen, denn allein in dem kreucz Cristi Jesu, den pit fur uns, das woll wir auch thun.

E W dochter halben loß wir es noch pey foriger antwurt beleiben, kunen euch kein suma nennen, dann wir sie nit von guts oder von gelcz wegen haben aufgenumen, hetten wir ir vill gutz kunen erzaigen, hetten wir ye gern thun. Wie kun wir im aber thun, das E W nit glauben kan, das der gelaub pey uns zu herbrig[11]) sey? Wes wir mangeln, das erfull uns die parmherczigkeit gottes! Es ist on not, das sich E W entschuldigt dißer schrifft halben, dann ich die im allerpesten verste, hoff auch, E W werd mir mein aynfeltigs schreiben auch nit anders, dann wie ich es mayn, im pesten versten und, so vill an E W ist, uns helfen, schuczen und schyrmen, das uns nit unter der gestalt des gelaubens und pruderlicher lieb unglaubliche und unpruderlich ding zugefugt werden.

Des ungelcz halben sag ich E W zu dem hochsten danck, das die also gemut ist gewest; ich kan mich aber auß E W schreiben nit gancz woll richten[s]); so E W der rechnung halben zu uns kumpt, will ich mich paß pey derselbigen erkunden. So es des entlich nochloßens halb nit stat will haben, hoffen wir doch ye, ein erber rot soll uns in ganczer suma genedig sein angesehen unßer unvermugen. Wir wollen es[t]) auch mit der freyheit nach E W rot halten; uns hat nymant anders gerotten, dann wir auch nymant rots gefragt haben. Wir befelhen auch got, es wern wenig oder mer nunen, dieweyl uns aber an allen ortten will[u]) abgen, müß wir gedencken, wie wir uns enthalten; wir hoffen zu got, er werd uns nit verloßen, wir mußen aber dennoch zu der sach selber auch sehen, uberige sorg ist uns verpotten, aber notturfftige[12] gar nit. Wolten gern, das wir nit torfften einpußen, beleibt denn etwas uber, find es auch seinen herrn; es sind vil armer leut, die des und anders notturfftig sein wern, aber die not wirt uns woll lern, das wir an uns halten und abprechen.

Man predigt uns zu zeiten, wir sollen hynauß und uns verdingen, du lieber herrgot, es sind vil swester, dy 70 jar alt sind und vil mer, die 60 alt sind, was solten sy sich verdingen oder was solten sy arbeyten,

---

7) rühmten   8) gegenteiliges   9) Wahn, Vorurteil   10) uns rühmen
11) Herberge   12) notwendige

q) „es" fehlt in A und H   r) „sy" fehlt in H   s) „achten" in H
t) „es" fehlt in A, „uns" in H   u) „vil" in H

so sy doch selbs aller gutheit notturfftig[13]) sind; wenn sy mich nit so hart erparment, wolt ich mich pald verdingt haben, dann ich ye von den genaden gottes des almußen nit notturfftig[14]) pyn; aber wie soll es den armen elenden tropffen[15]) geschehen. Wenn man uns geleich vil hinauß leicht[16]), mußen wir dennoch zulecz zallen; kan ich nit sehen, wie das geschehen soll on verkauffung der gutter oder abpruch des convents, wiewoll wir doch on E W rot nichs thun wollen, sunder deshalben und ander ding mer woll wir weytter mit E W und herr Jeronimo Ebner reden, so dy der rechnung halben zu uns kumen werden; wollen uns mytler zeit got und E W befelhen; damit vil selliger zeit!

Kapitel 41

Bericht über das Benehmen und Vorbringen der jungen Tetzlin, die ihre beiden Stiefschwestern Ursula und Justina Trolinger aus dem Kloster holen wollte — Brief darüber an den Pfleger

[S. 52] Darnach zu sant Symon und Judas tag kom die jung Tenczlin[!] zu iren s[western] Ursula und Justina Trolingerin^a), wolt sie mit gewalt hynnauß haben, aber die frumen kindt wereten sich ir mit gewalt; sagten, sie weren ir nit schuldig gehorsam zu sein, nachdem sie nayr[1]) ir styefswester wer; hylt sie sich so ungepurlich, das wir dem pfleger den handel allen in dißem nachvolgenten^b) priff erzelten:

Fursichtiger, weißer, gunstiger, lieber herr!^c)

Ich füg E F W zu wisen, das gester die jung Tenczlin pey irn 2 styeffswestern, die sie pey uns hat, gewest ist; hat mit in[2]) allein am gesichtfenster geredt und sie ersucht hynnauß zu kumen, unter anderm gesagt, E W hab sie außgeschickt und werdt ir noch weytter beschayd geben, wö^d)[3]) sie ir nit nach irm begern^e) willfarn. Hat aber solchs gethun mit so großer ungestumigkeit und pößen tröeworten und dem teuffel geben, daz zu vil in einer offen tabern[4]) gewest wer, das mir nit muglich zu gelauben ist, das wor[5]) sey, das solchs auß E W befelh geschechen sey, dann es gancz unpruderlich, unkristlich und unewangelisch zugangen ist^f), also das ir 2 swester herczlich davon betrübt sind worden; haben mich auf das hochst gepetten E F W von irentwegen zu pitten, das ir ir styefswester solchs nit mer gestaten wölt; hat man aber zweyffel an irem gern hynnen sein, soll man leut sie zu verhörn verordnen, die mit beschaydenheit und nit mit solchem ungestumen gewalt handeln, dann sie ye hoffen ir styeffswester hab nichs uber sie zu gepietten, nachdem sie weder vater noch mutter mer haben, wiewol sie sich gegen inen hat loßen hören, wenn sies wolt, so müsten sie hynnauß, wenn es auch got laidt wer. Wiewol wir dem keinen gelauben geben, dann uns ye anders^g)

---

[13]) bedürftig   [14]) wie 13   [15]) Tröpfen   [16]) leiht
[1]) nur   [2]) ihnen   [3]) wenn   [4]) Schenke   [5]) wahr

---

^a) „Frobingerin" in H   ^b) „nachgeschriben" in H
^c) in A noch „pfleger" hinzugefügt   ^d) „wen" in A   ^e) „willen" in A
^f) „ist" fehlt in A und H   ^g) „anders" fehlt in A und H

von eins erbern rots wegen zugesagt ist worden, das allein solchs vater und muter und nit weder freunten[6]) noch geswysteretten zu geben sey; des wollen sich die kindt auch halten, dann sie mercken wol, das es newrt[7]) umb das gut zu thun ist, das sie herein haben pracht, des wir uns doch ye in irm hereinkumen gancz nit versechen heten, dann sie auch gesagt hat, sie hab es selbs von den herrn gehört, ob sie innerhalb 14 tagen hynnauß kumen, so werd man in pey haller und den.[8]) mußen geben, was sie herein haben pracht; beleiben sie aber lenger und geschech, was man mit uns vorhab, so wollen sies loßen gen, ob auch die maden[9]) auß inn[h]) krüchen, mit ander vil dergeleichen worten, darauß sie ir swesterlich gemüdt woll spüren; hat in auch getröet E W anzusagen, was ir zu antwurt geben sey worden; wiewol wir der ding aller nit von E W als von unßerm getreuen herrn und vater nit[i]) gelauben, pitten euch doch die 2 betrubten kindt von herczen demütiglich, ob ir swester zu E W köm und vil an wolt richten, das ir ir das weret, dann sie wollen von ir ungenött seyn, haben auch ungern allein mit ir geredt der ursach halb, das man einem alspald die wort verkert und unrecht nachsagt, vor demselben furchten sich auch ander swester ser[j]) fast, wir getrauen sunst nit als ubel an einander, wenn schun eine allein redt, wenn man es neurt[10]) pey der worheit ließ beleiben. Ist uns auch nit angesagt worden, das man mit ydermann allein sol reden dann allein mit vater und muter.

Diß hab ich auß gepett[11]) der 2 vorgemelten[k]) kind E W nit mugen verhalten, doch mit der protestacion, das ich der ding keins von E W gelaub, ist aber dennoch gut, das E W den leuten wiß zu begegen, wenn sie an euch kumen und das ir darvor mügt sein, das wir furpaß solchs ungestumen uberlaufs vertragen sind. Damit got ewiglich befolhen!

Kapitel 42

Antwort des Pflegers: Er gibt zu, daß er nicht gelehrt genug sei, die Äbtissin zu überzeugen, will ihr aber doch aus christlicher Liebe nochmals schreiben — Berichtet über die Hochzeit Osianders — Verspricht der Äbtissin die Schriften Wenzel Links zu übersenden, in denen er viel Stärkung und Trost gefunden habe — Mit der Tetzlin habe er gar nicht geredet, kenne sie überhaupt nicht — Hofft, daß Melanchthon bei seiner Ankunft Gutes wirken möge

[S. 53] Auf dißen prif schrib mir der pfleger den nachvolgenten priff:

Got verleich uns allen sein genad in[o]) einem waren[b]) rechten glauben, der ich gewiß pin an[1]) die lieb des nechsten nit sein kan!

Geliebte fraw und swester in Cristo!

Ich hab euch auß gutem herczen prüderlicher weiß jungst auf ein ewr schreiben geschriben und auß der antwort, so ir mir hernach zuge-

---

[6]) Verwandten [7]) wie 1 [8]) Pfennig [9]) Motten [10]) wie 1 [11]) auf Bitten
[1]) ohne

---

[h]) „ir" in H   [i]) „nit" fehlt in A und H
[j]) „ser" fehlt in H   [k]) „obgemelten" in A und H
[o]) „zu" in H   [b]) „warmen" in H

schickt, wol verstanden, das mein geist zu einfeltig und schwach euch
in ecztwar²) zu bewegen, darin ich trost oder ergeczligkeit het haben
mügen. So ich aber mein unerfarenheit der schryft, einfalt und in got-
lichem gefallen unduglikeit ermyß und teglich pey reichesten, vermugli-
chen und weisesten, die welchen mich in verstant weyt ubertreffen, die
allergrosten irrung und gotloßigkeit so gröblich erfindt, also das schier
die kindt davon reden künen, so pringt es mich dennoch dahyn euch
auß cristenlicher lieb wider zu schreiben got den herrn pitendt, er wölle
die frucht darauß verfugen.

Pin auch gehindert worden euch zu schreiben; dieweyl mir eczlicher
maßen angelegen gewest die heyrat hern Andre Osiander, die welch doch
durch den teuffel und seine außerwelten in vil wegen und auß vast³) po-
ßem grundt gern zurückgestelt und doch gotlob nit on eroffnung voriger
pößer leut pratica⁴) in die wurckung kumen, sunder zweyfel es sey ein
cristenlich werck, darauß dem reich des°) antikrist abpruch und reich^d)
cristi peßerung volgen sol, ist on nott dißmals weytter gelegenheit anzu-
zeigen, damit noch gewiß pey mir geacht, das ir des Cuncz Schrötters,
auch pfarrers zu Regelspach und irs geleichen geltsuchtigen meßknecht
gepreuliche°)⁵) verfürung wirdiger acht dann dißen gotes befelh.

Pin aber meiner einfalt nach, wie ich mit warheit schrib, entschlo-
ßen gewest euch, als die ich mit höcherer vernuft [!] begabt erkenn, dann
mir in dißen gotlichen sachen lieb ist, noch weytter dann vor zu ver-
zweyfeln, doch verstett, nit an der genad gotes, sunder achtende, das^f)
mein gedreu schreiben villeicht ewr vernuft mer ergerlich dann got ge-
fellig sein möcht, mich^g) aber^h) auß der lieb, so ich in rechter worheit
zu euch und den ewern, die ich elend erkenn, trag, bedacht und got, den
rechten tröster, fleysig und zum hochsten gepetten mich in meiner gancz
nachenden^i) verzweyflung alles ewrs heyls genediglich zu stercken. Nach-
dem mir mit der hilf des herrn einiche pürd von ewr seligkeit und wol-
fart wegen^j) zu tragen nit schwer, darauf mir entlich in gemütt kumen,
nachdem ich weiß ir an allen predigern und lerern des wortes gottes,
so pey vil taußenten hie und anderßwö cristlich geacht, mangel und
myßfallen habt und, wie ich nit anders urteyln kan, von der warheit
wegen, das ich dann derselben aller ratt zu haben mußig sten und ycz
und zum lecztenmal doch got sein handt ungespert pey doctor Wenczel
Linck, dem in zeit seines ampts, als er visitator, profincial und der
leuft⁶) mer erfaren dann ein ander, auch ein man guts lebens und sit-
ten, demselben eur mir gethann schrifften furzuhalten, nit on fleyßig

---

²) irgendwie   ³) sehr   ⁴) Praktiken   ⁵) gebräuchliche, übliche   ⁶) Verhältnisse

---

°) „dem" in A   ^d) „reich" fehlt in A und H   °) „gepreuchliche" in A
^f) „das" bis „möcht" fehlt in A und H
^g) hier wurde eine in D am Rande stehende Zeile eingeschoben, von „mich
bis „den"
^h) „aber" fehlt in A und H
^i) „nachenden" fehlt in A und H, „nahenden" in B
^j) „wegen" fehlt in A und H

98

eröffnung, was ich euch zu schreiben willens gewest, auch meiner kumernus, kleinmütigkeit und schier gancze verzweyflung, die ich im handel het und pey im sterckung und so vil trösts gefunden mit pit keineswegs abzulaßen, also das[k]) er mich bewegt in umb gotes ere und des negsten lieb willen zum hochsten zu pitten mir kurcz artickel gotlicher schrift gemeß zu stellen und, so mir die einfellig[7]), wöll ich[l]) mit fleyß noch ein mol schreiben und mein und ewr heyl versuchen, ob doch got den furhang wegk woll nemen und dieweyl auch in vil ewr abgotterey von euch kein irtum nye bekennt noch vil weniger underweisung habt wollen annemen und doch den widerteyl[8]) gern schriftlich und mündtlich hört und noch im[m]) anhang seyt und er mir dann meinem wöllen[n]) und begern gemeß ein antwurt gestelt, daruber ich mich geseczt und mit fleyß sampt meinen zufellen[9]) etlich pögen lang begriffen.

Haben mich mein zufell[10]) eczwas hicig sorgent und also das flaysch zu vil bewegt, dann ich ewr, wiewol auß treuen, gancz nit verschönt het, mich abermols im pesten entschloßen lauter mit der [S. 54] sach, wie ich pey euch herpracht, umbzugen und euch die artickel seiner hantschrift, wye ich hie neben thue, zuzuschicken, welches ich im auch angesagt, darumb geschechen sey, dieweyl ich die nit allein nit wiß zu peßern, sunder eczlicher maß trost darin entpfangen hab, ob doch die, wie ich got herczlich pit, zu weyter frucht, frid und sunne[11]) dynen möchten, wa euch auch ewr vermeynte heilige regel oder ja, darzu ich mer hofnung secz, die genad gotes wolt zulaßen dißen doctor Wenczel weyter zu vernemen, wie ich aber und aber umb gots willen pitt, so wölt mich des verstendigen, welcher gestalt euch das am pesten gelieben[12]), in mein oder ander peywesen, allein predigens weiß oder geschriftlich oder wie euch das anders geliebt[13]). Des will ich nit an[14]) große, ja hoche begird, antwort warten. Solt euch aber das nit fugen, so will ich euch alsdann weytter mein hercz und gemüt eröffnen und mitlerzeit got piten umb genad mir, sofern im gefall, in synn zu geben euch hynnfuran unbelestiget zu laßen und denen zu befelhen, die mit gutem gewißen euch yedesmals zu gefallen worden mugen sein. Aber wolt mir doctor[o]) Wenczl schrift wider zuschicken, so ir die genungsam geleßen habt.

Der jungen Tenczlin halben, die mit irn stiefswestern gehandelt und auf mich gezogen, wundert mich, dieweyl ich ir nit kenn und meines wißens mein lebtag nichs mit ir geredt, vil weniger befelh geben hab.

Es haben mer denn ein kurfurst und furst in irn landen verordent ordnung dißer lere halben furzunemen, der end kein bebstichß pfaff predig oder prauch mer[p]) geliden hieiger[15]) ordnung nit ungemeß, was dann Philipus Melonthon hie wirt außrichten, werdt ir auch vernemen; er ist ye zu einem guten werck erfödert, damit der jugent zu gut crist-

---

[7]) einleuchtend   [8]) Gegenteil   [9]) Einfällen   [10]) wie 9
[11]) sune, Sühne, Versöhnung
[12]) beliebt   [13]) wie 1   [14]) hiesiger   [15]) ausgerottet

---

[k]) „das" fehlt in A und H   [l]) „nit" in A und H   [m]) „irs" in H
[n]) „wöllen" fehlt in H   [o]) „doch" in H   [p]) „man" in H

lich und nuczlich lernung werd aufgericht, damit doch verdambt verfü-
rung kunftig dester pas außgereut[16]), so es doch ycz pey den weltweisen
nit sein will. Damit geb uns got rechte wore erkantnus, dann der streyt
ist nit umb das, das[q]) die, so gern in clöstern wöllen beleiben und nit
vater und muter oder die haben, den got befolhen hat gehorsam zu sein,
sunder und mer umb das wißen, was man schuldig zu thun und laßen
und was got frey und ungezwungen haben will.

Casper Nuczel, der elter.

Kapitel 43

Brief der Äbtissin an den Pfleger: Widerlegt einige Anschuldigungen des
Pflegers — Stellungnahme zu den Predigten und zu dem Vorfall mit der Tetz-
lin — Freude über die Ankündigung des Besuches Melanchthons

Auf dißen brif gab ich dem pfleger diße antwort:

*Da[a]) her schreib den brif von der s[wester] C[?] geschrift: „Die ge-
nad gottes sey mit uns allen" und uberheb den nechst nachgeschriben
brif. [S. 56 mit S. 55 vertauscht.]*

Die genad gotes sey mit uns allen!

F w g l herr pfleger!

Ich hab ewr schreiben abermals vernumen und erken mich, das ich
im gar zu wenig pin[b]), das ich E W, vil[c]) mynder einem hochgelerten
doctor solt antwurten oder mit im disputirn, das ich doch nit not acht.
Ir habt unßer maynung auß dem negsten[1]) schreiben vernumen, dapey
ichs beleiben loß. Ist mir leid, das ir in demselben kein ergeczlikeit kund
haben; was ergeczlikeit kunt ir aber haben, wenn wir zu allem dem, das
ir begert, ya sprechen und wer uns doch nit im herczen und unser ge-
wissen rüeg uns und weiset uns zu einem andern; was wer es oder wen
het wir betrogen? Warlich nymant dann uns selber.

E W weiß, das nymant nichcz hat, den das im von got gegeben wirt,
on des willen nichcz geschicht, so wir nun got nacht und tag herczlich
pitten umb erleuchtung unsers gemuts und merung wars cristlichen ge-
laubens und er uns nit gibt lieb zu dem newen gelauben, so kun wir
uns ye selber nit anders machen den got mit uns verordent; solt wir dan
von menschlicher gunst, forcht oder tro[2]) willen[d]) uns anders erzaigen,
denn es[e]) uns im herczen were, wer ye grose gleyßnerey[3]), des E W on
zweyfel nit von uns begert, den es wer ye wider got; aber das E W fur
gewiß acht, das wir geprauchen den rot[f]) etlicher geltsuchtiger meß-
knecht, hab ich pey warn gelauben all mein tag keit rott oder pratica[4])
pey den 2, die ir genent habt, oder andern irs gleichen nye gesucht,
dann in[5]) die armen tropf selbs weder rotten noch helfen künen.

---

[16]) ausgerottet [Corrig.: Anm. [13]) wie 12; [14]) ohne, nicht hiesiger; [15]) hiesiger, nicht
ausgerottet]

[1]) letzten   [2]) Drohung   [3]) Heuchelei   [4]) Praktiken   [5]) sich

---

[q]) „das" fehlt in A
[a]) Die Bemerkung „Daher schreib usw." steht nur in D
[b]) „pin" fehlt in H   [c]) „nit" in H   [d]) „forcht und trowillen" in H
[e]) „es" fehlt in A und H   [f]) „den rot" fehlt in A und H

Wir wöllen oder sollen nymant urteiln, ein ydes stet oder felt sei-
nem hern, der wirt in wol zu seiner zeit urteiln. Verkauft ymant meß
oder fleyst[6]) sich sust poßer sach, sol uns ye nit gefallen, es werd uns
gleich peygelegt, was got wil.

Als mir aber E W peylegt, ich sey mit hocherer vernuft begabt den
euch in disen sachen lieb sey, weiß ich wol, das ich ein armer ploder[7])
mensch pin, ungelert[g]) und unerfarn in allem gutten, darumb ich als[8])
gespöts wol wert pin; weiß auch woll, das alle weltliche weißheit vor
got ein torheit ist; mir wer[h]) aber wol not in disen strengen zeiten, das
mir got seinen h[eiligen] geist verlych, das ich west[9]), was ich tun und
loßen solt, dan ich sich[10]), das ycz den allergrosten gelersten der [!] ver-
nuft zerrint[i]), nit allein den bebstischen, sunder auch den, so sich ewan-
gellisch nennen, also das derselben vil Cristus flaisch und plut nit mer in
wein und prot sein wöllen lossen und das muß auch das wort gotes sein.

Das aber E W an uns verzweyfeln wil[j]), ist mir layd, wir wollen
aber ye nit an got verzweyfeln; hoff ye, er werd uns seiner genad und
parmherczigkeit nit berauben, dieweil wir der so herczlich begern und
ye gern thun[k]) wolten, das recht wer. Wenn wir gleich auß dem closter
gingen, wir wern darumb nit seliger als wenig wir die seligkeit gewiß
haben in dem closter, den ye diße eußere ding nit geben noch nemen, sollen
auch frey sein, wie man uns teglich predigt. Es haben aber ye die h[ei-
ligen] aposteln peyeinander gewont mit den andern gelaubigen und alle
ding unter[l]) in gemeyn gehabt; warumb solt wir nit auch peyeinander in
gemeyn mugen wonen und swesterliche lieb an einander erzaygen? Du
ewiger got, leydt man doch die schantheüßer, wiewol wir musen hörn,
wir sind erger denn dieselben leut, wir sind layder arg genungt, got pe-
ßer uns mit seinen genaden, wenn wir westen[11]), das es der will gotes
wer und das wir durch das heraußkomen kundten selig werden, wolten
wir uns warlich nit lang saumen, den wir ye nit von guts lebens wegen
in dem closter sind, das weiß die welt und got, in dem all unßer hoff-
nung und zuflucht ist.

Wir haben auch, wiß got, an dem wort gotes nit mißfall, das uns
aber das vil und manigfalltig schmehen, schentten, lestern und ere ab-
schneyden, so pey vil leutten fur das wort gotes geacht will werden, fur
daz wort gotes anseh, das geschicht gleichwol nit, denn wir wissen, das
das h[eilig] ewangelium ist das gesecz der lieb, welche den negsten nit
verdampt noch urteilt, sunder mit aller bescheidenheit strofft; wir sind
aber nit allein, die zweyfel an den predigen haben; ich weiß nit, wie
man predigt, ich hör aber offt, das vil menschen in dißer stat sind, die
halb verzweyfelt[m]) sind und an[n]) kein predig mer gen; sagen, sy sind

---

[6]) befleißt   [7]) einfältiger, schlichter   [8]) alles   [9]) wüßte   [10]) sehe   [11]) wie 9

[g]) „ungelert" bis „pin" fehlt in H   [h]) „wer" fehlt in H
[i]) „zurintt" in A und H   [i]) „will" fehlt in A und H
[k]) thun" fehlt in A und H   [l]) in H ist nach „unter" „uns" eingefügt
[m]) „verzweifelnd" in H   [n]) „in" in H

also durch die predig[o]) verirrt, das sy nit wissen, was sy gelauben sollen und geben[12]) gern vil darumb, das sy derselben nit gehort hetten.

Wir haben nun dißer predig auch 111 gehort und auf ein zeit in E W gegenwurtigkeit[p]) hern Andree Osiander piß in die 4 stund zugehort, haben auch yczunt jungst doctor Wenczels geschrift mit fleiß verlesen und abgeschriben, haben auß dem allen genungsamlich unterricht entpfangen, was ir aller grunt, maynung und endt ist; wir sind im zu wenig, das wir mit solchen hochgelerten leutten disputirn sollen, wir sagen, was wir wöllen, so müß wir unrecht haben und das ist fast die ursach, warumb wir uns pisher enthalten haben mit den predigern nit vil zu reden, auf das[q]) sy sich unser wort nit ergerten und nit ursach nemen vil geschreyß auf der canczel[r]) darauß zu machen, wiewol das nichcz geholfen hat, dann so sy unßere wort nit gehort haben, so unterstenen sy sich doch die heymlikeit unserer herczen, dy allein got bekant[s]) sind, auch die innern maynung und gedancken, die uns doch von den genaden gotes[t]) nye eingefallen sind, also schentlich und grob herfurzupringen mit vil ergerung der zuhörenten und mit so schwern urteiln uber uns als wern sy selber herrgot. Das befelh wir dem ewigen got, der wol waiß, warumb er in seinen gerechten und unstrefflichen urteil solchs und anders uber uns verhengt, er[u]) sey gebenedeyt in ewigkeit umb alle schmaheit[13]), die er uber uns verhengt und geb uns solchs mit gedult zu tragen und wist darpey[v]) furwar, wie wol uns als armen, unerstorben menschen solche manigfaltige verleymigung[14]) in so vil weg und an so vil ortten, allermeist der großen ergerung halben, die darauß entspringt, ser schwer ist, so wöll wir das dennoch vil lieber leiden, denn das wirs andern leutten solten thun. Trösten uns darpey der warheit, die zu rechter zeit woll an tag wirt kumen, seczen in kein zweyfel, wen wir auß dem closter luffen und uns poßer stuck flyßen[15]), so würden wir von etlichen guten cristen und gancz ewangellischen gepreist und von vil leutten gelobt werden. Aber die parmherczigkeit gotes behut uns vor solchem lob.

E W wöll mir verzeyhen, ich thw im villeicht zu vil, aber dieweil ir so gar an uns verzweyfelt und doch schreibt, ir [S. 57] wolt lawtter mit der sach umbgen, muß ich euch ye mein hercz auch clar[w]) eröffen und lauter mit der sach[x]) umbgen, wie ich alweg gegen E W gethun hab. Wir hoffen auch zu got, wir haben kein abgotterey untter uns, vil mynder, das wir unser irtum nit erkennen solten, den das ye wider got und die vernuft wer, das wir uns aber nit einem ytlichen geist bewegen loßen, kan uns nymant mit grunt verargen. S[ant] Paulus lert uns, wir sollen alle ding probirn und was gut ist, dem sol wir nachvolgen. Wir

---

12) gäben 13) Schmach 14) Verleumdung 15) beflissen

---

o) „prediger" in A
p) „gegenwurtigkeit" fehlt in A und H
q) „das" fehlt in A
r) „candel" in A
s) „erkant" in A und H
t) „gotes" fehlt in H
u) „er" bis „und" fehlt in H
v) „darpey" fehlt in H
w) „clar" fehlt in A und H
x) „sach" fehlt in A und H

wissen von keinem widerteil, sind auch mit nymant im anhäng, sunder layder schir von yderman verlosen; got erparm sich unser!

Wir wissen auch, das wir uns nit auf unser regel verlossen sollen, sunder allein auf got und auf seinen eynigen sun Jesum Cristum, unßern herrn, der uns mit seiner marter und heiligem plut erlost und gegen seinen himlischen vater versont[16]) hat, der wöll euch und uns allen sein gotliche genad geben, das sein leiden und marter nit an uns verlorn werden!

Hoffen ye, E W werd uns armen nit so heftig sein, wie ir uns trot, sunder euch cristlicher und prüderlicher lieb gegen uns prauchen und in weytter aufthwung ewrs herczen nit anders handeln denn wie ir wolt, das es gegen euch gescheh nach außweyßung des h[eiligen] ewangeliums und damit, W herr, will ich unverstendige auf ewr geschrift mit dem kurczten geantwurt haben. Ich pin warlich nit so geschickt, das ich alle ding und nach der notturft[y])[17]) kun verantwurtten, darumb wo ich im zu vil gethun hab, do woll mir E W umb gotes will verzeihen, was ich aber notturftigs[18]) unterlossen hab[z]), ist meins unverstands schuld, dan, wie ich vor gemelt hab, pin ich layder ungeschickter denn mir lieb ist; mich urteil E W, wie die wöll.

Der Tenczlin halb hab wir E W nye verargwont, ich het E W sunst nit geschriben, ich hab[aa]) aber ir handlung euch darumb anzaigt, ob ir uns helft, das wir des teglichen lasts und uberlauffs möchten uberich sein, dann man peinigt uns und uberlauft uns und sagen dann, man hab sy herauß geschickt; will uns yderman lern und unterweisen, was wir thun sollen, wenn wir aber[bb]) als vil helfer hetten als wir untterweiser und lermeister haben, wir wolten einem pawrnher[19]) starck genung sein und solten wir alles das thun, das man uns rett[20]), wir würden ein wunderlicher[cc]) regiment haben denn die zygeuner; verzeicht mir abermals.

Und als mir E W jungst von hern Osiander geschriben hat, wie mir sein ler onangenem sey, ist mir geleich woll kein ler angenemer denn die ler Cristi und seiner aposteln; menschen sind menschen, hewr als wol als for taußent jarn, aber das wort gottes beleibt ewiglich; wolt got, er het gelert, wie die aufrwr furkomen solten werden, ee so vil leut zu todt geschlagen wern worden, wiewol es noch gut ist, das er lert, wie die kunftig furkomen werd. Got geb genad, das es gescheh, ich hab es alles losen schreiben und auch doctor Wenczels geschrift, das ist die sach, das ichs so lang behalten hab.

Das herr Philipus Mellanthan hieher beruft ist, hör ich fast[21]) gern, dann ich langst von im gehort hab, das er ein frum, redlich, aufrecht man sey und ein liebhaber der gerechtigkeit, glaub nit, das im alle ding

---

[16]) versühnt   [17]) Notwendigkeit, wie es nötig wäre   [18]) notwendiges
[19]) Bauernheer   [20]) rät   [21]) sehr

---

[y]) „vernuft" in A und H   [z]) „untter wegen" in A und H
[aa]) „hab" fehlt in A   [bb]) „aber" fehlt in A und H
[cc]) „wunderliches" in H

werden gefallen, besunder, daz man die leut mit gewalt zum glauben
wil notten und zu den dingen, die wider ir gewissen sind. Got geb im
und uns allen seinen heiligen geist, dem befilh ich E F W ewiglich und
verstet alle ding im pesten!

Kapitel 44

Dr. Wenzel Links Unterweisung: Man muß nach dem Willen Gottes dem
weltlichen Regiment, die Schwestern also dem Rat, gehorsam sein und darf sich
nicht auf seine Privilegien berufen, dann wird auch für den zeitlichen Unter-
halt der Schwestern gesorgt werden — Die christliche Nächstenliebe schließt
den Tadel und die Zurechtweisung Irrender nicht aus — Die Schwestern ver-
trauen nicht auf Christus allein, sondern auch auf die Heiligen als Nothelfer
und Patrone — Gott allein rechtfertigt den Menschen und nicht die guten Wer-
ke, Ablässe, Rosenkränze u. dgl. — Der wahre Glaube muß durch die Näch-
stenliebe bewiesen werden — Die Absonderung des Klosterlebens behindert
die Werke der Nächstenliebe — Über die Gelübde steht nichts in der Hl. Schrift
und man weiß nicht, ob sie Gott wohlgefällig, nicht vielmehr Abgötterei und
falscher Wahn sind — Die Schwestern sind verpflichtet, ihren Eltern, bezw.
Vormündern, zu gehorchen, wenn diese ihren Austritt aus dem Kloster verlan-
gen — Gott hat niemandem seine Hilfe zur Beobachtung der Gelübde verspro-
chen, also darf man ihn auch nicht darum bitten

Daher schreib doctor Wenczel artickel das erst mol und mein ant-
wurt darauf. *Schreib den titel also: Diß ist doctor Wenczels unterricht,
die er mir durch unßern pfleger auf sein anregen geschriben hat und
mein antwort darauf, die schickt ich dem pfleger mit dem obgeschri-
ben brif.*

Darnach doctor Wenczels artickel zum andern mol und mein ant-
wurt darauf.

[Hs. A, Bl. 52']

Diß ist doctor Wenczel unterricht, die er mir durch unßer pfleger auf
sein anregen geschriben hat und mein antwurt darauf, die schickt ich
dem pfleger mit dem obgeschriben priff:

Dyeweyl Cristus unser herr mit worten und wercken allen den sei-
nen befelh geben hat dem weltlichen regyment nit abzuprechen[a]), sun-
der auch mer dann gepurlich von fryds wegen zu geben als dann auch
s. Paulus, Rom. 13, clar außstreycht[1]), habt ir leicht zu ermessen, ob ir
irgenterley pryvilegij, so dagegent sind, fur cristlich achten oder auch
mit gutem gewissen prauchen mügt, vil weniger auch[?b noch?] die zu
hanthaber ermanen, dann ob kung[c]) und keyßer solchs zugeloßen, auch
ich oder ander dazu gearbeit haben, ist sunder zweyfel auß unwissen-

---

[1]) ausführt, betont

Die folgende Anweisung an die Schreiberin steht nur in Hs. D und ist durchge-
strichen. Da „doctor Wenczels unterricht" in der Hs. D fehlt, wurde die Hs. A
dem Text zugrunde gelegt. Die nachstehenden Abweichungen beziehen sich da-
her nur auf Höflers Ausgabe.

a) abzusprechen   b) mich   c) kunig

heit, die uns got nit zwrechen^d) well, beschechen, doch yderman on schaden und nachteil. Ist auch hierinnen mer Cristo, dem hern, gehorsam zu laysten und, wo ir desfalls dem ewangelio Cristi gehorsam sein werd und von des wegen ewrer vermaynte pryvilegium farn losen, seyt ir gewiß, das es^e) euch in ewrer armut nit verlossen noch ewer leben verkurczen wirdt, villeicht auch auß solchem gehorsam in dißem stuck euch zu weytterer erkanttnus und gehorsam seins worts pringen und also sein den unttertenig seins reichs keynerley weyß sych^f) darauß eximirn^g), zeitliche gutter genungsamklichen zuwerffen, das ir auch on verkawffen der lygenter gütter untterhalten mugen werden. Der glaub wirt hie nit hunger leyden noch von got verloßen; nyt dester mynder auch, wo man solchen cristengehorsam und gemayne cristliche trew pey euch spürn würdt und vermerckt^h) mer lieb gemeins nücz dan aygensüchtig privilegien, wird sich ein erber rat sampt andern frumenⁱ) cristenleutten auch gepürlicher weyß gegen euch erzaigen.

Dieweil ir aber auch bekent des menschen heil ste nit auf essen oder trincken, will ich keinen zweyfel tragen, ir werd derhalben den befehl Cristi nit farn^j) lassen, es wern auch ewer mitswester mer gedult tragen, das sy Cristus volgen und seinem wort nachkomen dan ob sy hunger oder dürst ob einander lyden. Mich bedaurt von herczen, das ich vernym ewr vilfeltig sorg auf die zeitlichen gütter und narung, darzu [Bl. 53] mer vertröstung auf menschenprivilegien, wie auch die zuwegen pracht sein dann vertrawen auf gotes wort, dan so ich mit gewissen euch pey dißen oder andern pryvilegien west zu erhalten on abpruch des gotlichen worts, wolt ich keinen fleyß sparn und allzeit euch zu derselben heil willich dyenen; vertrawen und gehorsam des worts Cristi wirt euch mer trösten und erhalten wan diße oder andere pryvilegien. Gotes genad mit euch! Amen.

War ist, das ein yder cristenmenschen des andern purdt tregt, zu erfullen das gesecz Cristi mit herczlichem erparmen und mitleyden, aber nit dester mynder strofft und schylt einer den andern und wendt alle mittel fur, damit er in zu rechter warheit pringt, dann es wer kein recht mitleyden, wo nit dem irsal oder mangel nach vermugen geratten wurd, es wer auch kein crist, der nit straff und weyßung dulden wolt, das flaysch klagt ne²), man thw im we, man belaydigt und betrubt es, dann es will sych selbs alczeit rechtfertigen und erkennet nit gottes urteil. Wer aber durch gottes geist sich selbs erkennt, der nymt stroff und schellten an, dann die lieb duldet alles.

Das aber meiner und ewrer gelaub sych nit miteinander vergleychen, befremdt mich gar wenig auß den ursachen, das ich nach inhalt götlicher lere gancz mein vertrawen in gelück und ungeluck auf einen got allein stell, von dem ich alles durch den eynigen³) mitler Jesum Cri-

---

²) nur   ³) einzigen

---

^d) zwrechnen   ^e) er   ^f) doch, im Text „doch" in „sych" korrigiert
^g) eximirten   ^h) und unvermerckt   ⁱ) seinen   ^j) furen

stum, unßern hern, gewertig pin, aber ir an im allein nit benungen habt, sunder Franciscum und ander nit allein in der schrifft benent, sunder neyr[4]) vermaynt heiligen, neben in als gotter, die euch helfen sollen oder ir als mitler furpitter seczt, wie dann ewer pettpücher und vermaynter[k]) goczdinst beweyßen, dann[l]) so ir in got allein gelaubet, so wern ewre pettpücher sampt ewrm goczdinst vernichtet, was aber fur cristen sein, die neben Cristo ander patronen, nothelfer oder mitler halten[m]), ist leicht zu ermessen.

Ir werdent nymermer versten, was unrecht sey, es sey dann, daz ir ewer vernuft gefangen geb dem wort Cristi, dann ir werds durch kein vernufft begreiffen, sunder, wo ir nit glauben werd, so werdt irs nit versten; nymant vernymt, was got ist dan der geist gottes selbs; wider vernuft und wider den glauben handeln ist unterschydlich, dann unmüglich ist der vernüft volgen und dem glauben gehorsam sein. Es sol auch und kann euch nymant zwingen wider ewr gewissen zu glauben oder zu handeln, aber doch müß man nit gestatten noch[n])[5]) irrigem falschen gewissen andern menschen zu schaden und ergernus zu handeln und zu den eußerlichen dingen, so den glauben [Bl. 53'] fodern als do ist gotesforch treyben[o]), damit der gaben und genaden gottes und dem glauben kein hindernuß mütwilliglich geben werden; ergernuß sol man mit allem fleyß vom reich gottes wegnemen und ob ir gleich die geschrift leßen kunt und großen verstandt habt, nit dester mynder mugt ir betrogen werden, dieweil großer verstandt ein gegenwurff[6]) ist dem teuffel zu betrug und verfurung.

So ir aber nun gelaubt, das allein got den menschen refertigt [!] durch verdinst Jesu Cristi, volgt ye, das ir nit sollet dißem werck oder gepett so vil abloß zulegen, auch durch kein werck, puß thun, durch keins heiligen verdinsts oder furpitt genad suchen, sunder nayrt[7] durch die genad Jesu Cristi im gelauben. Warumb habt ir denn die staciones[8]), roßenkrencz etc. mit benentten[9]) anzahl ablas? Warumb sucht ir trost und hilf pey den h[eiligen], vertrawt in dieselbigen und nit in got allein? Ir mugt ye nit sprechen, das ir die werck thun als frucht, dardurch der glauben erzaigt werdt, den der glaub würckt neyrt[10]) durch die lieb. Es sein auch nit cristglaubige werck denn [die] allein, die do beweisen lieb gegen got und dem negsten. Man dint auch got nit, es sey dan, das man auch dem nechsten dyen, dieweil got und mensch ein Cristus ist, der im zurechet alles, das dem mynsten seinem pruder geschicht. Wo ir nit werck der lieb zu beweißung ewrs gelaubens thun wolltet, so müst ir euch nit von dem gemaynen hawffen der menschen absundern, auch nit besunder weg und weyß zu leben erwellen, dann solchs alles nit dulden kan die art der lieb, die unverspert und gancz gemeyn sein will. Derhalben

---

[4]) wie 2   [5]) nach   [6]) Objekt   [7]) wie 2   [8]) Stationsgebete   [9]) bestimmter
[10]) wie 2

---

[k]) sampt ewrm   [l]) darumb   [m]) haben
[n]) fehlt in H, in A eingefügt   [o]) gottes forchtryeßen

auch Cristus nach den wercken richten wirt, ob sy auß rechtem gelauben in warer lieb geschehen sind oder nit. Besorg derhalben, das ir mit ewrn erwelten[p]), eingezogen[11]), gestympten[q]) wercken gar kein cristlichen gemeynen lieb werdt beweysen. Wie vil sindt untter euch, die zu gemeynem nucz vil menschen dynen möchten mit untterweyßung der jugent, haußhaltung, regyrung der ehalten[12]), kinderzücht und andern wercken, damit dem nechsten gedynt wurdt, welche auch got am jungsten gericht als ware frucht des rechten gelaubens und seines worts erfodern wirt und nichcz dester mynder werden mit irn selbs angenumen erdichten wercken verhindert und verspert gleichsam ein junger paum, der verdempft[13]) wirt, das er nit kan aufwachxen [!] und dem menschen zu nucz frucht pringen. So ist ye am tag, das ir im closterleben neyr[14]) ewr eygen heil vermaynt zu suchen, versaumt also, [Bl. 54] das dem gemaynen hauffen nuczet und die war lieb erayscht[15]).

Ir mugt auch nit sprechen, wir petten, singen und fasten fur die andern, solche ding, so zu sterbung des alten und erneuerung des innern menschen dint, muß man thün, aber nichcz dester mynder die werck der lieb nit untterloßen, wie Cristus euch darinnen als die gleyßner[16]) straffet, so von irs closterlebens wegen unterloßen zu dynen irn nechsten. Also wirt einem yden nach seinen wercken der lon von got geben und geurteilt, wie ein yder auß dem glauben seinem nechsten gedint hab, nit wie er gesungen, gepet und staciones[17]) gehalten hab.

Die werck der cerimonien und eußerlichen preüch sind eygenlich weder gut noch pöß, ist aber nit recht, das man die leut darzu verpint und aus unnötigen dingen macht nottig, dann wo solchs nit geschehe, so dörft man die swester von wegen solcher ubertretung nit straffen. Es halten ir auch layder vil daruber fester dan ob gotes gepott und wern vilmals die gewissen der einfeltigen damit als nebenwegen verwirt, das auch peßer wer man wandert die gemeynen richtigen straß der gepot gotes und machet kein sunder statut oder geseczt, dann also würde peßere ordenung in einer samlung[18]) gehalten. So sein auch vil cerimonien als kutten mer ein aygensynnige absunderung von gemeynem cristlichen leben dann ein rechte ordung. Möchten deshalben die örden wol unörden heyßen. Es haben ye Cristus und sein aposteln alles genungsamlichen gelert und angezaigt, was einem cristen nucz und not zum heil ist, aber solcher unnuczer ding haben sy gar vergessen, als die mer schedlich und parteyisch sind dann peßerlich[r]) sind der cristenheit, das auch s. Paulus spricht, es sollen alle ding untter euch erberlich und ordenlich geschehen, will er, das kein verwirrung der gemeynen cristenheit geschee, sunder alles auß lieb zur peßerung der gemeyn, frydlich in der kyrchenversamlung, da man gotes wort handelt.

---

11) zurückgezogen   12) Dienstboten   13) erstickt   14) wie 2   15) erheischt
16) Heuchler   17) wie 8   18) Gemeinschaft

---

p) erwellen   q) bestympten   r) peßlich ·

Got soll man pillich halten, was man im gelobt, aber es ist noch nit be-
weyßet und wirt nit beweyßet werden, das ir ewer clostergelübt got gethun
habt, dann im ganczen ewangelio oder im newen testament kein meldung
davon gethun wirt. Mir wer es ye erschröckenlich, das ein so große ding,
welchs man so hoch aufgemüczt[19]) hat sam[20]) füderlich zu seligkeit, gar nit
angezaigt sollt sein. Item got gefelt oder mißfelt nit, was uns bedunckt,
das es im gefall oder nit, sunder nayr[21]), das er durch sein wort anzaigt
als gefall oder myßfall es[s]) im, dan es kan nymant den willen gotes an-
zaigen dann got allein. Wer sichs [Bl. 54'] auß aygem beduncken unter-
stet, der irrt[t]) uncristenlich, als dann die ordensleut gethun haben. Ny-
mant weyß die geheymnus gotes, spricht s. Paulus, dan der geist gotes.
Hierumb ist lauter abgotterey, was man unter dem nomen gotes on
rechte erkanttnus, welchs der mensch von im[22]) selbs nit haben kan, et-
was von gotes gedencken nach aygen beduncken, geleichsam wer[u]) got
geformyrt[v]) und gewandelt nach menschen herczen ymagyacion[!][23]) und
geduncken, der doch unwandelpar ist. Hierumb wo gotes wort nit ist,
da wirt got nit recht in der warheit erkant, wo got nit recht erkant
wirt, da sein eytel, gotloße wön, ymaginacion[24]) und unwissenheit von
got, geleichsam gefiel im wol, was wir gedencken und erwellten. Solchs
alles sein gotloße dinst, dadurch der war got nit wirt troffen, sunder
untter dem nomen und an stat gotes die abtgotter und fantasey des
herczen, das heyßen fremdt götter, ya teufel, die solch won[25]) im herc-
zen aufrichten und darauß entsten eußerlich goczdinst, regyment, ler
usw.

Also sein die gelubt und örden entstanden auß falschem won[26]) des
herczens, welcher ein abtgott ist, daruntter der teuffel siczt und lest
sich anpetten unter namen und an stat gotes. Das hat am maysten Tho-
mas von Aquin mit seinen gesellen, den schüllern[27]), angericht. Hier-
umb muß man von solchem won[28]) der gelubt und closterey nit anders
dann von der abtgotterey abstellen; dan wie kan ich got geloben oder
etwas zu dinst thun, so ich nit weyß oder gewiß pin, das ers befolhen
oder gelert hab oder von mir zu gefallen annemen wöll; ich muß ye
gewiß sein, das ich daran recht thw und das es[w]) im gefall, sust thw
ichs on glauben und sundig, dan alles, was nit auß dem gelauben ge-
schicht, ist sundt. Nun kan ich nit auß menschen, sunder allein[x]) auß
gotes wort gewiß werden; dieweil wir aber gotes wort[y]) von solchen
geluben nit haben, so beleybt darinnen ungewiß und zweyfelhaftig[z]),
welcher zweyfel ein ungelaub ist.

Ob aber auch gleich das alles nit wer, so ligts ye am tag, das durch
solch gelubt und verstrickung die closterleut verhindert werden an go-

19) herausgestrichen   20) als   21) wie 2   22) sich   23) Einbildung
24) wie 23   25) Wahn   26) wie 25   27) Scholastikern   28) wie 25

s) „es" bis „sichs" fehlt bei H   t) izt   u) vor
v) reformirt   w) „es" fehlt in H   x) „allein" fehlt in H
y) „wort" fehlt in H   z) zweifelhaftes

tes gepotten, pruderlicher lieb und dinst des nechsten, wie dan augenscheynlich kundt angezaigt werden. Derhalben ir solchen falschen won[29]) der gelubt auß ewrn herczen thwn must vor allen dingen, wo ir cristlich wolt leben. Es ist auch nit wunder, ob sich ewer und mein gelaub nit vergleichen mugen, dieweyl ir einen solchen pöppel[30]) im herczen tragt und auf falschen won[31]) der menschen gedunckten gründet, welch ich gar verwürff [Bl. 55] und leutterlich auf ploße wort gottes gründt. Mich verwundert auch, wie ir so dürstig seyt, das ir ewrn swestern erlaubt habt auß dem closter zu gen, dieweil ir das gelubt ewer gehorsam, armut usw. so nottig scheczt[32]) sam[aa]) seys got geschehen, dan ir ye in den dingen, so gottes sein, nichcz zu erlauben habt oder, wo ir recht erlaubt, so mußens frey sein. Es muß entweder dy verstryckung nichtig sein oder die nachlaßung unrecht, darauß mügt ir wol ermessen, wie ein yde freuntschaft[33]) oder die obrikeit als der verlassen[34]) formundt sollen und mügen sie auß dem closter nemen und durch allerley mitel und weg versuchen, ob sys zum rechten waren weg des heils pringen möchten unangesehen, ob sy geleich gern darinnen beleiben wolten nit mynder, dan so man einen inn fewrs oder waßers nötten sech[35]) ferlikeit[36]) leiden, da dorft da man nit harren und fragen, ob er wolt, das man im hülf. Sy seindt auch schuldig auß kraft des gotlichen worts und befelds [!] iren eltern oder[bb]) oberhern gehorsam zu sein, dieweil das leben und verstrichung solcher gelubt on gotes wort und befelh ist ein lauter menschengedicht[37]).

Czu gleicher weiß ists nür[38]) ein falscher wan und abtgot, das sy verhoffen mit gottes hylf solche gelubt zu halten, dieweyl in[39]) got solche hylf zu thun nit zugesagt hat noch versprochen, ya auch nit genad verleyhen oder hylf zu thun in suntlichen und solchen dingen, die er nit befolhen noch verordent hat; er hilft auch nür in der not, da sunst kein hilf und mitel durch in zuvor beschaffen ist und wen man in daruber pittet, so versucht man in. Got will keinen aydt gehalten haben, wo solchs einen an leib oder leben schaden pringt, wie wir ein clar exempel haben von Saul, Regum 14, vil weniger, wenn der selen schadet; ich wolt wol geloben, das ich romischer kayßer wurd. Es thut auch nichcz hyrzu, ob vil außgetrettner nünen und munch ubel leben, man müß nit die exempel, sunder die sach an ir selber ansehen, ein yder hat sein richter, wir sollen untter allen das pest, sycherst und gewist erwellen, da wir am füglichsten gotes gepot mügen halten. Der gelaub kan nit zu herberig sein, wo menschen won[cc])[40]) im[dd]) herczen steckt und gotes wort nit allein regyrt, sunder außerhalb des worts ein weyß des lebens furgenumen wirt.

---

[29]) wie 25   [30]) Poppel, Nasenschleim (Sinn: etwas Minderwertiges)
[31]) wie 25   [32]) gleichsam als   [33]) Verwandtschaft   [34]) bestimmte   [35]) sähe
[36]) Gefahr   [37]) Erfindung   [38]) wie 2   [39]) ihnen   [40]) wie 25

[aa]) sein   [bb]) und
[cc]) von   [dd]) irn

In der geschrift wirt kurczumb alle sorgfelligkeit [!] verpotten und kein untterscheyd zwischen uberigen[41]) und nottürftigen[42]) sorg gemacht, dann wer got nit vertrawt in nottürftigen dingen, der wirt im vil mynder in ubrigen vertrawen.

Kapitel 45

Antwort der Äbtissin an den Pfleger und Stellungnahme zu Dr. Wenzel Links Unterricht

[Bl. 55'] Mein antwurt auf doctor Wenczels geschrifft:

Damit ich E W auf doctor Venczelaus schrifft antwurt geb, wiewol ich zu solcher gancz ungeschickt pin, wil ich doch mit dem kurczesten thun nach meinem einfaltigen verstandt, damit E W nit gedencken möcht, wir heten sein schreiben nit uberleßen oder wolten das verachten.

Erstlich unser privilegia halben ist on nott vil disputirns. E W hat uns vor[1]) vernumen, darpey wir es beleiben lassen; wir künen und wöllen uns nichcz wyder E E R seczen der trostlichen zuversicht, got und ein E R werden uns nit verloßen, darumb sich E W auß der schrifft doctor Wenczels nit bedaurn darff loßen, das wir zu vil sorgfelltig sind[c]) auf zeitlich gut. Got hat die uberigen[2]) sorgen verpotten, aber das man darumb gar on sorg sol sein, fugt sich auch nit. Wen wir nichcz kochten, müßten wir lang payten[3]), pis uns das essen von im[4]) selbs gekocht würdt. Wir haben das closter nit gestyft, wolten wir auch nit gern desselben gütter verswenden[b]). Müßen wir das thun, so thun wir es ye nit gern, nymt man uns dan die gar, so müß wirs[c]) got befelhen; haben wir nit wein zu kawffen, muß wir wasser trincken, dürffen wir dester mynder ungelt geben. Got, pitten wir, wöll allein unser hoffnung sein und alle uberige[5]) sorg von uns nemen. E W weiß wol, wie kostlich zererin wir sind.

Es ist war, das sich das flaisch stettiglich beclagen[d]) will, man tw im zu wee und nymant hat gern straff und schelten. Es ist auch war, das die lieb alles duldt, wiewol dye lieb nymant schillt oder freffel[6]) ist. Aber das ein mensch darumb allein wynde[e])?[7]) und schellten gelauben und in allen dingen volgen soll, die auch wider sein gewissen sind, das gibt[f]) uns gottes wort gar nit. Ich gün E W von herczen, das die als ein starcken gelauben hat, dann warlich ein rechter gelaub ein solch selczsam[8]) ding ist, das auch Cristus sein jungern fraget, ob sy maynten, so der sun des menschen kumen würd, ob er auch ein glauben würd fynden auf ertrych. Wiewol der gelaub, als s. Paulus sag [!], on die lieb nichcz ist, ya on die lieb ist auch kein rechter gelaub. O wolt got, das yderman ein rechten [Bl. 56] gelauben het, wie vil uberlast und be-

---

[41]) überflüssigen   [42]) nötigen
[1]) vorher, früher   [2]) überflüssigen, unnützen   [3]) warten   [4]) sich   [5]) wie 2
[6]) gewalttätig   [7]) wunden? verwunden, wüten?   [8]) selten

---

[a]) und   [b]) verwenden   [c]) „wirs" bis „wasser" fehlt in H
[d]) beilegen   [e]) wyden (wüthen)   [f]) gilt

schwert wolt wir vertragen sein, wenn nach wöllen des gelaubens einem ydlychen mitfüer[9]), wie er wolt, das im gescheh. Aber we dem menschen, der sein gelauben und vertrawen anderswohin seczt den in got, den almechtigen, und in seinen eingeporen sun, unßern hern Jesum Cristum.

Wir wissen wol, wie wir Francißcum halten sollen oder in denselben unser hoffnung seczen, wir halten in auch fur keinen got, petten in noch kein heiligen an, werden auch solchs unßere petpucher nit anzaigen und ob wir gleich uns etwan geirt heten den heiligen zuvil zu geben, het man uns das als plöden[10]) weibspildern nit verubel zu haben, dieweyl so vil großer doctores desgeleychen auch gethun haben und on zweyfel doctor Venczel selbs hat etwan vil von s. Augustin gehalten. Hat in nun got auf die rechten pan gewisen, so hat er im zu dancken. Ist uns doch die genad gotes auch nit versagt, wer will uns verargen, das wir arm erdtwürm die dyner gotes mit zymlicher ere vereren, die got der vater, der im himel ist, selber eret als Cristus von sein dynern bezeügt. Wer wil uns auch verubel haben, das wir nit auf ein mal alles das gelauben, das noch vil großer leut in irm gewissen anfycht, so sich doch ye das gewissen nit notten[9]) kan lassen noch der stachel der gewissen sich als ein andre fantasey lest außschlagen.

Ich bekenn auch, das ergernus nit leydlich ist, aber ich traw zu dem almechtigen got. Wir geben nymant ergernus, wir verfürn auch nymants, ein solchs wer mir ye leyd, aber Cristus, unser herr, must auch ein verfurer sein, wil man zu etwan tringen und nötten[h]) oder auch gar vertreiben, das mußen wir dem almechtigen got befelhen, wir wissen wol, daz wider desselben willen nichcz geschechen kan, auch nit ein hor[11]) verruckt werden; sein gotlicher will gescheh in ewigkeit!

Wir wissen auch wol, das alle weißheit dißer welt vor got ein torheit ist und unmüglich, das menschliche vernüft dy glory gotes begreyffen mug, aber nit alles ist goldt, das da gleyst. Ich weyß nit, was unterscheyd unter zwingen und nit gestatten ist, dieweil doch der türck nymant von seinem gelauben zwingt und gestat yderman zu gelauben, was er will. Ich beken, das wir nit so weiß sind, das wir nit betrogen mugen werden, dann nymant ist so clug, er wirt zu zeiten betrogen, wie wir layder an vil ortten vor augen sehen. Wern die armen [Bl. 56'] pawrn nit also poßlich betrogen worden und heten nit also pald gelaubt [!] wer nit also groß plutvergyssen geschechen; aber gotes ordenung hat es also geschickt.

Es ist die warheit, das wir wissen und genczlich gelauben, das die refertigung allein durch das verdinst Jesu Cristi geschicht, wie ich dann E W vor[12]) geschriben hab, das wir uns aber vil auf den aplas oder verdinst der heiligen loßen, weyß nymant paß dann got. Haben wir vil staciones[13]) gehalten und roßenkrencz, sind wir das nit allein gewest, doc-

[9]) widerführe   [10]). einfältigen, schwachen   [11]) Haar   [12]) wie 1
[13]) Kreuzwegandachten

[9]) wollen   [h]) rotten

tor Venczel und sein pruder haben das auch gethun. Hat in got von ir-
sal erlost, warumb solten wir nit hoffen, das er uns auch sein parmherc-
zigkeit mitteile, er oder nymant außerhalb got kan uns hyrinnen urteyln,
wiewol die warheit, das vil dings pey uns hynweggelegt ist und veren-
derung halb der zeit vil pey uns verendert wirt, das uns etwan frembdt
gewest wer; das wir aber abgesundert sind, haben wir nit erstlich ange-
fangen, achten das auch nit fur unrecht, thetten doch das auch die apo-
steln mit den cristgelaubigen in der ersten kyrchen, untter den alle ding
gemeyn warn, darumb ist unßers verstands absunderung nit unrecht, wo
das in einer rechten und guten maynung geschicht und nymant dadurch
beschwert wirt, dann durch solchs mag fryd, sun[14]) und ordnung dester
paß unter vil leuten erhalten werden.

Wir wissen auch, das wir unßerm negsten trewlich peysten und helf-
fen sollen. Hoffen auch, wir thun dasselb und solchs werdt sich pey un-
sern swestern erfinden, ob aber gesagt wolt werden, wir hülfen neyrt[15])
den unßern und andern gar nit, so küntten wir doch vil leut außerhalb
des closters anzaigen, die uns derhalb küntten zeugtnus geben. Wenn
wir gleich all auß dem closter lüffen, wir kuntten nit darumb yderman
dinstper sein, haben warlich im closter mit wart[16]) und dinstperkeit un-
tereinander genung zu schaffen, dan wir vil alter, krancker swester ha-
ben, die aller wart und gutheit nottürftig sind, die auch gelyder Cristi
sind, der sich wirt annemen, was in beschicht, darumb wir das fur einen
gemeynen nucz halten und achten.

E W weiß, wie wir mit unßerm haußhalten umbgen, unßere clayder
mit unßern henden machen, darmit wir uns und ander beclayden mu-
gen. Ob wir auch die jüngent unterweyßen oder nit, mag man an den
dreyen töchtern erfarn, so von uns hynaußgenümen sind, als das wir nit
sehen, ob wir geleich all auß dem closter komen, das wir mit dinstper-
keit des nechsten mer küntten thun den ycz, wir künen [Bl. 57] ye nit
yderman dinstper sein oder mer thun, denn wir vermugen, wem solten
aber die alten mütterlein und vil andern, die geprechlich sein, die selbs
aller genaden bedürffen? Darumb suchen wir nit allein unser heil, sun-
der auch des nechsten, sind aber dar zu wenig, das wir dem gemaynen
haüffen genung thun. Wir achten aber, wen yderman dem andern thet
wie wir untter einander thun, es wurdt eins ytlichen nach nottürft ge-
wart. Wir wissen wol, das wir nit fur ander leut fasten künen, aber fur
ander leut künen wir wol arbeiten; peten fureinander lert uns die h[ei-
lig] geschrift an vil örtten und we uns, wen wir des negsten vergessen
und allein unßern nücz suchen.

Der ceremonia halb hoffen wir, wir wissen uns wol zu halten und
gesten des, wer mer auf menschen gesecz[i]) helt den auf die gepot gotes,
der irt sich. Aber erber, zymlich ceremonien und ordnung umb fryd und
eynigkeit zu halten, achten wir nit fur unrecht. Man sicht ycz wol, wo

---

[14]) Versöhnung   [15]) nur   [16]) Pflege

---

[i]) „gesecz" fehlt in H

112

nit ordnung ist, was darauß volgt. Es ist auch war, das der herr Cristus und die h[eiligen] aposteln genungsamlich gelert haben, wie aber das gehalten wirdt, ligt auch am tag. Unrecht ist alweg unrecht, es sey geleich in ceremonien oder andern. Hoffen ye, es gescheh nichcz unerberlichs oder unordenlichs unter uns, dann sunst unmüglich wer, das fryd und eynigkeit unter uns wer, die vil leutten, wie wir teglich erfarn, leydt ist und, wen sy neürt[17] vil poß samen unter uns künten seen, aufrwr und widerwertigkeit unter uns machen, so maynten sy, sy heten got ein dinst und wolgefallen thun, warlich nit auß gütten grünten oder prüderlicher lieb. Aber yderman will neürt allein das ander gen himel pringen und doch selber nit darnach trachten. Ist nichcz leichter denn ander leut straffen und irn mangel sehen[i] und nichs schwerer denn sich selbs[k] unstrefflich halten.

Des gelubts halben hab ich E W hievor[18] unser gut beduncken anzaigt. Ich pin im zu wenig, das ich das disputirn kun, ich wil es hochverstendigern, denn ich pin, befelhen. Ein teil sagt, beleib man in dem closter, so sey man des teüfels, der ander sagt, kum man herauß, so sey man des teufels und wie man thut, so ist es nit recht. Man sicht wol, was nücz oder erberkeit darauß ervolgt ist, das frawen und man also auß den clostern geloffen sind, was frücht es gepracht hat, werd wir[l] zu zeiten innen mit großem clagen und waynen derselben person, der etlich schyr verzweyfelt haben; sagen, man hab sy auß dem closter betrögen, gar nit ir sel heil gesucht, sunder ir gutter; ycz sind sy verlossen[m], acht ir nymant, künen sich in dißer [Bl. 57'] stat nit behelfen. Kumen sy denn hinauß, so sind sy leibs und lebens nit sicher. Ist nichcz verschmechterst den außgeloffen nunen und munch. Wen wir solch jemerlich clag und verzweyflung hörn, get uns die zu herczen, dan sy nit das zeitlich, sunder das ewig, nit den leib, sunder die sel betryft.

Aber, w l herr, keinen menschen auf erden, er sey, wer er wöll, wir[19] ich mir das verpietten lassen, das mir der eingeporn sun gotes nit allein erlaubt, sunder auch geheyssen hat, ich wird[20] mir kein creatur das zu sunden machen lassen, das mir das unschuldig lemlein gotes, das aller welt sundt hynnympt, vermant hat, den vater zu pitten in seinem nomen umb alles, das mir nott ist. Hat uns auch verheyßen erhörung unßers gepets, was wir den vater pitten in seinem nomen, das wöll er uns geben. Nun pin ich der genaden gancz nottürftig zu halten meine gelub, in dieselben genad hoff ich, wöll und mug meine gelub halten; das es auch nit wider got sey, nit auß mein aygen krefften, sunder in dem, der alle ding vermag, von dem s. Paulus spricht, ich vermag alle ding in dem, der mich sterckt. Auf den will ich mit der hilf gotes verharrn, wird villeicht mitler zeit außfündig gemacht, was das pest sey, dem müßen wir darnach all volgen. Unßer won[21] sol, ob got wil, nit

---

17) wie 12   18) wie 1   19) werde   20) wie 19   21) Glaube

i) „irn mangel sehen" fehlt in H   k) „selbs" fehlt in H
l) „wir" fehlt in H   m) „verlossen" bis „so sind sy" fehlt in H

falsch oder unrecht sein und sich auf[n]) nymant anders den auf den gekreuczigsten [!] Cristum verloßen. Uns kan nymant in unßer hercz sehen noch uns urteiln, das wir ein poppel[22]) im herczen haben und falschen won; allein got, der herr, der ein erkenner ist aller herczen; auß den früchten erkent man den paum; dapey laß ichs beleiben.

Als aber E W sich auf schreibens des doctors verwundert, wie ich so dürstig sey, das ich meinen swestern erlaubt hab auß dem closter zu gen und arguirt und beschleußt darauß, ich weiß nit was, dann ich solchen scharpffen dingen zu wenig pin, aber E W hat vergessen, so wayß der gut herr villeicht nit darumb, das ich das nit von mir selbs gethun hab, sunder auß betrang und eins e[rbern] rats geheyß und mit den clarn außgetrückten worten, wiewol ich sy ledig zel alles des, so sy meiner person pisher pflychtig sein gewest, wöll ich doch dapey protestirt haben, was sy got, dem almechtigen, gelobt haben. darein wöll ich mich gancz nit schlagen, wan mir als einer creatur nit gezymen wöll aufzuloßen, was got, dem almechtigen, gelobt sey. Das haben die 2 hern wol gehört, die von rats wegen darzu verordent sind gewest, desgleichen, das wir ein ytlichen, die [Bl. 58] nit gern pey uns beleyben wöll, erlaubt haben, hinzugin, wo sy wöll. Ist auch geschehen mit den furwortten, das ein ytliche got darinnen vor augen hab, wie solchs in ir gewissen vor im zu verantwurtten wiß, darumb diß scharpf argument nit stat[23]).

Das aber ein ytliche freuntschaft[24]) macht hab imant, der zu seinen tagen kumen[25]) ist, auß dem closter zu nemen oder wider seinen willen mugen notten, das glauben wir gar nit und zuvor[26]), wen es geschicht von hoffnung des genyeß[27]), wie dan ycz vil vor augen. Ich will nit von vater und muter reden, die ein größern gewalt möchten haben den schwester und anderweit freunt[28]). Ich loß dieselben, was sy thun verantwurtten. Der obrikeit haben wir kein moß zu seczen, künen uns auch gewalts nit erwern, sy hat uns aber zugesagt, sy woll nit gestatten, das ymant[o]) außerhalb vater und muter betrangt werd. Hoffen, man werd uns das auch halten. Wir sind, ob got will, noch nit in geferlickeit waßers und fewrs, das man uns also pey dem hor[29]) heraußzyehen soll[p]). Wen wir schentlich döchter wern, möcht solchs villeicht stat haben, dieselben lest man aber unbekumert; allein geht es uber uns, dann wir sind, wie man sagt, vil erger dann dieselben. Das befelhen wir got, der wirt urteiln und nit die menschen. Die leut künen nit so vil von uns sagen, man fyndt ander[q]), die sagen noch vil ergers von denselben und urteylt yderman den andern und sich selbs nit.

Wir versehen uns auch nit, das uns got sein hylf versagen werd, den nymant wird verloßen, der seiner hylf von herczen begert, zuvor in den dingen, die nit arg, als die vil leut gern wolten machen. Geloben wir

---

[22]) Poppel (Nasenschleim)   [23]) steht, standhält   [24]) Verwandtschaft
[25]) der zum vollen Gebrauch der Vernunft gelangt ist
[26]) besonders   [27]) Nutzens   [28]) wie 24   [29]) wie 11

---

[n]) „auf" bis „anders" fehlt in H
[o]) nymant   [p]) wollt   [q]) anher

was, das wir nit halten kunen, wirt die unmüglickeit selb und ist ye
war, das yderman ein richter hat, wie ir schreibt, der uns alle richten
wirt. Wer guts hat[r]) gethun, wirt nach den wortten unßers hern in das
ewig leben eingen, wer aber poß gethun hat, in das ewig fewer.
Damit will ich mit dem kürczesten E W auf doctor Venczels schrei-
ben geantwurt haben. Ich weiß, das ich im zu wenig pin, das ich alle
ding nach nottürft verantwurtten kün, hab ich mich dann etwas uber-
gryffen als ein plods[30]) frawenpild, so verzeicht mir das umb gotes wil-
len und habt uns genczlich darfur, das wir ye gern recht wolten thun
und das unßer maynung gut ist, das wir aber yderman und in allen din-
gen, die uns unser gewissen versern, gelauben und volgen sollen, will
noch nit in uns. E W hat mir etwan den Zwingel[31]) und ander ser ge-
preyst, volget wir dem, secht, wo er uns yczunt mit dem sacrament hyn-
füret und muß dennoch alles das wort gotes und clar ewangelium sein.
Die prediger zu Stroßpurg, als ich geleublich bericht pin, wir [!][s]) halten
yczunt von Cristo nit anders den von einem andern [Bl. 58'] menschen.
Solten wir in volgen, würden wir aygentlich nit recht farn. Man mag
aber sprechen, man sol der warheit und der geschrift volgen, es will
aber yderman war und recht haben und praucht yderman die geschrift
fur sich und will keiner dem andern weichen und ist noch kein endt dar-
an. Wir befelhens hochverstendigern denn wir sind, mitlerzeit wöllen
wir uns des fleyßen, das wir am unstreffligsten achten und halt uns eyg-
entlich darfur, was wir westen, das am rechsten wer, dem wolten wir
am liebsten volgen. Irren wir uns aber in etwas, ist uns ye leyd, wir
wissen aber, wie wir im thun, so kun wir im nit recht thun, so vil irsal
ist yczunt verhanden. Got geb uns armen menschen sein genad! Amen.

10. Ankündigung des Besuches Melanchthons (Kap. 46—49)

Brief des Pflegers: Ankündigung des Besuches Melanchthons — Dessen
Charakterisierung durch den Pfleger

Hs. D, S. 57 unten, durchgestrichen, aber noch gut leserlich = Hs. A, Bl. 58';
der Text folgt jetzt Hs. D.

Darnach umb Marthini begeret der pfleger an mich, ich solt im ver-
gunen, das er mit her Philippus Melonthon[1]) [!] zu mir kom, der fast[2])
ein gelerter mann was von Witenberg.
Genad und frid von got, unßerm vater! Erwirdige fraw!
Ich wurd abermols durch den geist bewegt euch zu schreiben, das
sich zutragen hat, das ich numer[q][3]) zwir[4]) mit herrn Philipus geßen[5]),
ob welchs person ich groß verwundern und under andern vermerckt,
das er ydesmals zu myteln[6]) genaygt; mit was großem glymf[7]) und tu-

---

gent solchs geschicht, davon kan nit genung geschriben oder gesagt werden. Nun hab ich als der ye sein trew und lieb nit gern von euch seczen[b]), sunder wie müglich wer, genaigt zu fudern und hanthaben genaigt, euch das abermals nit wollen verhalten, ob villeicht got euch in synn wolt geben mit im, als den ich ein schacz der kristenheit acht, wie er dann auch von widertayl[8]) geliebt und[c]) zum wenigsten nit gescholten wirt zu reden und, wo es nit anders wer, das ir doch allein mit im geredt oder[d]), wie eczwan das gelieben[9]) wolt, damit doch gesechen und gemerckt würdt, das ir solch dapffer leut nit so gar ring[10]) achtet, dann warlich die seligkeit nit in munchen und ir aygentlich vergebens auf messiam wart; der will gotes wirt aygentlich wider solch secten würkken, wie ich den teglich im werck, auch pey den grösten heubtern, spür. Damit vil taußent vil nacht und seliger zeit!

Caspar Nuczel, der elter.

K a p i t e l 47

Zustimmung der Äbtissin zum Besuch Melanchthons — Antwort des Pflegers — Ankündigung der Zeit des Besuches — Antwort Wenzel Links auf die Stellungnahme der Äbtissin zu seinem Unterricht

[Bl. 59] Diß begern des pflegers schrib ich im zu, er möcht mit herr Phylipus zu mir komen, wen er wolt, ich begert aber, das sust nymant mit im precht; darauf schrieb er mir dißen prif:
[Hs. D. S. 55 = Hs. A, Bl. 59]

Genad und frid von got, unserm vater, und seinem eingepornen sun, unßerm herrn, sampt meinem muglichen und willigen dinst zuvor! Erwirdige und recht geliebte swester in Cristo!

Mit was frolichem herczen ich ewr kleines priflein entpfangen, darin ir mir zulaßent[a]) herrn Philipum Melonthon mit mir zu[b]) euch zu pringen, das kan ich nit genungsam schreiben; das ich euch aber derhalb on anwurt pisher gelaßen, ist die ursach, das ich selbs zu im nit hab kunen kumen, aber doch zu im geschickt und zum fleyßigsten piten loßen sich mit mir zu seiner gelegenheit zu euch zu verfügen[c]), derhalb der antwurt von im gewest, das er sich dißer sachen halb zu wenig acht, aber doch als der gehorsam erfodert, erscheinen und got umb genad verdrauen, mir auch stundt und tag heymstellen wöll.

Nun hab ich, wiß got, nit stat finden künen und doch dem widerkrist nit alle verhinderung zulaßen wöllen und mich entschloßen, ob got will, so auf heut ein hochzeit auf dem rathauß ist, wiewol ich dieselben zeit in der loßungstuben[1]) sein solt, mich des zu entledigen und mit im

---

8) Gegnern   9) belieben   10) gering
1) städtische Finanzkammer

---

b) in D unleserlich, in A „seczen"   c) „und" fehlt in A und H
d) Die Fortsetzung des Briefes fehlt in D, der Text folgt jetzt Hs. A, Bl. 58'.
a) „zu lassen" in A und H   b) „zu" fehlt in H   c) „fügen" in A und H

nachmitag zu euch in das peichthaus zu kumen; der end^d) allein er und ich sein und ich auch gern abtretten wil, wie euch das alsdann am pesten gelieben wirt; dann mir leid wer, das durch mich eczwas verhindert wurd. Wo wir aber nit werden kumen künen, so will ich euch das ansagen laßen.

Ich hab ewr antwort auf doctor Wenczels mir gegeben unterricht auch entpfangen und nit laßen kunnen demselben doctor solchs guter meynung zuzuschicken, der mir darauf wider antwort an euch zugestelt, die ich geleßen und abermals nit onangenem gefunden; auch sein erpietten darin auß grunt seines herczens get, nit unkristlich verstanden, darumb ich euch^e) die guter und getreuer meynung zuzuschicken nit hab wollen underlaßen auß grunt meines herczens got, den almechtigen, pitten, er wölle seinen geist darinen genediglich verleichen, damit darauß verner sein will, lob und des negsten peßerung volg. Amen.

Damit pin ich euch in cristlicher lieb verpflicht und zu dynen gancz willig und wol geneigt

Caspar Nuczel, der elter.

Kapitel 48

Zweiter Unterricht Wenzel Links: Bitte um richtiges Verständnis für seine Belehrungen, diese stützen sich nur auf die Hl. Schrift — Man könne nicht auf ein Konzil warten oder sich nach den Aussprüchen der Gelehrten richten — Den Einfältigen sei das Evangelium geoffenbart worden — Keine Sorgen wegen des Ungelts und zeitlichen Auskommens — Die Liebe muß auch die Irrenden tadeln und strafen — Die rechte Heiligenverehrung — Die Absonderung und die Gelübde können nicht aus der Hl. Schrift oder dem Beispiel der Apostel begründet werden

[Bl. 59'] Des Venczels artickel das ander¹) mal.

Gotliche genad durch Jesum Cristum wunsch ich euch alczeit bevor mit erpietung meiner willigen dinst, wirdige liebe domina!

Mir ist furkumen ewr schreiben, so ir an den e[rbern] hern Casper Nuczel auf etlich meine artickel gethun, derhalb ich verursacht mit wenigen worten ein kleine antwürt ze thwen mit fleißiger pitt, ewr lieb wölle solchs freuntlicher cristlicher maynung annemen und villeicht etwan zu vil oder wenig zu scharffe oder dergleychen wort euch bedunkketen, darauß kein entsecen nemen, auch den ganczen handel nit anders denn zum pesten deutten. Got, der alle herczen erkennet, weiß mein gemüt hyrinnen. Ich habe seiner genaden entpfunden, des ich im nymer mer verdancken mag und wölte got, ich möcht euch und allen andern solche gnad wol kunt machen und zu heil dynen, wolt ich von herczen gern thun. Erkenne mich des auch pflychtig, desgeleichen ich auch fur

---

¹) zweite

---

^d) „und" in H   ^e) „auch" in H
Das Folgende enthält nur Hs. A

auch bemelten hern Casper Nuczel also vermerckt hab, das erst^a) recht
cristlich und trewlich^b) euch meynet. Ir habt mir kein laydt gethun, des-
geleychen wayß ich mich nit zu ewrn und andern clöstern oder ordens-
personen allhie zu Nurmberg, das mir ye leides von inen widerfarn sey
und ob es gleich geschehen were, ichs auch weste²), dennoch wolt ich
nit, das in leyd widerfüre, sunder als^c) und mir müglich zum pesten ver-
holffen sein, es wirt mir auch mit warheit nit nachgesagt werden mü-
gen, das weyß ich mit guttem gewissen vor got zu reden. Ob man aber
etwan mein und der andern predig deute ßam^d)³) suchen wir der andern
schmah oder schande, fychtet mich wenig an, dann ich weiß, das der
sathan auch gotes wort verkeret, des antycrists reich sollen und wöllen
wir Criste zu eren mit gotes hylf bekriegen und widerfechten, auch nit
wider die menschen, sunder wider die lyst der schlangen und poßheit
des sathane schreyen mit lieb der menschen und haßen der laster; man
zeig Paulum und die apposteln auch, wie sy zu aufrwr und beschedi-
gung der menschen predigten. Die liebe ist nit arcwenig, hyrumb ich
mich zu euch versehen will, ir werdet dißes und das vorige mein schrei-
ben one argkwon zum pesten deuten. Es ist nit on, so ich ver- [Bl. 60]
meynt hette, das es uberschickt und euch zugestellet sollte werden, hett
ich im ein andere form geben und nicht schlechts⁴) nottel⁵) weißen^ⁱ)
bleyben lassen, dann ein kurcze schrift nit allenthalben gleich gedeu-
tet wirt. Ob ich auch gleich mer dißer schrift euch nit allenthalben se-
tigen würd, wöllet im pesten annemen, dann in solchen oder unmüglich
ist so große sachen got und die gewissen betreffende mit kurczer
schrift verfassen, ydoch pin ich urböttig⁷) mundtlich davon, wie dan das
ewangelium will gehandelt werden, so vil mir got verleyht zu unterre-
den und sampt euch die warheit gottes zu erkünden, wie wir dann von
den cristen der ersten kyrchen leßen, die nach innen das wort auf gancz
willicklich^e) und forescheten [!] teglich die geschrift, ob sichs also hielte.
Wan ir unßere lere schellten wolltet und fur unrecht achten, würde nit
stat haben, es sey dann, das ir zuvor die annempt und mit fleyßiger
durchforschung erkundet. Wo aber wir das papistische weßen schellten,
haben wir genugsame erfarungen und wissen, was es sey. Wöllten auch,
das es andern leutten sampt uns er⁸) benentten^f), damit allenthalben den
selen geholfen und nymant beleydiget möcht werden. Mugen wol sa-
gen, ist unßer ewangelium verdeckt, so ists in denen, die verlorn wer-
den, verdeckt, untter welchen der got dißer welt verplendt hat der un-
gelaubigen syn, das in nit scheinet die erleuchtung des ewangeliums von
der clarheit Cristi. Wir wöllen eintrechtiglich got pitten, das er von uns
hinwecknemen wölle den vörhangk und getrewlich in cristenlicher liebe

---

²) wüßte   ³) gleichsam als   ⁴) schlicht, einfach   ⁵) Merkblatt, Notiz
⁶) Weise, Form; Sinn: In Form einer einfachen Notiz
⁷) erbietig, bereit   ⁸) eher ?

---

^a) „er's" in H   ^b) „mit" in H eingefügt, Lücke im Text für 1 Wort
^c) „in" in H eingefügt   ^d) „span" in H
^e) „namen" in H eingefügt   ^f) „erkenneten" in H

miteinander suchen und erförschen die warheit. Schewet euch in dißen falle vor mir gar nichcz, des gleichen will ich auch thun. Es trifft nit unßer aygen ding, sunder Cristum, unßern hern, an; wir sollen nit zweyfeln, er wirt uns hyerinnen peysten, wie er selber sagt: wo ir zwen oder drey versamlet sind in meinem nomen, da pin ich mitten untter in.

Ir mügt ewr thwen nit ferner erhalten dann als ferr ir durch die gotliche schrift und wort Cristi[f1])... thwen teglichen wir auf unßern teilen auch, gotes wort soll und muß hyrinnen unßer richter sein, dan das hat allein in den gewissen zu regeren, dem muß wir allein unßere herczen eroffenen und nit die oren verstopffen als die notter[9]), so den beschwerer nit hörn will. Es ist auch nichcz gesagt, wan man spricht [Bl. 60'], ya sy deuten die schrift ein yder nach seinem gefallen, machen deshalb selbst partheyen untereinander, wie wir dann yczunt erfarn pey Carstadt[10]), Zwingel usw. Nun ists den einfeltigen darinnen zu urteiln unmüglich, darumb wir erwartten mußen, pis das die ding entscheyden werden im concilio oder von hochverstendigen leutten. Dann wo sollten dieweil die einfeltigen pleiben, wann sollich erleuterunge verzogen wirt, wie küntten sy sych hütten vor den falschen prophetten und keines frembden styme dann nür Cristi hören? Leret doch s. Paulus, wir sollen alle ding probiren und, was recht ist, annemen; darzu spricht Cristus, das der vater das ewangelium den einfeltigen offenware; hyrumb kein außzug noch aufschub stadt hat, werden wir trewlich miteinander süchen, dem wort gottes allein die ere geben und nit freffelich auf unßerm won beharren, so werden wir die warheit fynden; das helf uns got allen! Amen.

Hyrzu aber solltet ir euch fur ewer person dester gutwilliger fynden lassen hydangeseczt alle natürliche vernüft und aygen gutduncken, dieweil ir für andere selen auch verpflicht seyt dieselbigen zu der erkanntnus gotes und warn liecht zu pringen; demnach will ich aufs kurczist zu ewrn schreiben antwürtten als vil ich yczunt bedacht.

Erstlich lasset euch nit bekumern des ungelt oder andere gemeynen pürden, dann dieweyl unser herr Cristus mit wortten und exempeln uns befolhen hat der obrikeit solchs zu raychen, sollen wirs gehorsamlich thwen in solchem glauben, es werdt darauß uns nit mangeln. Seine wort ist so krefftig, er wirt die gelaubigen und gehorsamen seines worts erhalten durch frume leut und, ob die menschen nit wern, anderley weyß, wie es Helyam[11]) wunderparlich ernerete durch den raben und ein wittiben. Es ist in dißem punct gancz clar, wie widerwertig das papistische, geistliche beßen[12]) Cristo sey mit den gewaltigen privilegien, exempcionen und befreyungen. Ir werdet auch mit der geschrift nit erhalten, das aynigerley sorgfeltigkeit sey zugelassen; es ist bayde, die uberflüßige und nottörfige verpotten, da Cristus spricht: Ir sollet nit sorgfeltig sein umb leibs nötdürfft in essen, trincken, kleydern oder was zu der

---

[9]) Natter   [10]) Karlstadt   [11]) Elias   [12]) Wesen

[f1]) Lücke im Text, 1—2 Worte fehlen

nottürft gehört; item s. Paulus: Sorget nichts, sunder in allen dingen pittet got. Allein umbs reich gotes und der selen heil sollen wir sorgen, wie wir einander darzu fudern mügen. Zeitliche ding sind zu wenig, das wir darumb sorgen. Arbaytten sollen wir [Bl. 61] darnach und dieselben zymlichen weiß, nachdem ein yder gnade von gote hat, erwerben, erhallten, zuberytten, außteiln und gepraüchen. Also muß man die speiß kochen, die kleyder machen, die hewßer pawen, aber nit darumb sorgen oder im herczen darumb bekümern, dann als vil wir das hercz darauf legen, also vil entzychen wirs got und geben im nit vollen raum darinnen. es ist recht, das wir got pitten solich verdamplich ubel von uns zu nemen pis so lange, das er nach dißem leben auch die arbeit und das manigfaltige ubel, on welchs dißes leben nit sein kan, hynwegneme.

Die liebe duldet alles, aber nit gottes unere und der sele schaden, umb⁹), wo sy die spüret, da straffet, schyldt und weret sy nach all irm vermügen; also heyst sanctus Paulus einen ydem prediger: Predig das wort, halt an, es sey czur zeit oder zur unzeit, straffe, bedrawe, ermane. Ja, er leret, das man die verfürer und widerspenstigen scharff straffen oder schellten solle, auf das sy gesundt sind im glauben. Also befylht got den predigern daz ewangelium durch den prophetten Osee: Rychtet ewre mütter, richtet sye darumb, das sy mein wort verlest und irem gutdüncken und menschenleren anhanget. Also straffete Cristus mit der tadt, die gottes hauß befleckten und gewissen der menschen vermailigeten¹³), nachdem geschrieben was: Der eyfer deines haußes hat mich fressen. Ja der h[eilig] geist straffet die welt vom maysten pis auf den mynsten, nymant außgeschlossen, der doch ein geist der lieb und der gutigkeit ist, wie solt dan dy liebe nymant schellten oder unpillichs dulden. Man darff aber darumb nit allein wʰ) ... oder schellten, sunder allein gotes wortten, (es predige die, wer do wölle und wie er müge mit glympfe oder unglympfe¹⁴), freuntlich oder ernstlich), glauben und volgen und peyleib die speyßen von des gefesses wegen nit verachten oder verwerffen, es sey im angenem oder nit, es thwe im woll oder wee, es sey wider sein gewissen oder nit, wiewol kein gewissen nit ist, sy sey dann auf gottes wort gegründet; daz ander sendt¹⁵) yrr w[on]ⁱ) ... und lauter gespenste.

Ich will nit abschlagen, ir wissent, wie ir Franciscum und andere heiligen sollet halten, doch nit dester mynder zaygen die pettpucher an, das man sie als furpitter und mitler helt zwyschen got und uns, solichs ein öffenlicher irsall¹⁶) ist, dieweil die schrifft sagt, das nür ein mitler ist zwischen got und dem menschen, nemlich der mensch Jesus Cristus, der [Bl. 61'] sich selbs geben hat fur yderman zu erlößung, der ist allein der mitler des newen testaments, darumb, das allein durch Jesum ent-

---

¹³) befleckten   ¹⁴) passend oder unpassend   ¹⁵) sind   ¹⁶) Irrtum

---

⁹) „darumb" in H
ʰ) „w[yden]" in H eingefügt, Lücke im Text
ⁱ) „yrzwo ..." in H, Lücke im Text

pfangen werden die verheyßung gotes. Die heiligen sindt uns von gote darumb furgeseczt, daz wir in in[17]) erkennen und sehen sollen gotes wirckung und genad zu trostüng und sterckung unßers glaubens. Als wann ich sehe, was oder wie der ewig got in s. Petro, Paulo, Francisco, Angnete, Lucia usw. gewirdiget, in allem leiden gestercket, mit allen gaben erfüllet habe, soll ich got loben und dancken, meinen glauben auf Jesum festiglich stellen und ungezweyfelet sein, er werde mich auch nit verlassen oder mir auch seine gaben gnediglich mitteiln, wie er innen gethun hat, dann seine hand ist nit verkurczet, er vermag noch alle ding.

Ich bekenn frey, das ich im heiligen dinst gröblich geyrret hab, wie ich dan viel möcht anzaygen mundtlich, das die schrift von kurcze wegen nit duldet. Ich dancke auch got, meinem herrn, der mich hyrinnen untterweyßet hat. Mag auch wol leiden, wo es euch nit verschmehet, das ir an mir armen ein exempel nempt, seinen genaden on zweyfel er wirdts euch nit versagen, sehet nür zu, daz ir ewre wort nit auß hyczigen gemüte flyeßen. War ist, got vereret alle diener Cristi und wirdt sy am jüngsten tage ewiglich eren, wir sollen auch dieselbigen nach inhalt der schrift gotes so die elltern, öbern herren auß pflicht der untterthenigkeit und alle andere menschen auß cristenlicher liebe zu eren, doch unverleczt der ere, die Cristo alleine zustet. Nun weiß man, das die papisten gemaynlich die verstorben heiligen als mitler eren, der lebendigen, die got haben will, verachten, derenhalb ich in gemein davon rede. Nun möcht es auch wol sein, wirdige liebe domina, das etwan untter euch wern mit solchem irsall[18]) verhafftet, obgleych ir fur ewre person oder andere sampt euch hyerinnen berichtet weren, ich wayß, wie ich geyrrt hab, dan ich merer vertrawen oder ye so vil auf Barbara, Katherinam, Nycolaum von Tolentyn[19]) und andere heiligen wan auf Cristum geseczt habe, wie dann in der nodtzeit, kranckheit, anfechtunge sich ereügenet hat, so wayß ich auch wol, wie uncristenlich man das volck darauf gewisen hat. Hyrumb schawet eben auf, es wirt euch nit entschuldigen [Bl. 62] im glauben, ob vil großer leut noch glauben, was recht ist; es muß ewrer vernuft, willen und gewissen dem wort gottes untterdenig und gefangen werden, obs wol die menschen nit nötten mugen, alsdann wirt der stachel im gewissen aufhören, aber sust nymermer.

Mir were leidt, das euch irgenterley geczwangk oder uberlast gescheen sollte. Es wirdt auch one zweyfel ein erber rat solchs nit gestatten, viel weniger euch mit gewalt vertreiben, ir dürft da[r]ob nit sorg tragen, darzu rustetet euch, das ir ewers glaubens grunt in der gotlichen schrifft habt und ewre gewissen one wangk sein, auf das nit gotes wort wider euch fechte, wie der herr trewlich vermánet: Sey wilfertig deinen widersachern[i1]) . . . , dieweil du noch mit im auf dem wegk bist, darzu arbeytet man; ich wil auch verhoffen, ir werdet euch hyrinnen der gebür

---

17) ihnen   18) wie 16   19) Tolentino

---

i1) Lücke im Text

erczaygen. Wann nun befunden würde grüntlich in der schrift, das etwan eusserliche breüche pey euch nit nuczlich, pesserlich oder cristlich weren, ob irs gleich nit erkennet oder in ewrm gewissen befündet, sollet ir dennoch andern leutten volgen und der warheit gruntlich volgen; auch kein beschwerdt haben, ob man euchs nit gestete[20]), dan ferr[21]) irs mit gewissem grundt des götlichen worts (dann wider und davon, ob got wöll, euch nymant dryngen wirt) erhalten kundt, dann dieweil ir bekennet, es sey nymant so klug, der nit zu zeiten betrogen werde, sollet ir ye wegern[22]) trewlich sampt uns die warheit zu erforschen.

Das ir ewer absundern nit fur unrecht haltet, ist aygentlich unrecht und ein irrsall[23]), dann die schrift straffet, die sich selbs absundern von gemeiner cristenlicher samplunge[24]), darzu Cristus spricht, wir sollen nit glauben, so man spricht Cristus sey in der wüstene oder in der kamer, dan das ist der stück eins, dardurch auch vil grossen heiligen untter guttem schein betrogen sein worden. Ein cristenlich leben ist nit gespönet[25]), sunder geet frey daher, das man untter die welt tretten, Cristum offenlich bekennen und die leute zu Cristo bringen, wie er selber sagt, man zündet ein licht nit an, darumb, das mans untter ein schafi) stürcze. Es sunderten sich auch die apposteln und andere glaubigen nit von den cristen ab, sundern nür von den ungelaubigen, machtenten auch dardurch kein versperrung noch verstryckunge, sunder gyngen frey hynauß allenthalben gottes wort zu predigen und zu hören, auch sust die leüt zu trösten. Wen absunder- [Bl. 62'] unge recht were, so wurde man kaum bessere leut fynden wan die Pygkhardten[26]), die ir thwen fast auf bemelt[27]) exempel der apposteln grundten. Ydoch wie dem allen, ob man gleych czymlich und wol weyßam lebte, muß man aber vil umbstende bewegen, dan auß ferlikeit und schanden kompt nemlich, das man maynet, es sey peßer dan gemayn cristenleben, derenhalben auch die geistlichen ir leben ein standt der volkumenheit nennen. Item das man verhyndert wirt an der ubunge cristenlicher liebe oder göttlicher gepott, darzue verstegkunge[k]) nit allein des leibs, sunder auch der gewissen und der gewissen [!].

Das gelubt kan man nit andern leütten heymstellen, es muß ein yder gewiß und sycher sein in seinem aygenen gewissen, dan ein yder wirt sein aygne bürde tragen. Hyerumb, mein wirdige, liebe domina, werdet irs nit künnen auf die hochverstendigen schyben, es ligt auf ewrn gewissen. Duldets auch die prifsmasse nit wol genungßam darvon zu schreyben, will aber gern davon insunderheit mit euch schrifflich[!] oder mundtlich handeln; in summa, wenn man mir beweren[28]) wirt, das die clostergelöbt got gescheen, so will ichs widerumb annemen und mich

---

20) gestattet   21)sofern
22) begehren, von Höfler als „weigern" aufgefaßt und daher „nie euch" eingefügt
23) wie 16   24) Gemeinschaft   25) eingespannt, eingeengt   26) Begharden
27) erwähnte   28) beweisen

---

i) „scheffel" in H
k) „verstrykunge" in H

straffen lassen. Gote thwet man nichcz, man hab sein dan gewyeßen grunt auß seinem gotlichen wort oder befelh, dann wie kan ich im gelauben etwas thwen oder wie kann ich wissen, das ein ding gote[l]) wöllgefalle oder erelich[29]) sey und angenem, wo ich nit sein wort habe, dardurch allein gottes wille uns offenbar wirt. Nun will ich gerne den sehen, der mir diße gelubt auß dem wort gottes anzaygen wirt, dieweil das gancz ewangelium und newe testament gar nichcz von gelubten wayß. Wan ich mir nun ein gewissen mache des verdinsts oder der sünde ob einem dinge, des ich keinen grundt auß der götlichen schrift oder wortte gottes habe, sam[m]) den nür auf plossen gutdüncken oder menschenwan mein gewissen belestige oder tröste, so laß ich ein andern dann got und sein heiliges wort alleine in meinem gewissen regyrn und syczen, das heyst Lucifer neben got oder den antichrist an Cristi stat, den grawell[30]) der verwüstung in der heiligen stat seczen. Hierumb ermane ich umb gottes willen alle gute herczen und getrewe menschen, das sy pey leib und leben in kein sundere oder beschwerung irem gewissen in irgenteinem dinge machen, es sey [Bl. 63] dann in[31]) got sunde oder beschwerunge darob mache und das sy des gewyß sein auß dem wortte gotes, wellichs allein auf dem thron Davidts siczen und in der gewissen regirn soll. O layder, diß ist der große jamer und selentod, den der anticrist untter dem volcke Cristi treibet, und wolt got, das die gewissen frey wern und nymant dann nür gottes wortte untterthan, so lege an keiner speiße, klaydung oder andern eusserlichen dingen gar nichcz. Es thwen alhie nichts zu der sache die exempel der außgeloffen ordensleüt, man fyndt uberall poß und gute vermenget. Die sach trift got mer an und ist kein schercz.

Das ir auch in der erlaubtnuß hinaußzugin die cautel brauchet und protestyrt, ir wöllet sy gen[!][32]) ewrer pflycht ledig zeln, aber nit got, das gilt nicht, dann dißer handel betrift nit die menschen, wie auch die schullerer[33]) selber bekennen, das geloben ein wegk latrie[n])[34]) sey, wellichs alleine got zustet, ein prelat aber ist nit mer dan ein dyener, der von wegen seines hern und gar nit sein selbs halben dy sache handelt. Hyrumb ein grawsamer yrrsall[35]), wen man sprich: Ich gelobe der müter gotes, s. Francisco und dir, muter oder vater. Da legt man der creatur zu, das nah ir selbs lere got allein gebüret. In suma, als wenig in der tawffe der getäuffte dem prister oder dyener, so in taufft, sych verpyndet, sunder got allein, also wenig verpyndt sich auch der professus dem prelatten des closters, sunder gote allein. Er kan auch mit im nit weytter in der gewissen handeln dann als ferne[36]) got befylht. Dieweil aber sy mere zu weyt greyffen, warumb solt nit ein obrikeit oder freuntschafft[37]) den iren czymliche redtunge thwen.

---

[29]) zu seiner Ehre   [30]) Greuel   [31]) wie 17   [32]) muß heißen: gern
[33]) Scholastiker   [34]) latriae, der Gottesverehrung   [35]) wie 16   [36]) wie 21
[37]) Verwandtschaft

---

[l]) „gote" fehlt in H   [m]) „sundern" in H   [n]) „latrin" in H

Ir sollett got pitten und euch das nit verpietten lassen, wie ir schreibt, doch also, das ir im namen Cristi pittent, das ist zu eren, auß befelh und nach der lere Cristi, sunst wirt er sagen: Ir wisset nit, was ir pittet. Nun trachtet, ob got solhe gelübt czu thwen befolhen hab oder nit. Wollet ir euch auf den gecreüczigten Cristum verlassen, so müst ir in seinem wort beleyben und untter keinem gutten scheine darvon weder daruber noch daruntter lassen treyben, dann er spricht: Wo ir in meiner rede werdet pleiben, so werdet ir die warheit erkennen; a sensu contrario, werdet ir euch auß dißer bane°)[38]) lassen treiben, so werdet ir betrogen und verfuret werden.   .

Hiemit will ich kurcz widerlegung ewrs schreibens gethun haben, wiewol von [Bl. 63'] solchen hochen nodtigen sachen gut were vil und weytter zu handeln. Wöllets umb gotes willen freuntlich annemen und got fur mich pitten. Ich such ye hierinnen nit das meine, wolt auch nit gern, das ymant beleidigt, sunder ydermann geseligetᴾ) würde. Ir dörfft weder mir noch keinem andern, sunder allein dem wort gottes gelauben. Verhindert euch etwan die gotlich schrift hieran, so zaigts an und höret wider dargegen, was wir fur schryft furpringen. Handelt und vergleicht in ewrn herczen czesamen, wie die muter Maria thet mit demutigen gebet und herczlicher begirde die warheit gotes czu erkunden unangesehen aller personen. Eygentlich wirt got auch das seine würkken, wo irs aber den hochverstendigen befelhen und mitler zeit nach dem, was euch gut beduncken wollet leben, so schawet, das nit die thwer werde geschlossen. Es ist nit genungk, das euch leyd sey, wo ir in ettwas irret, dann wo es euch ist, so werdet ir trachten des entledigt czu werden. Ob ir den menschen nit kunt recht thun, so vermügt ir doch gote wol recht thwen vermittelst seiner gnaden, die wöll er euch und uns zu seinem lob und preyß verleyhen! Amen.

---

[38]) Bahn

°) „wane" in H
ᴾ) „gefelliget" in H

Kapitel 49

Antwort der Äbtissin auf Wenzel Links zweiten Unterricht: Es sei jetzt besondere Vorsicht nötig, da so viel Irrtum überall in der Welt sei, da von einigen sogar die Gottheit Christi geleugnet werde — Auch die Evangelischen seien untereinander uneins — Verführer und Aufrührer müsse man tadeln und strafen, zu diesen könne man aber die Schwestern nicht rechnen, da sie kaum mit jemandem zusammenkämen — Es habe Mißbräuche in der Heiligenverehrung gegeben, aber daraus könne man nicht folgern, daß diese völlig abgeschafft werden müsse — Klage über die Versagung der hl. Sakramente an die Schwestern, das sei keine wahre Freiheit — Die Gelübde allein machen nicht heilig, aber sie behindern auch nicht im Streben nach Heiligkeit — Sogar in Wittenberg bestünden die Klöster noch und es würde dort noch Chorgebet gehalten — Die Entbindung von den Gelübden durch die Äbtissin habe der Rat angeordnet, die Äbtissin könne nur davon entbinden, was ihr gelobt wurde, nicht aber von den Gelübden gegen Gott — Auch Melanchthon sei dagegen gewesen, daß Schwestern, die großjährig sind, gegen ihren Willen von ihren Angehörigen aus dem Kloster geholt würden

Mein antwort darauf:
Fursichtiger w l herr!

E W hat mir in vergangen tagen abermals ein lange geschrift von doctor Wenczel zugeschickt. Nun hab ich E W vormals angezaigt, das ich zu wenig pin mit so hochgelerten leütten zu disputyrn, so fynd ich auch nit besunder frucht darauß, dann die leut besten[1]), so als vil irrthum vorhanden sind, auf irm vernemen und wo sy das nit thetten, redten sy wider sych selber. Besten[2]) wir den auch auf unßerm furnemen und kunen in unßer gewissen nit pringen alles, das sy sagen, so mußen wir aygensynig sein und gotloß und erger denn ymant. Soll wir dan wider unßer gewissen handeln, das will uns auch nit leidlich sein. Wen der krig[3]) zeitliche ding antreff, solt er pald unßernhalben gericht werden und ob wir halt umb alles das, so wir haben, kumen solten, aber wider das gewissen zu handeln und, da nymant fur uns antwurt geben wirt dan wir [Bl. 64], kan uns nymant verargen, ob wir gemach thun, dieweil so vil hochgelerter leut selber in vil dingen wider einander sind und ein itlicher recht haben will und wayß doch nymant, wie im ist, nit allein wider die, die sich ewangellisch nennen und den pappisten, sunder auch den ewangellischen selbs und wir armen weibspilder sollen eynem ytlichen volgen, was er sagt unangesehen, das uns sant Paulus gelert hat, wir sollen die geist probyrn und das pest annemen. Meins bedünckens ist in vil hundert jarn nye nötter[4]) gewest fursichtig zu sein nach der warnung Cristi: Seyt fursichtig als die schlang und einfaltig als die taub; so vil als irthum vorhanden sind, wan ich wirt bericht, das die von Stroßpurg Puczer, Capito und ander yczo sagen, Cristus sey nit got gewest, sunder ein frumer mensch und also heyß er ein sun gottes; so lassen sich etlich wider tauffen und ist das ding so vil, sollten wir im allen volgen, wir westen nit, wo wir hinauß sollten. Ya, sprich man, volgt den, die die warheit sagen, sy wöllen aber all recht haben und ein

---

[1]) bestehen   [2]) wie 1   [3]) Streit   [4]) nötigen

yder will, er sag die warheit. So sind wir im^a) ye zu wenig den krig^5)
zu entscheyden^b). Got weyß unßer hercz, das wir nit also verstockt sind,
daz wir nit gern recht wollten ·gelauben, aber alle ding gelauben ist ein
torheit, darumb, w l herr, ist es on nott auf das lang schreiben zu antwort-
ten. Thut das der gut herr im pesten, so danck im got, er muß uns aber
ye auch nit fur uber haben^6), ob wir nit von stund an alles das glauben,
das er sagt. Er ist on zweyfel auch nit ein kleine zeit damit umbgangen,
piß er doher komen ist und wer weyß, ob er auch noch in seiner gewis-
sen frey ist. Ich hoff, er werd gegen uns thun als der h[eilig] Paulus sei-
nen Tyhr[. . . .]^c) lert, das ein dyner des hern nit streytten sol, sun-
der senft sein gegen yderman, genaygt zu lern und soll auch die poßen
leyden, ob in got mit der zeit erkanttnus der warheit geben wolt, aber
ycz will ein itlichs das ander nötten zu gelauben und zu thun, was es
will und, wen das nit geschicht, so wil man zürnen, schellten, schmehen,
zuschiben und den leutten layds thun. Ist das der recht ewangelisch weg?
Befylh ich got.

Es ist aygentlich war, wie er schreibt, das wir unser thun nit ferner
erhalten mugen denn got will, es mag aber auch das nit erstort werden,
es wöll den got, dieweil auch unsere hor^7) gezelt sein, des will
gescheh auf ertrich^8) als im himel. Er schreibt auch von den falschen
prophetten, so wayß ich aygentlich, das nymant kan wissen, wer die fal-
schen prophetten sind denn got allein. Carelstat, Zwingel, Puczer [Bl. 64'],
Capito, Icolampadius und ander halten sich auch nit fur falschs [!] pro-
phetten, sunder fur gerecht. Ich wird auch bericht, das Carelstat noch
nichcz widerruft hat, sunder der Lutter, sagt er, hab in nit recht ver-
standen^d). Haben doch daneben auf das hochst aneinander geschmecht.

Der gut herr zaigt uns nach der leng an, das wir nit sorgfeltig umb
das zeitlich sollen sein noch uns des ungelts beschwern unangesehen, das
wir E W hievor unser maynung haben angezaigt und alle sach haben
einem e[rbern] r[at] heymgeseczt. Aber uber das will er uns lern das,
so wir vor gethun haben. Es ligt layder am tag, wer umb das zeitlich
sorgfeltig ist oder nit, aber wenn man schon mit dem ewangelio und
ubergebung der closter conponirt, so muß es merces^9) heyssen und recht,
allein wen wir fur trachten so hoch^{10}) wir an dem zeitlichen, ich hab
kein zweyfel, got werd uns nit verlossen. Schloffen wir aber, so wirt
uns geschehen wie Salomon von dem fauln menschen sagt.

Ich loß geschehen, das man die verfürer und aufrwrmacher straffen,
schellten und betroen solle, wie er schreibt, wir sind aber, ob got will,
dieselben nit, wie uns unpillich von etlichen zugelegt wirdt und auch
gesagt, wir wöllen ein aufrwr machen, darvor uns got behut. Wie künen
wir armen ymant verfurn oder aufrwr machen, so wir selbs schyr von

---

^{5}) wie 3 ^{6}) verübeln ^{7}) Haare ^{8}) Erden
^{9})) merces = Verdienst ? ? ^{10}) hahen = hängen ?

---

^{a}) „mit jnen" in H ^{b}) „unterscheiden" in H
^{c}) „Timotheum" in H, Lücke im Text „Tyhr . . . ." vgl. 2 Tim. 2,24
^{d}) „. . . sunder der lutter sag, er hab jn nye recht verstanden . ." in H

yderman verlassen sind? Wem predig wir und an wen beger wir, das man uns nachvolg? Ya, spricht man, ir wolt, das gotes wort nit annemen. Jo wir, ob got will, sollten wir aber alles das annemen, das man das wort gottes heyst, müst wir villeicht schyr wider von einer seytten auf die andern fallen als etlichen geschehen ist. Ey, spricht man, man sol nymant notten, aber doch nit gestatten, was ist eins dem andern? Meynt E W, wen man uns gleich nit gestat oder betrangt zu etwas, das wider unßer gewissen, es sey die sach damit außgericht? Ya es hebt sich erst, wen das gewissen in sich selb schlegt und befyndt, das es wider sich selbst gehalten hat, so ist es den wol außgericht, wen der mensch gar verzweyfelt; wan er neürt auß dem closter ist, stet alle sach recht. Es felt aber gar weytt. E W weyß, was herr Philipus von dem betrangene^e) geredt hat, dapey loß ich es beleiben. Genotten frewd thet nye recht.

Der heiligen halb hab ich E W auch vor untterricht gethun, was wir gelauben, dapey ich es noch beleiben loß. Ich widersprich nit, das vil misprauch [Bl. 65] in vil dingen gewest sind, der wir uns vil abgethun haben, wo wir die in uns gespurtht haben, das wir aber auf einmal alle ding sollen fallen lassen, auch daz wider unser gewissen ist, will uns dasselb auch nit zulassen. E W waiß, daz die kind von Israel nit auf einmal die ungelaubigen vertrieben kundten und wir sollen auf einmal fallen lassen, das so lange jar hat eingewurczelt und ist wol war, das die zeit ein unrecht ding nit recht macht, es ist aber ein ding darumb nit unrecht, das man es unrecht nennt. Wie vil leut haben wider den Lutter geschriben und in gestrafft, nit allein papisten, sunder auch die von seiner sect in ubel gescholten, aygennüczig und einen heuchler geheissen, solt er darumb darfur gehalten werden, wurd nit yderman gefallen? Im mocht auch daran ungeschehen. Ich wayß wol und all mein swester, das zwischen got und dem menschen kein ander mitler ist dan der mensch Cristus, das man aber die lieben heiligen nit eren sol, wie sy zu eren sind, das acht ich auch nit recht, dan Augustinus, Jeronimus, Cyprianus und ander leren mich ein anders. Will man sagen, dieselben sind menschen gewest und mugen geyret haben, so synd die yczo auch nit gotter^f) und mügen auch irren. Es ist dennoch dißen großen leutten, von der ein teil ir plut fur den cristenlichen gelauben vergossen haben, mer zu gelauben denn den yczigen pildstürmern und heiligenschmehern. Wer mer von Francisco dann von Cristo helt, der verantwurt das, unrecht ist alweg unrecht.

Das aber der gut herr begert, wir sollen an im ein exempel nemen, muß mir E W ye verzeichen. Solt ich im nachvolgen, müst ich auch ein man nemen, so künt ich villeicht kein fynden, dieweil ich alt und ungeschaffen¹¹) pin. Wie müst ich im den thun, solt ich E W anlauffen, das

---

¹¹) häßlich

---

^e) „betragen" in H
^f) „gottes" in H, in der Hs. undeutlich, ob s oder r

mir die einen geb, so het die sunst vil zu schaffen. Jesus Cristus soll unser exempel sein und kein tödtlich mensch, der geb uns sein genad, das wir recht und nit unrecht handeln. Soll sant Augustin und Jeronimus und dergeleichen groß leut verworffen werden, die vor lengst gestorben sind? Künen ye meins bedünckens die nit fur exempel approbirt werden, so noch leben, dyeweil auch ein newgeporn kind nit on sund ist. Wir wollen got pitten, das er uns genad geb, dieweil wir elende, sundige menschen sind, das unßere wort und werck nit auß hyczigem gemüt gen, das er uns auch vor allen wortten und wercken verhütten wöll, die auß einem falschen und possen gewissen gen, der wir gezygen werden. Wir [Bl. 65'] wissen, das wir warheit volgen sollen, aber nit allem geist, der sich fur die warheit außgibt, denn es ist nit alles golt, das do scheynt und nit alles die warheit, das sich fur die warheit anzaigt, wie sich layder yczunt manigfeltig erscheint, wann der schwarcz engel kan sich auch wol tranßfiguryrn[12]) in einen engel des liechts, kan sich wol machen, das er scheint, darumb uns wol nott thut des heiligen sant Paulus lere zu praüchen, das wir fursichtig sind und allein das, so gut ist, annemen.

Das wir aber nit beschwert sollen haben, so man uns nit gestat frey zu loßen, das yderman frey zu lassen ist, sey mir nit schuldig; man will uns yczunt zumessen, wir peichten nit und gin nit zu h[eiligen] sacrament und will uns doch nit gestatten, das wir das nemen, von wem wir wöllen. Ob das nit ein betrangung sey, befelh wir got, und in dem yderman frey ist, sollen wir verpunden sein und nit macht haben zu nemen, wen wir wöllen. Got sey es geklagt, das wir seins heiligen fronleichs [!] also beraubt sollen sein oder genött werden ein gericht[9]) der verdampnus zu entpfahen! Wir bekennen abermals, das wir menschen sind und betrogen mügen werden, aber ander leut mügen auch wol betrogen werden[h]), dieweyl sy als wol menschen sind als wir.

Des absundern halb hab wir E W hievor geantwurt, darpey ich es noch losß beleiben, dann wir ye des nit allein ein exempel von den aposteln haben, sunder auch von sancto Jeronimo und Augustino, den als wol zu gelauben ist als andern. Wir wissen, das uns das closter nit selig macht, es kan uns auch nit unselig machen, wen wir der rechten maynung nachvolgen. Wer auf closter helt, das er dardurch sellig werd, irrt gleych als wol als der, so maynt, wen er nür auß dem closter kumpt, sey er schon selig, es gehort mer darzu. Es sind in dem closter und auß dem closter myspreüch und doch des closters oder der stat schuld nit, sunder der misprauchenden menschen. Es kan dennoch vil dings ordenlichen geschechen in der absunderung dan do man vil anfalls hat, darumb sich auch der allerheiligst von frawenleib geporn, Johannes Baptista, von seiner kindheit an absundert und haben sich die apposteln nit allein von den den ungelaubigen abgezogen, sunder auch von den, die nit in allen

---

[12]) umgestalten

---

[9]) „gericht" fehlt in H   [h]) „werden" fehlt in H

dingen nit [Bl. C6] mit in gemeyn gehabt haben. Die stat gibt und nymt nichcz, darumb sy frey sol sein, ist aber ye peßer, es beleib eins in seinem hawß und closter, denn das es die gancz stat außlaufft und yderman regyrn wöll denn sich selbs nit. Man muß eben als wol die werck der parmherczigkeit in den clöstern beweisen als heraußen als wol man die auch in der welt untterloßen mag, aber wen neür die closter zerstört werden, stund es uberall recht. Ist ye ein wunderlich ding, got hat die gemeynen hewßer verpotten, do man doch offenlich sundt treybt und nymant hat mit denselben armen leutten mitleyden oder gedenckt, wie man sy auß dem sundigen leben pring, allein uns will yderman mit dem hor[13] gen himel zyehen. Wir bekennen, das keuscheit nit yderman von got geben ist, sy ist auch nit yderman versagt, solt man die nit halten künen, so wern alle eefrawen, von den ir eemenner oft ein lange zeit sind, nit frum, das woll aber got nit. Cristus hat uns aber genungt angezaigt, welcher stant der peßer sey, so sind ye die wort des h[eiligen] s. Paulus auch clar, nemlich, das der, so sein tochter verheyrat, nit unrecht thut, aber der thut noch rechter, der sy nit verheyrat. Zaigt das alspald ursach an, derhalb er auch wünscht, das alle menschen wern wie er und, wen es so ein gut ding wer umb heyratten, Cristus het auch wol ein weib kunen nemen, derhalb es pillich frey stet, der mensch verheyrat sich oder nit.

Der gelubt halben hat E W vor auch unßer antwurt. Es ist war, ein ytlichs wirt sein pürd selber mußen tragen, aber wie ist es müglich, das ymants in allen sachen gewiß sein kan. Wir hörn yczunt oft, das nymant ungewisser und unrwriger in seiner gewissen ist den die, so yczunt auß den clöstern gin, das uns on zweyfel auch geschehen würd, wo wir nachvolgten, also das wir nit allein umb daz zeitlich komen würden, sunder auch nymermer in unßerm gewissen rein. Wo wir aber genött werden oder durch pöße mitel und zuschub also betrangt, das wir nymer beleiben künen, muß wir thun, wie got will, der wöll uns gnediglich vor solchen behutten. Guts thun zu geloben, acht ich nit fur arg, poß ding zu thun, auch on gelübt, kan nit gut sein. Ist aber geloben unrecht, so muß das gelüb im dauff auch unrecht sein, zuvor von jungen und unverstendigen kinden. Wir lossen einen ytlichen frey, es halt oder halt nit, was es gelobt hab, wolten aber gern dapey, das man uns auch dapey dem beleiben ließ, das wir mit gotes hilf verhoffen zu halten. Seczen auch in keinen zweyfel, wen wir gleich richter heten und die der sach nit selb verwant[14] wern, wir wolten wol besten[15]. Nun hat ye noch der Lutter selbs kein closter zerstört oder die leüt genot heraußzukomen, man singt und lyst die horas[16] noch zu Wittenberg, als man sagt, ist auch noch ein parfussercloster da, aber hie muß es alles unrecht sein. Geb got, das es auß einem guten grunt gie, wir künen auch wol sprechen, wolt got, das die gewissen frey wern, aber durch solchen wunsch, achten wir, werden wenig frey, sunder vil mer beschwert, so sy nit hal-

---

[13] wie 7   [14] verbunden, befangen   [15] wie 1
[16] das kirchliche Stundengebet

ten, das sy gelobt haben und an im selbs nit arg ist, fycht die gelubt yczunt etlich nit an, es möcht noch ein zeit komen, darinnen sy neyrt zu vil anfechtung haben würden, aber wen eins herauß kompt, achtet es nit, das yderman herauß küm, mit oder on gewissen, gelt im geleich.

Das aber der gut herr aber[17]) mit einem scharppfen argument kumt, als solt ich ein cautel prauchen mit der erlaubtnus hinaußzugen, daran geschicht mir unrecht und er bedenckt nit, das mir solchs von rats wegen gepotten ist und ich darzu genott pin worden yderman seins gelubs ledig zu zellen. Das hab ich thun mußen und, was man mir gelobt hat, dieselb pflycht ledig gezelt. Pin auch nit mer schuldig gewest und fecht[18]) sich der gut herr selbs in dem, das er sagt, dißen handel treff nit dem menschen, sunder got an, als dann die warheit ist. Wie kunt ich dann ymant ledig zeln, der mir nit verpflycht wer und ein ding thun, daz got allein zustet? Auß dem erfyndt ich auch, wie pillich man an mich begert hat, ich sol die s[western] all ir gelubd ledig zelen, die sy auch got gethun haben, das mir aber nit zu thun gewest ist, dan ich an mein selbs sund genungt zu tragen hab. Ein ytlichs probir sich selbs, thw oder loß seins gefallens, es wirt sich zu seiner zeit wol verantworten. Wie must ich im aber noch thun, het ich mich widerseczt sy des gelubs ledig zu zellen, so het ich wider einen e[rbern] r[at] thun; so ich sy aber des gelubs, so sy mir gethun haben, ledig zelt hab, gilt es auch nit, pin ich nit mer den ein dyneryn, wie kunt ich den ledig zellen, das got zugehort. So ich mich aber nit annym, was got gelobt ist, sagt man, ich präuch ein cautel. Es sind warlich sophistißche argument, damit man die leut gern fyng; sy handelten, redten oder thetten, wie [sie] wolten. Hat sich mir nymant verpunden, darff ich auch nymant ledig zeln, hat er sich aber got verpunden, was darff man mein darzu?

Es ist on nott, das die obrikeit oder die freuntschaff[19]) den irn rettung thun, dan ich beger nymant mit gewalt zu halten, acht aber auch nit fur unpillich, wie auch herr Philipus selbs, das man ymant, der zu seinen tagen kumen ist[20]), wider seinen willen hynauß nötten soll, zuvor[21]) [Bl. 67] wo nit vater und muter vorhandten sind. Solchs uns dann von einem e[rbarn] r[at] zugesagt ist, wiewol wir uber[i]) das schyr teglich angeloffen und mit schelltwortten belestigt werden und, wer uns am maysten schentten[22]), lestern, schmehen und betruben kan, der maynt, er hab got ein sunderlich gefallen erzaigt. Do ist kein lieb, kein mitleiden, kein parmherczigkeit, neürt[i]) pey dem hor[23]) auß dem closter gezogen und das gesturmt. Ist das dy frucht der cristenlichen lieb, ist es warlich ein pittere frucht, diweil sy so vil heyßer zeher[24]) verrern[25]) macht und so vil herczlichs layds, mw[26]), jamer und nott verursacht;

17) abermals   18) fängt   19) Verwandtschaft
20) den vollen Gebrauch der Vernunft erlangt hat, großjährig geworden ist
21) besonders   22) beschimpfen   23) wie 7   24) Zähren   25) vergießen
26) Mühe

i) „aber" in H   i) „wurt" in H

und ist die warheit, wenn wir uns nit auf den kreuczigten Cristum ver-
lyessen, das wir aller welt halben verzweyffeln müsten. Wir haben diße
not umb got wöll verdint, aber umb die menschen wölten wirs ye nit
gern verschulden oder anders handeln, dann wir gern wolten, das uns
geschehen solt. Wir hoffen zu got, wir wollen in Cristi wortten und gna-
den beleiben, ob uns geleich die menschen verdampen, dann nit sy, sun-
der der herr Cristus wirt richter und ein gerechter urteiler sein.

Beleibt man in dem closter, so ist es nit[k]) recht, kumt man hynauß,
so weiß man nit, wo hinauß; da wirt nit bedacht die nott der alten ver-
lebten[27]) menschen, do wirt nit zu herczen genumen der jungen person
ferlikeit[28]), neürt allein, wenn die closter zuryssen[29]) werden, so wern
alle ding außgericht. Es haben die pawrn auch lange zeit die closter ge-
sturmt und zerryssen, was guts darauß gevolgt ist, lygt layder am tag.
Ich pin nit so gelert, das ich a sensu contrario kün arguirn[30]), ich hoff
aber zu got, dem hern, wir wollen in seinen reden beleiben und uns da-
von nit tringen lassen, es leg die ein ydlicher auß, wie er wöll.

Damit will ich abermal und yczunt zum leczten dy lange schrifft doc-
tor Wenczels verantwort haben, wiewol das schyckerlichen[31]) geschehen
solt sein, so kan ich es doch nit pas; ich hab sorg, mich helf nichcz, ich
sag, was ich wöll. Got, der herr, geb uns [den] h[eiligen] geist und ge-
nad, das wir alle von allem irtum erlost werden, davon uns aber die
menschen nit erloßen künen und ein ytlicher recht will haben und wel-
chen man nit volgt, der sagt, man thw wider das wort gotes. Ist alles
unser sund schuld, got geb, das wir in allen sachen recht handeln und
E W nit auch einmal sprech, ich het es nit gemaynt. Verzeicht mir umb
gotes willen, wo ich im zu vil hab gethun, des doctors geschrift hat mich
zu dißer antwort gepracht, der ich mich doch furpaß enthalten wil und
mich allein befelhen der gnaden gotes. Will mich der anders haben, so
kan er mich on aller mensch hilf anders machen, den menschenwerck
ist es ye verlorn, sein gebenedeitter will gesch an uns allen in czeit
und ewigkeit! Amen.

11. Melanchthons verständnisvolle Art (Kap. 50)

Bericht über den Besuch Melanchthons und die Besprechung mit ihm — Er
war bis auf die Ansicht über die Gelübde in allen Punkten der gleichen Mei-
nung wie die Äbtissin — Tadelte den Rat und den Pfleger ob ihres ungestümen
Vorgehens gegen das Kloster — Durch seinen Einfluß sei die Gefahr für das
Kloster etwas gemildert worden

[Bl. 67'] Darnach uber etlich tag kom der pfleger mit hern Philipus
in das peichthauß; der saget vil dings auf die newe lere, aber da er hö-
ret, das wir unßern grunt auf die gnad gotes und nit auf unser aygne

---

[27]) gebrechlichen   [28]) Gefahr   [29]) zerstört   [30]) argumentieren
[31]) geschickter, schicklicher

---

[k]) „nit" fehlt in H

werck seczten, spracht [!])[1], wir möchten eben als wol im closter selig werden als in der welt, wen wir allein nichcz hielten auf unßere gelubt. Wir concordirten zu peder seyten in allen puncten, dann allein der gelubt halben kunt wir nit eins werden; er meynet ye, sy pünden nichcz, man wer sy nit schuldig zu halten, so maynet ich, was man got gelobt het, wer man schuldig zu halten mit seiner hilf. Er was bescheidner mit seiner red denn ich noch keinen lutterischen gehort hab; was im ser wider, das man die leut mit gewalt nottet. Er schyd mit gutter freuntschaft von uns.

Het darnach dem pfleger und den andern herrn in vil stucken heftiglich eingeredt, besunder das man den parfussen den goczdinst also verpotten het und die kinder also mit gewalt auß dem closter gezogen hett; sagt in unter augen[2]), wie sy groß sund daran gethun hetten.

Ich hoff, got hab dißen lutterischen man eben zu rechter zeit hergefurt, wan zu derselben zeit was es aber[3]) auf ein news beschloßen worden, das man uns solt auß dem closter treiben, die clöster zureyssen oder die alten, die den newen glauben nit wolten annemen in ein closter zusamenstoßen und die jungen mit gewalt in die welt nötten. Warn ser vil poßer schleg uber uns, die in dißer Philipus all verwarf; saget, wie es so größlich wider got wer, das man mit solchem gewalt die leut betrangen wolt und het unter andern gesagt, es kunts auch weder vater noch muter mit gewissen vor got verantwürtten, das sy ire kindt wider irn willen mit gewalt auß dem closter nemen. Hetten etlich gefragt, was man den mit den clostern solt anfachen[4]), ob man sy nit zerstörn solt, het er gesagt: Nayn, man solt sy in irm weßen laßen beleiben, wolt man in nit vil geben, solt man in auch nichcz nemen, man het zw Wyttenwerg[5]) und andern lutterischen enden[6]) auch noch kein closter zerstört.

Also machet er, das dennoch die leut ein wenig gegen uns abließen und nymer so heftig uber uns waren, besunder het er gegen den pfleger ernstlich geredt, das er uns die pfleg nit aufsaget, als er uns dan emßiglich dann tröet; desselben halb schrib mir der pfleger dißen nachvolgenden priff:

---

[1]) = sprechend ? [2]) offen ins Gesicht ?
[3]) abermals [4]) anfangen
[5]) Wittenberg [6]) Orten

12. Einlenken des Pflegers und des Rates (Kap. 51—52)

Brief des Pflegers an die Äbtissin: Wenzel Link will sich nicht weiter um die Belehrung der Schwestern bemühen, sondern es Gott überlassen — Der Pfleger entschuldigt sich, wenn er die Schwestern wegen der Prediger usw. etwa zu hart bedrängt habe, er habe es in guter Absicht getan — Will sie in Zukunft nicht weiter beschweren, schickt ihnen aber doch noch Abschrift eines Schreibens des Landgrafen Wilhelm von Hessen an Herzog Georg von Sachsen, woraus sie ersehen sollen, daß man nicht nur in Nürnberg so vorgehe — Wenn es den Schwestern recht ist, will er weiterhin Pfleger bleiben — Es sei nicht wahr, daß er Melanchthon nach Nürnberg berufen habe, um das Klarakloster aufzuheben, im Gegenteil, er wolle immer ein guter Verwalter ihrer Interessen sein

Genad und frid, geliebte fraw, muter und swester in Cristo!

Ewr nechst schreiben sampt der antwurt auf doctor Wenczels davor gethan schreiben hab ich entpfangen und dasselb gemeltem doctor Wenczel loßen hörn, der mir darauf geantwurt, dyeweil sein wol maynung nit[a]) allein on frucht gegen euch befunden, sunder euch[b]) mer dann im[1]) gelieb, zu hessigkeit dardurch bewegt zu sein vermerckt, gelieb im[2]) dem allen nach, wie auch ewr begern stee, nunmer der [?] sach rwe zu geben[c]) und sich mit euch weytter nit zu mwen[3]) und es got walten loßen; gleichwol möcht ich layden, das ir und ander von mir die sach, so ich auß mangel meines verstandtes im pesten und getrawer maynung getriben und pey weyln[4]) ursach geben hab mit eczlichen predigern und anderm euch zu beschwern, anders auch nit verstanden, dann got, das wayß er, in der [?] mich aber auch weytter gryffen haben dann mein befelh und ampt sein mag, darumb ich mich auch entschloßen euch und die ewrn hynfuran mit dergleychen nit weytter zu beschwern, sunder mich genügen lassen an vergangen handlungen, die welchen mich auch nit rewen noch beschwern, sunder got als pillich darumb danckpar pin, doch derselben geistlichen sachen zu einem freuntlichen abschyd kann ich dannoch nit unttterlossen euch nochmals zu dißem mal ein copien zususchycken, die von lantgraf Wilhelm zw Heßen antwortsweiß an sein schwecher[5]) herczog Jorgen von Sachßen außgangen ist, darpey ir abnemen mügt, das Nurnbert[6]) nit allein dißer maynung noch pey yderman dahyn geacht wie pey denen, den scheuchts[7]) von der warheit hörn zu reden, sunder das anderswo auch leut sind ungezweyfelt gotes will wert noch furgen, unangesehen des unschuldigen plutvergesßens, so teglich geschycht, und durch die gefudert[8]), ja selbs gethan, so der anthycristischen parthey anhangen und sunder sind, sy auch mir und meinsgleich tröen, welche euch nit unbekant; versten sy peßers wie ich, auch sorg, sie wol wissen, sie unterließen das pillich. Pit auch mir die schrift, so ir die, wie ich pit, geleßen, wider zuzuschicken.

---

1) ihm   2) wie 1   3) mühen   4) bisweilen   5) Schwiegervater   6) Nürnberg
7) scheut es == die sich scheuen   8) gefördert

---

a) „mit" in H   b) „auch" in H   c) „nunmer sich rwe zu begeben" in H

Ir wist mein schwacheit, got hab lob, pin ich der unverhindert nun in das sybent[9]) purgermaysterampt altag auf das rothawß gewandert, darin nit ein rat versaumpt, stet noch als lang got will. Wo ir nun meinhalben euch lenger leyden wolt, darin ir aber mir nit hoffyrn[10]) solt, so peut[11]) ich euch meinen willigen dinst mit mererem fleyß, dan ich pißher gethan aller zeitligkeit halben also an, das dennoch das urlaubgeben[12]) pey euch sten, dann ich das nit aufzugeben auch pey hern Philipus in rot erfunden. Ich hab warlich nye keinen beschwerd [?] gehabt euch zu dynen, sunder allmal freud darin entpfangen; muß doch bekennen, das ich derhalb den lon meiner seligkeit halben nit umb vil geben het, ycz aber wayß ich mich fleiß zu thun schuldig auß dem, das mich die weltlich obrikeit durch got eingeseczt, der ich nit widerstreben sol, schuldig. Sich hat Peginczer[d])[13]) beschwert, das ich euch sein hantschrift, so er doch sagt, nur allein zu unterricht, zugestelt hab; will, ich sol im die widerzustellen, die mügt ir mir zuschicken, dieweil euch die nuczt; ich hab in gewarnt, das er die sach möcht verlyrn, vermaynt er nit, kan nit weytter, dann diße sach dem rechten zu befelhen. Wan ich west, welcher teil verlyrn solt, so wolt ich im auß ursachen günen, daz der on rechtfertigung seines furnemen[s] abstünd . . . .

So ir mir den leykauft[14]) wider zuschreibt in maßen ich hie vorgemelt und ich euch schun meiner halb zugeschriben hab, so wert ir mit der zeit fynden, das die gröblich irren, die mich verzigt[15]), das Philipus nit zu lernung der jugent, sunder euch zu verdilgen durch mein zuthun her sey gefordert[e]) und wert das widerspil[16]) befynden, das sy die verdilger und ich, ob got wil, mit desselben genaden mer ein hanthaber guter polozey [!][17]), dan sy, ya auch ewrs closterlebens halb, so vil das pillich, cristlich besten sol, ein hanthaber, so vil an mir sein kan, erfunden will werden.

Damit got befolhen!

Casper Nuczel, der elter.

Kapitel 52

Brief der Äbtissin an den Pfleger: Freut sich mit dem ganzen Convent darüber, daß der Pfleger weiterhin sein Amt ausüben wolle — Sie hätten nie dem Gerücht Glauben geschenkt, daß der Pfleger Melanchthon nach Nürnberg berufen habe, um dem Kloster zu schaden, im Gegenteil, wenn Melanchthon durch seinen Besuch sonst nichts erreicht hätte, als daß er den Pfleger dazu bewog, sein Amt nicht aufzugeben, so wäre dies schon genug

---

[9]) das 7. Mal ?   [10]) hofieren, schmeicheln   [11]) biete
[12]) Aufkündigen des Dienstes, des Pflegeramtes
[13]) Wenzel Link ?   [14]) Anstellungsvertrag ?   [15]) bezichtigen   [16]) Gegenteil
[17]) Stadtverwaltung

---

[d]) „pei ginzer" in H
[e]) „herpeygefordert" in H

Die genad gottes mit uns allen! Fursichtiger, weißer, lieber herr pfleger!

Ich hab ewr getrews schreiben mit großen frewden sampt dem ganczen convent vernumen; ewrs gutwilligen erpiettens halb hoffen ye, der almechtig got hab in E W gewurckt, das ir mit uns armen, elenden, verloßen menschen mitleiden haben wert[1]) und uns parmherczigkeit erzaigen, wy ir begert, das euch got zu zeitten seins strengen urteyls auch parmherczig und genedig sey; sagen darumb E W danck auf das hochst, so wir kunen. Wir wissen, das wir der nichs widerlegen[2]) kunen, aber got wollen wir pitten, das er uns arme sundige menschen erhor und E W hye und dort geb, das euch nucz sey.

Wenn E W wissen solt, wy hoch uns ye zu herczen gangen ist, wenn uns dy gedroet hat, sy woll unßer mussig sten[3]) und dergeleichen, es wardª)[4]) worlich dy selbs erparmen. Wir wissen woll, das E W alle ding im pesten gethun hat, aber dyweyl wir alle menschen sind, lebt nymant auf ertrich[5]), der in allen sachen recht kan thun und in nichte irrn. Nit das wir E W in etwan beschuldigen, sunder das wir derselben unßer angst und not clagen, darinn wir hertiglichen stecken und woll herdurch geloßen[6]) sindᵇ). Got hab lob ewiglich, er kan uns ab pißᶜ) zu der hell furn und wider nach seiner parmherczigkeit alles layds ergeczen. Wir haben das und ein merers mit unßern sunden woll verdint; aber wy dem allen, pitten wir E W umb gotes willen, dy woll irm erpietten nach lenger unßer pfleger, schuczer und schyrmerᵈ) sein, wann wir ye derselben kein wexel begern; wollen auch nit, das das urlaubgeben[7]) pey uns sten soll, sunder befelhen das got, unßerm getrewen vatter, der in seiner ewigen weyßheit woll erkent, wen er zu itlicher zeit zusamenknopfen[8]) sol, der hallt uns durch seineᵉ) parmherczigkeit zu peden seytten auf in dem pant gotlicher und pruderlicher lieb, das wir weder hye noch dort in seinem lob geschyden werden; unßernhalb wert ir ewr lebenlang keyn andern urlaub erlangen, wöllt den leickauf[9]) entpfohen von Cristo, unßerm herrn, der verhayßen hat, was ir eynem meiner mynsten thut, habt ir mir selbst gethun.

Herrn Philips halben hab wir worlich nye gehort, ist uns auch in unßer herczen nye eingefallen, das E W den sollt herpracht haben uns

---

¹) werdet ²) vergelten ³) das Pflegeramt niederlegen ⁴) würde ⁵) Erden
⁶) Sinn: hierdurch davon befreit werden ?
⁷) Kündigen ⁸) zusammenknüpfen, zusammenspannen ⁹) Lohn

Hs. A, Bl. 68' = Hs. D S. 66. Der Brief gehört seinem Inhalte nach hierher, in Hs. D steht er irrtümlich auf den beiden letzten Blättern des Hs., vermutlich deswegen, weil die Seitenzahl in der rechten Blattecke oben statt „58" irrtümlich als „66" gelesen oder in „66" corrigiert wurde. Der Brief ist am Schlusse von Hs. B und C nicht angeführt, daraus ist zu schließen, daß er erst später an D angefügt wurde. Der Text folgt Hs. D.

ª) „würdt" in A, „wurdt" in H   ᵇ) „werden" in A und H
ᶜ) „piß" fehlt in A und H   ᵈ) „beschyrmer" in A und H
ᵉ) „sein" fehlt in A und H

zu verdilgen; gelauben auch das nit und het wir uns vor[f]) im gefurcht, ich wollt nit so vil mit im geredt haben. Wollt got, es wer iderman der bescheydenheit wye herr Philipus, hcfften wir, es sollt vil dings unterwegen blieben sein, das also nit zum pesten gelangt hat. Het der gut herr nichs pessers hye geschafft dann das er E W gerotten hat uns mit der pfleg nit aufzugeben, so het in ye got woll hergefugt; der sey gelobt in ewigkeit!

Ich hab das schreiben, so der lantgroff an herczog Jorgen gethun hat, nit allein geleßen, sunder auch abschreiben loßen in hoffnung, solchs sey nit wider E W, dann ich ser gern mancherley lyeß[10]) und das ist auch dy sach, warumb ich dy antwurt als[g]) lang verzogen hab und fynd worlich mer in gemelter[11]) geschrifft, das ich gern gehort hab dann nit; dann auß solchen schreiben fyndt sich nindert[12]), das man imant zu dißem oder genem notten soll und zuvor[h]), das iderman frey soll sein sich zu verheyratten oder nit. Die myspreuch sind alwegen unrecht gewest, wyewoll man dy nit auf ein mal mit wurczel und allem außreutten kan. Wir wollen den almechtigen got pitten, das er uns allen einen rechten worn glauben geb und von allem irthum erloß und genediglich bewar. [S. 67]

Wir haben E W negst[13]) etlich priff in einer schadel[14]) geschickt antreffen den kauff des Zolners wißen[15]), wen der man, der uns darmit anficht[j]), dy antwurt pey E W entpfangen hat, so wollt uns dy wider schikken. Darmit der gnod gottes sampt all den ewrn ewiglichen befolhen und grust uns unßer frums Clerlein freuntlich und sagt im[i]), das wir von den genaden gottes einen newen pfleger haben.

13. Neue drückende Maßnahmen des Rates (Kap. 53—55)

Bericht über eine Weisung des Rats wegen des Bierbrauens, es soll vor dem Brauen ein vereidigter Biermesser beigezogen werden

Item[a]) am eritag[1]) nach dem jarstag[2]) im 26. [Jahr] kam ein kanczelschreiber[3]) zu uns, sagt uns an von rats wegen, wir heten etliche syden[4]) piers gethun syder[5]) Marthini; wer eins erbern rots meynung und befelh, das wir solchs pierprewens furpas müßig solten sten oder, wo wir je syden wolten, solten wir einen geschworen piermeßer darpey haben, der auß dem keßel meß, wie ander pierprewen thun mußen.

Also fingen wir an, mußen dem anrichter, der darzu verordent ist, alweg vor loßen ansagen, wan wir prewen wollen; der schickt einen piermeßer dorzu, dem muß wir fur 1 mal geben XIIII den.[6]) und zu essen.

---

[10]) lese ?   [11]) erwähnter   [12]) nirgends   [13]) vor kurzem
[14]) Schachtel, Schatulle   [15]) Wiese
[1]) Dienstag   [2]) Neujahrstag   [3]) Kanzleischreiber   [4]) Sud   [5]) seit   [6]) Pfennig

[f]) „von" in H   [g]) „so" in A und H   [h]) „zwar" in H
[j]) „aufgeht" in H   [i]) „im' fehlt in H
[a]) In der unteren rechten Ecke auf S. 67 von Hs. D steht klein geschrieben: antwurt dem pfleger, da er nymer pfleger wolt sein.

Kapitel 54

Bericht über Ankunft und Unterredung mit den Abgesandten des Rats an Allerseelen 1527: Es sei Wunsch des Rats, daß jede Schwester gesondert den Abgesandten ihre Wünsche und Beschwerden offenbaren solle — Die Schwestern weigern sich, einzeln mit den Abgesandten zu sprechen, die Äbtissin soll in ihrem Namen und in ihrer Gegenwart für sie sprechen, damit sind die Herren ihrerseits nicht einverstanden. Trotzdem bringt die Äbtissin auf Geheiß des Convents die wichtigsten Beschwerden vor, besonders, daß sie schon drei Jahre ohne die hl. Sakramente sein müssen, daß man ihnen die Beichtväter genommen habe, daß der Kartäuserprediger sie beschimpft habe, daß man 100 fl Ungelt von ihnen fordere — Erst als die Abgesandten ankündigen, daß sie noch einmal kommen müßten, wenn die Schwestern nicht bereit wären, einzeln mit ihnen zu sprechen, läßt sich ein Teil der Schwestern dazu herbei

Anno domini 1527[a]) an allersel tag kom h[err] Sigmundt Furer und Endres Imhof, prachten mit in[1]) doctor Iugler und ein gerichtschreiber mit nomen Karln Ortel; dy must wir in daz closter zu dem convent loßen.

Thet der doctor das wort auf diße maynung: Ein erberiger rot het auß großen veterlichen trewen sy zu uns verordent, nachdem etliche closter clagenten, sy wern arme, verloßen[b]) und betrengte kinder, so het ein e[rber] rot mit irn gelerten rotgeschlagt, das sy dißer[c]) zeit als unßer von got eingeseczte obrikeit schuldig wern fur uns zu sorgen; heten auch pey den gelerten so vil erkundigt, das sy wol mochten und auch solten uns heymsuchen; darzu wer in auch gleublich[d]) furkumen, das solch mengel und geprechen unter uns wern, dy pillich solten[e]) gepeßert werden; demnach wern sy von einem e[rbern] rot darzu verordent, das sy uns[f]) auf dißmal sollten an eines e[rbern] rot stat heymsuchen, darumb solt wir in frey und unerschrocken ansagen all unßer mengel und geprechen und ein itliche swester wolten sy alleyn verhorn, dy solten in sagen alle beschwerung, dy sy heten in geistlichen und zeitlichen dingen und alles anligen ir gewißen und, was sy fur scrupel in ir concienz[2]) heten, on alle forcht, das wollten sy getrewlich aufschreiben[g]) und fur einen e[rbern] rot pringen, dy wurden es den weyter fur ir gelert schieben, dy wurden getrewlich rotschlagen, das alle ding gepeßert wurden oder zu mynsten[3]) ein teyl beschwerung von uns genumen wurden .. mit vil geschmyrten worten.

Auf das gab ich in unter anderm diße antwurt: Wir heten uns nit versehen, das sy sich diß ampts unterfangen hetten, darumb west ich meyns convents meynung nit; wolt mich vor mit meinen swestern unterreden, wes sy gewillt wern; auf das tratten sy eyn weyl auß.

---

[1]) sich   [2]) Gewissen   [3]) zumindest

Hs. D, S. 60 = Hs. A, Bl. 70, in D steht über dem Text von späterer Hand: „von Closter zu Nurmperg".
[a]) „1527" fehlt in H   [b]) „elende" in A und H   [c]) „dißer" fehlt in H
[d]) „gleübig" in A und H   [e]) „solten" fehlt in A und H
[f]) „uns" fehlt in H   [g]) „anschreiben" in A und H

Do sy widerkomen, gab ich in diße antwurt: Der convent saget den herrn großen danck irs vetterlichen angedenckens, hofften, sy thetten[h]) ein solchs auß nichte anders denn auß trewen und hetten mir dy swester entpfolhen antwurt fur sy all zu geben, denn keyn swester wolt mit in allein reden. Diß befelhs gezeugtnus het ich von 2 alten, 2 meteln [!], 2 jungen, dy stunden alle auf und bewerten[h1])[4]), das des convents meynung also wer.

Do dy herrn horten, daz dy swester nit alleyn mit in wolten reden, warn sy ubel zufryd, sagten, es wer in anders befolhen von einem e[rbern] rot; es kundten dy mengel der gewißen nit herfurkumen, wen man nit alleyn redet, den eine scheuchet sich vor der andern und wurd also nichs gepeßert.

Werten[i]) sich dy swester all starck und wolten nit alleyn mit in reden, alegirten[5]), das eyn teyl swester 50 jar hynnen wern gewest und nye mit außwendigen personen allein heten geredt; eyn tayl, das sy nit horten[i]), ein teyl, das sy nit kunden gen und vil außzug, dy wir hetten, dy sy doch all verwurffen.

Sagten, wen der provinczial dosez, so wurden wir uns uberal nit vor im scheuchen, wir solten uns eben als wenig vor in scheuchen; sy westen[6]) doch vor wol, was wir sagen wurn[7]).

*)Sprach der Furer zu mir, ich solt dy swester ir gelub aufloßen, daz sy dester[i1]) freyliger[8]) mochten reden.

Sprach ich: Sy haben nit mir, sunder got gelobt; gehort mir nit[k]) zu aufzuloßen, was got gepunden ist, aber was meyn person anget, vergun ich einer itlichen**) zu sagen, waz sy nach gutter gewissen gut dunckt.

Do nun dy swester nit daran wolten, do tratten dy herrn aber ein mal auß, unterredten sy[l]) lang miteinander, do sy widerkomen, sagten sy, sy hetten[m]) irm befelh nit[m1]) genung thun, dan in wern[n]) nit befolhen, das sy uns in der gemeyn solten verhorn, sunder ein itliche alleyn, das theten dy herrn von keiner andern sach wegen denn von ir pflicht wegen, denn sy bekenten sich schuldig fur unßer sel zu sorgen, das sy ir gewissen mochten reinigen und got, auch dem keißer und dem pundt und, wo es sunst hyynkom, westen[o])[9]) antwurt zu geben; so wir aber

---

4) bezeugten   5) fügten hinzu   6) wüßten   7) würden   8) freier   9) wie 6

---

h) „heten" in A und H   h1) „beweisten" in H
i) „werdent" in A und H   i) „gehorten" in A und H
*) Das Folgende ist in Hs. D unten in kleinerer Schrift, aber von derselben Hand wie der übrige Text, beigefügt, in A steht es im Text, aber auch etwas kleiner geschrieben.
i1) „deßon" in H   k) „nit" fehlt in A
**) Das Folgende fehlt in D, wahrscheinlich durch Abschneiden des unteren Randes; Text nach A:
l) „sich" in A und H   m) „thetten" in A
m1) „nit" fehlt in H   n) „ber" in A
o) „werten" in H

einem e[rbern] rot in dißer sach verachtenten, so heten sy nit weyter befelh mit uns zu handeln auf dißmal; wir solten aber selber gedencken, was unlust wir auf uns wurden laden und wy unwillig wir und dy swester zu sant Katerina, dy auch also haben thun, einen e[rbern] [S. 61] rot wurden machen, dy uns mit solchen trewen meynten[10]), man wurd uns nun furpaß in andern unßern hendeln auch wol loßen siczen und dy hent daruber tecken mit vil andern troworten.

Sprach ich unter ander: L[iebe] h[errn], ir seyt heftig peichtveter; man hat dy ornpeicht dißer zeit abgelegt, dy alleyn vor einem menschen ist geschehen und alwegen verschwigen hat sollen beleiben, so wolt ir do, wir solln euch allen 4 peichten und an tag legen dy mengel unßer gewißen und sagt uns dennoch vor[11]), ir wolt es nit verschweigen, sunder fur einen e[rbern] rot und dy gelerten pringen, das dunckt uns ein selczame sach sein.

Sagten sy all, es solt kein solchs ding sein als umb dy peicht, sy begerten allein zu wißen dy mengel unßer gewissen, das man uns darinnen[p]) zu hilf mocht komen.

Auf das hub der eyneuget schreiber an mit einer großen disputacion, wy schwer und ferlich[12]) dy ornpeicht pißher wer gewest und von dem communicyrn unter zweyen gestallten und sunst vil keczerey, das ich hyntennoch sprach: Lieber Ortel, wir sind nit von disputirn wegen hye[q]).

Also stunden dy herrn auf und wollten darvon, das wir kaum erwarben[13]), das sy von mir wolten horn, was mir der convent befolhen het zu reden.

Do sy sich wider nyderseczten, sprach ich: W[eise], l[iebe] herrn, so ir fragt unßer mengel und geprechen, so hat mir der gancz convent befolhen E W anzuzaigen, das unßer aller leiden ist ein leiden gemeyn uns allen, darumb ligt uns am heftigsten in unßern gewissen an, das wir arme sundige menschen sind, dy stettiglichen sunden[14]), welche sund wir teglich unßerm herrn clagen in pittrykeit unßer sel, aber wywoll wir uns nit peßer scheczen den ander leut, dy emsiglich sunden, so finden wir doch in unßer gewißen nit, das wir haben solch cassus reservatos, dy man fur dy gelerten sol schiben oder von der wegen man vil rotschlags turff[15]); wist ir aber solch mengel als ir icz gemelt[16]) habt, so mugt ir uns dy anzaigen, wollen wir gutten bescheyd daruber geben und die[r]) mit der hilf gottes peßern als vil unßer gewißen erleiden mag.

Sprach der doctor: Wir sind darumb do, das wir dy erkundigen wolten.

Sprach ich: Nayn, herr doctor, ir habt erst gesagt[s]), es sey einem e[rbern] rot furkumen, das sy gewißlich wißen, das solch mengel unter uns sein, dy pesserung betorfften, wollten wir dennoch[t]) gern wißen,

---

10) um uns besorgt wären 11) vorher 12) gefährlich 13) erreichen konnten
14) sündigen 15) bräuchte 16) erwähnt

---

p) „darinnen" fehlt in A und H q) „da" in A
r) „diß" in H, in D corrigiert in „die"
s) „gesprochen" in A und H t) „demnach" in H

was^u) dyselbigen sein; wir haben uns ye diße 3 jar getruckt und ge-
schmuckt als dy armen wurmlein, hetten wir uns unter einen steyn ku-
nen verpergen, hetten wirs gern thun, hab wir aber imant belaydigt, so
zaig man uns das an.

Sprach der doctor zum Furer: Was soll ich mer sprechen, ich verste
der sach nit; also redt der Furer dareyn, das dißer punckt unverant-
wurt beleib.

Darnach sprach ich: Auch ist das ye ein cleglichs ding und unßer
aller leiden, das wir nun schyr 3 gancze jar miten unter cristen siczen
on alle cristliche sacrament, das ye ein elend ding ist, besunder in tods-
notten, das wir mußen sterben als das viech; von welchem vil mengel
und beschwerung unßer gewissen entspringen, dy villeicht nit ein itlicher
gelaubt, der es nit entpfindt. Darzu hat man uns mit gewalt on alle ur-
sach genumen unßer w[irdig] vetter, dy unßern convent ob 250 jarn ge-
trewlich vor sind gewest, das dy zeit alle nye kein poßer leymundt oder
ergerung noch argwon entsprungen ist, das etwas ungeschickts oder
leichtfertigs geschehen wer, darumb man uns sy pillich nemen solt; als
dann dy herrn selber sprachen, do sy uns die abkundten¹⁷), sy hetten
weder von uns noch von den parfussern keyn ursach noch nye nichs
poß gehort; aber so mans¹⁸) andern clostern thet, do man groß ursach
het, so wurd es nit^v) zu fryd dinen, wen mans¹⁹) uns lyeß; het man uns
denn von ander leut wegen genumen on ursach, so wer es ye nun ge-
nung und zeit, das man uns wider geb, dann wir wollten uns ye von
dem h[eiligen] orden nit abtrennen loßen, so wollten und kundten wir
auch unßern obern nichs begeben²⁰) an ir gerechtigkeit, dy sy uber uns
hetten; wywoll man uns von ersten²¹) ander het wollen geben, dy wir
nit hetten wollen annemen; wer auch unßers fugs noch nit solch anzu-
nemen von der newen seckt; het wir denselben vettern gefolgt, so het
wir lengst zu closter hynauß gemust und noch vor nachst^w)²²) man²³)
mußen nemen. Auß irn fruchten erkent sy.

[S. 62] Wir petten got teglich, wer dy new ler ein genad von got,
das er sy uns auch mitteylet, wer es aber eyn plag, das er uns darvor
behutt; so wolt es uns ye lenger ye mynder eingen, wan wir horten
teglich, was frucht darauß entsprungen; wir wern arme, einfelltige, un-
gelerte frawenpild, darumb wolt wir uns in keyn weg in diße zwyspal-
tige sach legen; wir wolten es dy gelerten loßen außfechten, wir horten
woll, wy dyselben zanckten und wider einander schriben und dy aller-
gelersten ye ander^x) noch dem andern fyelen als der Ocolampadius und
Zwyngel und ander. Sollten wir den leuten volgen, wurdten wir vil-
leicht des h[och] w[irdigen] sacraments auch verlaugnen und uns^y) wi-
der tauffen loßen; darumb hetten wir uns entlich^z)²⁴) entschloßen pey

---

¹⁷) aufkündigten   ¹⁸) man es   ¹⁹) man sie   ²⁰) wegnehmen   ²¹) zuerst
²²) ehestens   ²³) Männer   ²⁴) endgültig

---

^u) „wer" in H   ^v) „nie" in H   ^w) „ezu ächst" in H
^x) „einer" in A und H   ^y) „uns" fehlt in A
^z) „entlich" fehlt in A und H

dem alten cristlichen gelauben zu beleiben, piß eyn concillium wurd oder got sunst einigkeit der cristenheit verleicht, was alsdann dy gemeyn cristlich kirch aufnympt, wollen wir auch nit widerspenig sein.

Item des predigers halben sprach ich: Ir habt uns eyn karteußer geben, der uns das goczwort clar und hell[aa]) sol predigen; ich hab meyn tag vil und vil geleßen, hab aber nye selczamers ewangelium geleßen mit so vil schenten und schmechen[25]) und dem teuffel geben, aber ich wil nit uber in clagen, dann ich hab sein predig mit sundern fleiß gehort und ist mir auch nucz gewest, denn er hat uns mer bestettigt in dem alten gelauben dann keyn parfuß het mugen thun, der uns diße zeit gepredigt het, wan auß seiner predig, in der er im selber etwan VI oder VIII[bb]) widwertig ist[26]), hab wir gemerckt, was obentewr in der lutterey steckt, daz ich mich mit der hilf gottes meyn leben lang vor der lutterey hutten wil. Das red ich nit darumb, das ich den gutten vater vercleynen wol; er redt auß dem geist, den er hat.

Darnach[cc]) sagt ich in[dd]) mit kurczen worten dy beschwerd, dy wir hetten in dem zeitlichen, das man iczunt 300 gulden von uns gefodert het; begerten, das man uns darmit genedig wer. Diß sprach ich, sind unßer aller mengel und geprechen, dy uns anligen in geistlichen und zeitlichen dingen, dy wolt von mir annemen als[ee]) het euchs[ff]) eyn itliche swester insunderheit gesagt. Do stund aller convent auf zu einem zaichen, das ir aller maynung wer.

Do sprachen dy herrn, sy wolten dy maynung woll einem e[rbern] rot furtragen, aber das sy etwas fruchtperlichs darmit kundten erlangen, gedechten sy nit; so wir einem e[rbern] rot nit hetten wollen volgen und sy veracht heten, es gelt alles nit, wen man dy swester nit alleyn verhoret, denn es mocht ein einigs[27]) irents scheflein sein, das in seiner gewißen beschwert wer, dem durch solche heymliche verhorung geholfen mocht wern.

Sprach ich: Welche swester thun woll, ge alleyn zu [den] herrn[gg]), turfft mich nit daran scheuchen.

Sprach der Furer: Es must aber eine darpey besorgen, sy wurd ir lebtag keinen gutten tag[hh]) pey uns haben, wenn sy sich außschuß[28]), ich solt[ii]) den swestern pey der gehorsam [ge]pyetten, das ein itliche allein zu in ging.

Sprach ich[jj]): Habt ir mich[kk]) doch erst geheyßen, ich solt dy swester irs gelubs ledig zellen und iczunt wollt ir, das ich ins[ll]) pey der gehorsam sol gepyetten, wy sol ich in noch thun; ich hab dy swester ledig gezelt meiner person halben, so secht ir wol, das keine alleyn zu euch wil; ir macht mir ungehorsam swester.

---

[25]) Schimpfen und Schmähen   [26]) sich selbst widerspricht   [27]) einziges   [28]) absondert

[aa]) „clar und hell" fehlt in A und H   [bb]) „mal" in A und H eingefügt
[cc]) „dann" in H   [dd]) „in" fehlt in A und H   [ee]) „ich" in H
[ff]) „auch" in H   [gg]) „ir" in A und H eingefügt   [hh]) „tag" fehlt in A
[ii]) „wolt" in H   [jj]) „ich" fehlt in A und H   [kk]) „mir" in H
[ll]) „irs" in H

Sprach der Furer: Ich heyß nit, das sy euch ungehorsam sein, ich wolt aber, das dy swester diße stund ein lustigung[29]) hetten, das ein itliche turfft sagen, was ir anleg und darnach euch wider gehorsam wer. Noch wolt sich keyn swester loßen erheben.

Unter dem, do sy dy swester also gesegenten und dy swester offenlich genung in ir maynung sagten, wywoll es alles nit galt, es gescheh denn heymlich, kom der doctor zu mir, saget, wy er so gern het gesehen, das wir der herrn befelh genung gethun hetten, denn er gunet uns eren und guts; er wolt mir darfur sprechen, das keyn arglistigkeit darhinter stecket; so begerten sy auch nichs heymlichs zu wißen, so wollten sy uns auch nit auf den eyd frogen; so woll wir uns auch[mm]) loßen genungen, wen eine schun nichs sagt, neurt[30]) spricht: Ich loß pey dem beleiben, wys vor gesprochen ist.

Auch kom der Furer und sprach: Ich het es neurt[31]) gern gesechen von des wegen, das ir [S. 63] ein weniger gehorsamer werd gewest denn die zu sant Katerina, auch meiner person halben, den er saget mir furwar, ich wer so hart von den gelerten in einen e[rbern] rot getragen, das man genczlich darfur het, es musten all meyn swester gelauben, was ich wolt; türfft keine[nn]) darwider reden; darumb solt ich gedenkken, das ich mit den swestern redet, das sy sich darzu begeben, denn sy wollten einen andern tag widerkumen.

Do ich horet, das sy widerkumen wolten und es ye sein must, do vorcht ich, es wurd ein andermal noch ein größer streyt und hyeß dy herrn aber außtretten, saget den swestern, was ich gehort het und das sy ein ander mal wider wolten kumen und pat dy swester, das sy sich durch gottes willen darzu begeben und wenig wort machten. Do verwilligten sich dy swester darzu, doch so fer, das ein itliche ein gespilen mit ir wolt nemen, der sy vertrawt.

Das wollten dy herrn aber nit gestatten, seczten sich in dy werckstuben, wolten haben, man solt dy swester all hynauß heyßen und eine nach der andern hynein[oo]) gen. Sagt wir in, wir thetten es nit, wen schun der provynzial do wer; do lyeffen sy wider auß der stuben und seczten sich in den kreuzgang, das eine nach der andern zu in ging; do fragent sy gemeynglich eine, wy sy hyß und was sy anligent het in geistlichen, was in dem zeitlich, wy sich dy abtissin hyelt und wy sich der prediger hyelt und ob unfryd in dem closter wer. Belieben dy swester fast all auf der meynung, das sy begerten der h[och] w[irdigen] sacrament von unßern vettern und was ich vor gemelt het. Darpey lyeßen sys beleiben.

Do sy nun XVI swester gehort hetten, do schlugen sich dy andern all zusamen und wolten ir stym all miteinander sagen, das sy gen vesper komen; do furn dy herrn aber auf und gesegenten[pp])[32]) uns und

---

[29]) Erleichterung   [30]) nur   [31]) wie 30   [32]) verabschiedeten sich

---

[mm]) „auch" fehlt in A und H   [nn]) „keins" in H
[oo]) „hingen" in A und H   [pp]) „geseyneten" in H

wolten darvon, solt das ander als[33]) nit gelten, so dy jungen eyn itliche nit alleyn solt stymen. Also thet ich aber[34]), wy ich mocht, das ich mer zu in pracht. Do sy nun 39 hetten gehort, kom ich, lyeß mir dy nomen leßen, dy pey in warn gewest, stellet mich, als wolt ich dy andern auch heyßen kumen, denn es warn noch 13 außen, dy schlechts[35]) nit zu in wolten.

Do sagten dy herrn: Nayn, es wer on not, es pfyffen dy swester all in eyn ror, es sungen dy swester all ein lyedlein; also pat ich sy hoch, so sy nun den convent verhort hetten und genungsam unßer mengel angezaigt wern worden, das sy nun fleiß ankerten pey einem e[rbern] rot, das uns geholfen wurd. Das gelobten sy˙fleissig zu thun. Also gingen sy von gocz genaden unter der complet wider hynauß.

Got behut uns furpaß vor solchen visitatorn in prayten pareten[36]), in zerhackten hoßen, außgeschnytten schuchen und langen schwyngen[37]) an den seyten, dann sy sind on allen trost und gut fur dy andacht, wywoll Caspar Nuczel vor etlichen tagen pey mir was und sprach, es hetten uns unßer munch alle jar visityrt; was es denn schadet, das uns dy herrn uber 3 jar[qq]) auch eynmal visityrten. Got behut uns vor dißer plag!

Es haben in zwar dy swester genung gesagt, in was gestalt sy mit in redeten, nit in visityrns weiß, sunder in gutter freuntschafft. Es haben sich vil red und widerred verloffen in dißer weltlichen visitacion, dy nit all geschriben mugen wern, wer aber pey dißem schercz ist gewest, der hat on zweyffel so vil angst und not gehabt, das es sy nymer mer gelust.

Kapitel 55

Brief der Äbtissin an Sigmund Fürer: Sie bittet im Namen der Schwestern, zu verhüten, daß die Besprechung am vorigen Tage mit dem Convent und die Aussagen der Schwestern vom Rat den Gelehrten (d. i. den Ratskonsulenten) vorgelegt werden, da diese ihnen nicht gut gesinnt seien, der Rat meine es mit ihnen bestimmt besser als die Gelehrten und werde auch ohne deren Rat das Richtige veranlassen

[Hs. A Bl. 73]

Den negsten tag darnach schrib ich dem Sigmundt Furer dißen nochvolgenden brif:*)

Weiser, gunstiger, l[ieber] herr!

Mich haben mein swester gepetten E W zu pitten als unßern günstigen l[ieben] h[errn], zu dem wir uns betrew[o])[1]) und guts versehen, das ir durch gottes willen darvor seit[2]), das man die handlung, so gester geschechen ist, nit wöll weytter fur die gelertten und prediger schieben,

---

[33]) alles   [34]) abermals   [35]) schlechterdings   [36]) Baretten, Hüten   [37]) Schwertern
[1]) Betreuung   [2]) verhindert

---

qq) „übers jar" in H
*) In Hs. D folgt jetzt auf S. 64—65 ein Brief der Äbtissin K a t h a r i n a Pirckheimer aus viel späterer Zeit, nicht vor 1536; er wurde hier nicht abgedruckt.
o) „getreu" in H

die, als E W selbs woll wiß, zu vil spiczig und hiczig auf uns sind, wo³) die sach alle on⁴) in stund, müsten mein herrnᵇ) gar vertilgen, darumb beger wir ir ye nit zu richten, wollen vil lieber gewartten der genad unser w[eisen], l[ieben] h[errn], die uns on zweyfel mit größern trewen maynen⁵) dann diß volck; die auch on irn rot uns arme, elende, gefangene frawenpild wol vetterlich in unsern anligen wissen zu bedencken, das sy nit ir selbs gewissen beladen mit dem, das sy unser ploden⁶) gewissen verknupffen, die got ye frey will haben.

Kan auch nit gelauben, das es dem almechtigen got gefall, do⁷) ein cristenmensch das ander bezwyngen wil in den dingen die sel antreffent, besunder in todsnotten; wir bekennen damit frey, das wir noch nit Karln Ortels volkumenheit haben, das wir ungepeicht zum h[eiligen] sacrament mugen gen. Wir volgen ee⁸) sancto Paulo, der uns vermant, das sich der mensch vor selbs bewer, ee er von dem prot esß; darumb uns nit zu verargen ist, das wir sunder⁹) person zu demselben begern, dann ye menschlich ist, das ein mensch sich mer vertrawt einem menschen dann dem andern; nachdem es mer guts erfarn hat von einem dan von dem andern. Darumb, mein l[ieber] herr, pit wir E W all gemaynglich, das ir seit unser gutter pott gegen e[inen] e[rbern] rat, das unserm anligen doch etwaz ein geringerung werd oder zum mynsten, das nichcz noch schwerlichers mit uns furgenumen werd mit uberlegung¹⁰) der person, die doch der convent nit annemen wurd.

Wir hoffen ye, ir werd uns nit leiden zu leiden geben und nit mer gewalts an uns legen, das die groß angst, die wir gestern miteinander eingenumen haben, nit umbsust sey; beger auch demutiglich, wolt uns verzeihen, das wir uns so ungeschick gehalten haben, wir sind der sach nit gewont gewest; thut als wir das getrawen zu E W haben, dan ir doch ye ein gutter nunenvater seyt. Damit got ewiglich befolhen!

14. Austritt der Anna Schwarz (Kap. 56)

Bericht über das Benehmen der Schwester Anna Schwarz und ihren Austritt aus dem Kloster — Quittung der Anna Schwarz nach ihrem Austritt über die vom Kloster zurückerhaltenen 100 fl

[Bl. 73'] Des andern tags kam die alt Schwarzin, foderet ir dochter, s[wester] Anna Schwerzin. Sagt: Liebs kindleinᵃ), was hastu geredt, aber wie hastu dich gehallten gegen den herrn; die ganz stat ist dem vol; piß inn der canzeley sagt man von dir.

Wir heten unnßer kuntschaft, das sye mit den herrn het geredt vom h[eiligen] sacrament unnter peyden gestallten. Wiewol sich die herrn pey unns nichcz ließen mercken, heten sye doch zu andern gesagt, sye haben ein unkraut pey inn; es wurd nit gut, sye kum denn von inn.

---

³) wenn ⁴) bei ⁵) um uns besorgt sind ⁶) einfältig, schlicht ⁷) wie 3
⁸) eher ⁹) besondere ¹⁰) Zuweisung

ᵇ) „uns" in H eingefügt
ᵃ) „Endlein" in H

144

Von dißer person wer vil zu schreyben, das wir doch umb des pesten wegen unterwegen laßen¹) unnd allein ein wenig schreyben. Sye fing das luterisch leben an, gieng emsig gen predig, gepraucht sich luterischer freyheyt, nam keyn straf an weder von obern aber^b) [!] iren mitschwestern. Sagt, sye wolt nit ein schaf seyn, sunder ein hirtin, vermaynt, sye wolt daz ambt der abtein²) wol außrichten, sye wer wol als gelert und geschickt. Wer sye von solchem unpillichem furnemen abweist, dem wardt sich^c)³) [!] feynt. Nymant het gern mit ir zu schicken, so wont nymant gern pey ir, denn sye sich dermaßen hilt mit widerpart gegen den s[wester]n^d) und disputiren von der luterey, daz nymant unbetrubt von ir kam. Ging emsig zu predig, furt ein widerorden; wenn der convent zu tisch saß, so schlief sy, wenn man zu kor was, so aß sye; sye thet^e) frey, waz sye wolt, ir freunt⁴) kamen an das redtfenster oft zu ir. Sye ließ sich mercken, sye kunt nit im closter beleyben. Sagt ir pruder: Liebe schwester, kanstu beleyben, so beleyb! Es ist nymer inn unnßers vaters hauß, wie du es geloßen hast, es zeucht ein ytlichs auf seyn thayl.

Der w[irdigen] muter und dem ganzen convent wardt solcher person leben beschwerlich und betrubtlich. Man foderets oft allein, auch fur die rotmuter⁵), zuleczt fur den convent; man redt ir gutlich unnd freuntlich zu solchem leben abzustyen^f); auch handlet man mit ernstlichen worten mit ir unnd sagt ir, der convent het zusamengestymbt, daz er auf seyn gewißen nit wolt nemen, daz die ding einprechen pey unnßern zeyten; nit das man ir darmit ursach wolt geben auß dem closter zu kumen, aber von unns zu treyben, neyn es wer aller schwester meynung nit hynauß zu pringen, aber daz frey leben, die großen außpruch⁶) sambt andern stucken, die man ir erzelt in summa, die wern all groß sundt unnd wider ir sel seligkeit. So man dieselben ding straft und pust^g), wolt sye ir auß demselben ursach nemen, daz seczet ir ein yde schwester auf ir gewißen, die ding wol zu bedencken, wie sye es vor dem lebendigen got wolt verantwurten.

Auch stunden etlich s[wester] im c[onvent] auf und sagten: Sye kunten am jungsten tag nit zeucktnus geben got, dem allmechtigen, daz sye die ding, so sye got gelobt het, gehallten het. Sye begert, man sollt nach irer muter schicken und [Bl. 74] ir die ding furhallten. Sagt ir die e[rwirdig] muter, sye dorft⁷) ir muter nit darzu, sye must die ding peßern, aber sye was verstockt; was darnach wie darvor.

[Bl.74'] An der herrn faßnacht⁸) kam ir muter, die allt Schwerczin, foder ir dochter an daz gesichtfenster, sye het allein mit ir zu reden. Also was sye lenger dann czwu⁹) stundt pey ir. Da sye vom gesichtfen-

---

¹) unterlassen ²) Äbtissin ³) sie ⁴) Verwandten
⁵) Ratsmütter, Beraterinnen der Äbtissin, Consultorinnen
⁶) Aussprüche?, Reden? ⁷) bedürfte ⁸) 7. Sonntag vor Ostern (Esto mihi)
⁹) zwei

---

b) „oder" in H c) „sy" in H d) „orden" in H
e) „thet" bis „mercken" fehlt in H f) „abzusagen" in H g) „puß" in H

ster ging, ließ sye sich mercken sambt[10]) wollt sye pey unns beleyben unnd der ding keyns, die auf dißmal gehandelt wurden, wiewol wir un-ßer kuntschaft heten, das die muter die tochter fast[11]) gepeten het, kunt und mocht sye beleyben, sollt sye es thun; es wer vil widerwertigkeit zwischen den kinden und geschwistreten, auch mit den freunten[12]) unnd zuch[13]) ein ytlichs auf seyn thayl, mit vil worten.

Het die dochter gesagt, sye kunt unnd mocht im closter nit beleyben; sye kunt nit selig werden, man hilt das ewangelium nit pey uns; begert, daz die muter[h]) mit einem kamerwagen ließ holen unnd sollt sye hynaußzyhen unnd noten, wie man den dreyen s[western] het gethun. Het sye gesagt, den kamerwagen will ich wol pringen, ich vermag aber ye nit vil czyhens unnd notens, gee selbst herauß.

Die e[rwirdig] muter vermant sye des andern tags, sye sollt ir verlihene hab zusamensuchen, dann sye furcht sich, wie man in[i]) hynach thet, mocht sye nit zufryden seyn, wiewol sys vor lengst zusamen geordent het. Sagt sye: Ich will nit hynauß, ir kombt mein gern ab[14]), ich will euch aber noch mer peynigen, mit vil andern worten. An demselben montag, was sannt Mathias abent[i]), kam ir muter nach tisch mit irer schnur[15]), der Hannß Schwerczin, mit einem kamerwagen unnd foderet ir tochter, wiewol sis lieber pey unns gesehen het, denn sye es syder oft bekennt hat, syder sye ir peydt tochter zu sannt Katerina unnd pey unns[k]) heraußgenumen hab, sider sey ir keyn geluck zugangen, wie sye dann am zeytlichen gut fast[16]) abgenumen hat, daz sye von schulden wegen[l]) must entrinnen unnd kumerlich einkam[17]) unnd zuldczt elendiglichen unnd halb taub gestorben ist pey irem ayden[18]), pey dem abt im closter zu sannt Diling[m])[19]). Also vermont[20]) die w[irdig] muter, sye solt inn den kor gien unnd sich got befelhen, aber nach außern scheyn war kleine andacht da; alßpaldt ging sye an daz thor, da man das thor aufthet, vil sye der muter um den halß, nachdem schwang sye sich paldt auf den wagen an[21]) alles laydt.

Aber sye ging unns nach der sel nit wenig zu herczen, wiewol wir einer großen purdt warn abkumen[22]) unnd ein große geringkeit[23]) sye im closter hynter ir ließ.

Nach wenigen tagen kam ein canczelschreiber, zaygt an, wie er befelh het vom purgermayster, der von Hannßen Schwarczen uberlofen wer, mit unnß zu verschaffen, das wir ir sollten geben 100 fl, die ir ir vater selig herein het geben; auch etlich cleynat[24])). Da sagt die e[rwirdig] muter, daz man ir die 100 fl herein het geben ir vater seliger als fur ein leibting[25]); das wer die XII[n]) jar wol mit ir aufgangen, die sye pey

---

[10]) als ?   [11]) sehr   [12]) wie 4   [13]) zöge   [14]) ihr wollt mich los sein
[15]) Schwiegertochter   [16]) wie 11   [17]) einkam = verarmte?
[18]) Eidam, Schwiegersohn   [19]) Egidien   [20]) ermahnte   [21]) ohne
[22]) ledig geworden waren   [23]) kleinen Verlust   [24]) Kleinodien, Schmuck
[25]) Leibgeding, Leibrente

---

[h]) „die muter" fehlt in H   [i]) „jr" in H   [i]) „aber" in H
[k]) „unnd pey unns" fehlt in H   [l]) „wegen" fehlt in H   [m]) „Wiling" in H
[n]) „10" in H

unns wer gewest. Da sagt der schreyber, es wer also verordent von herrn, das wir irs nit fur sollten hallten. Also must wir irs geben; haben sye unns [Bl. 75] quitirt, wie hernach stet:

Ich junckfrau Anna, weylant Jorgen[o]) Schwarczen seligen, gesalczen vischers, purger zu N[urnberg], eliche dochter mit Elßpeten, gemelts[26]) Jorgen[p]) Schwarczen seligen nachgelaßne witwee geporn, mit derselben meiner lieben muter, auch mit Hannßen Schwarczen, meinem lieben pruder, gunst, willen und wißen bekenn fur mich und all mein erben unnd nachkumen, nachdem ich verschiner[27]) czeit mich inn daz[q]) closter zu sannt Clarn allhye zu N[r)urnberg], francissen ordens, gethun unnd mein eltern mir zu einer fertigung 100 fl reynisch inn gemelt[28]) closter geraycht, mer auch an cleynotlein unnd geschmuck zugestanden unnd worden sindt inn einer summa treffent 8 fl, 3 ort[29]), darfur sye verkauft sindt worden, nunn aber auch auß ursachen mich darzu bewegent auß solchem closter gethun, das die w[irdig] gaistlich frau Caritas, abtissin, unnd der c[onvent] gemelts closters zu sannt Clarn mir die gemelten 100 fl außfertigung, so ich inn den orden gepracht mit sambt 8 fl 3 ort auß meinem geschmuck oder kleynaten gelost zusambt andern, so ich im gemelten closter gehabt, zu gutem volligem danck unnd wol[s]) benugigung wider außgericht unnd zugeschickt unnd uberantwurdt haben, darumm ich fur mein erben unnd nachkumen die bemelten abtissin unnd c[onvent] unnd all ir nachkumen inn der pesten form unnd solchs alles jar[30]) unnd genczlich quit, ledig, frey unnd loß sag mit versprechnus unnd das alles inen[t]), iren nachkumen convent keyn klag oder foderung nymermer zu haben noch zu gewinnen furpaß ewigklich; zu urkundt so hab ich mit fleyß erbeten die erbern unnd w[eisen] herrn Anthoni Teczel unnd Meychsner, peydt des großern rats zu N[urnberg], das sye ir aygen innsigel zu endt der geschrift getruckt haben; welchs wir ycz gemelter Teczel und Meychsner von irer pet[31]) wegen also gescheen sey, bekennen, doch unnß und unnßern erben an[32]) schaden. Der geben ist am 10. tag des monats marcij[33])1528.

Nö[ta]: Sye het inn die quitirung geseczt ursach, daz sye auß dem closter wer kumen, daz solchs vermaynts closterleben dem heyligen wort gottes unnd ewangelium entgegen wer, darinnen sye geyrt het unnd nit wißen gehabt. Dißen artickel wolt wir nit inn der quitirung haben; da must sye ein andere stellen wie oben gemelt[34]).

Es hat sich auch Anna Schwerczin laßen horen, das sye die 100 fl zu irem nucz nye gepraucht[u]) hab, aber ir pruder Hannß Schwarz hat sye angelegt unnd verpaut inn der cartheußer garten hye unnd ee daz hauß verfertigt war, must er von schulden wegen entrinen.

---

[26]) vorgenannten [27]) vergangener Zeit, früher [28]) wie 26
[29]) 1 ort $= 3/4$ Pfennig [30]) gar [31]) Bitte [32]) wie 21 [33]) März [34]) erwähnt

[o]) „sorgen" in H [p]) „sorgen" in H [q]) „dem" in H [r]) „h." in H
[s]) „wol" fehlt in H [t]) „inen" fehlt in H [u]) „gebracht" in H

15. Vorladung der Klosterobern durch den Bamberger Bischof (Kap. 57)

Vorladung des Bischofs von Bamberg an alle Klosterobern an den bischöf-
lichen Hof zu Bamberg auf den 5. August 1528 — Entschuldigung der Äbtissin,
daß sie dieser Vorladung nicht Folge leisten könne

[Bl. 75'] In dißem jar wurdt unns ein prief vom pischopf von Bam-
berg gesannt inn latein, der hye verteutscht ist:
Wigandus von gottes genaden bischopf zu Bamberg.
Erwirdige, gaistliche unnd andechtige unnd lauterliche geliebte!
Nagst[a])[1]) auß etlichen schweresten ursachen nit allein unnßer kirchen zu
Bamberg unnd unns, sunder auch euer stant und aigenschaft betreffent,
all unnd yczlich ebt, priores, brobst, dechant unnd ebteßin durch unnßer
stat unnd bistumb Bamberg allenthalben inwonent auf mitwochen nach
dem fest der ketenfeyr sannt Peters auf nachst kunftig, das der funft
tag wirt seyn des augst monats, zu erscheynen vor unns oder unnßer
stathalter im großen sal unnßers bischopflichen hofs haben wir gehay-
ßen unnd verschaft zusamen gefodert werden; also auch berufen wir
euch auf forgesprochnen tag unnd dort strenglich gepittent[2]), daz ir durch
ein geschickten unnd recht redlichen procuratorem mit kraft[3]) zu er-
scheynen euch fleyßent alsdann die furzulegenden ursachen zu horent
unnd unßer gemut daruber zu enpfahen. Geben in unnßer stat Bam-
berg am montag
Wolfgangus Balckmacher des fiscales[4]) notarius hats verzeychent.
Dißen prief schrib die e[rwirdig] muter in latein, ist die antwurdt
und verteutscht:
Allererwirdigster furst und herr, aller gepittenster herr!
Die prief ewrer erwirdigsten herlichkeyt, inn den wir unter andern
auf den V. tag des augsts moneths inn den pischopflichen sal werden
beruft, hab wir mit aller demutigkeit enpfangen. Wiewol wir berayt
werden[5]) euer allerwirdigsten herschaft inn allen zymlichen unnd ersa-
men dingen zu gehorsamen; dieweil aber wir armen unßers gewalts nit
seyn, auch sunst allerley geschlechts[6]) der elendt getruckt, ist es mit
nichten inn unßern gewalt gesect, das wir erscheynen unnd darum pit-
ten wir, das euer allererwirdigste herlichkeyt unnßer notwendigung fur
ein vernuftige entschuldigung gutwilligklich sey[b]), annemen, der wir
unns auf daz [Bl. 76] demutigst als die elentsamen, auch menschlicher
hilff beynach schir gancz entsecst, befelhen.
Geschriben zu Nurenberg am calendertag[7]) des augsts monets im jar
unnßers hayles an[no] MD XXVIII.
euer allererwirdigsten herlichkeyt
die demutigen
abtissin unnd convent sant Clarn zu Nurenberg.

---

[1]) hauptsächlich, vielleicht für lat. potissimum ?   [2]) gebietend   [3]) Vollmacht
[4]) Fiskal = Rechnungsbeamter einer geistlichen Behörde   [5]) wären   [6]) Art
[7]) = am 1. August

[a]) „nagdem" in H   [b]) „sey" fehlt in H

[Auf einem hier lose eingelegten Zettelchen steht von der gleichen Hand geschrieben:]

Item was sich verloffen hat von dißem jar piß auf daz 41 jar, hab wir ein exemplar geschriben und mit der zeyt soll es an diß puch auch geschriben werden.

16. Weitere Bittschriften und Steuerangelegenheiten (Kap. 58—69)

Zusammenfassung mehrerer Berichte wegen des Ungelts (zum Teil schon an anderen Stellen erwähnt)

[Hs. A Bl. 77; bei Höfler nicht abgedruckt; vgl. dessen Einleitung Seite LXXVII unten!]

Hye nach volgt alle handlung das ungelt betreffent, wie es im anfang an unns pracht ist worden. Das wir daz mußen geben unangesehen aller unnßer freyheyt und privilegia, die wir von bebsten, kayßern unnd kungen haben unnd waz sich von jaren zu jaren hat zugetragen.

Anno domini [15]25 am aufartsabent[1]) schickten die herrn ein visirer zu uns, daz er inn unßern weynkeler allen weyn visirt.

Item an sannt Laurenzen abent darnach kam ein visirer unnd sagt unns von rats wegen drey stuck an: Zum ersten, das wir weyn unnd pir sollten laßen fisiren. Auf daz gab die e[rwirdig] muter abtissin, Caritas Pirckhaymerin zu der zeyt am ambt, antwurt, den weyn hat man unns visirt, das pier syden wir selbst, wirt man unnß auch wol ein beschaydt geben.

Zum andern sagt er, wenn wir weyn kaufen, so sollen wir albegen[2]) zum ungelter schicken um 1 zetelein unnd laßen sagen, wie vil faß; zum driten, das wir den weyn die geschworen einleger laßen einlegen.

Item wir begerten an die herrn durch unnßern herrn pfleger, daz sye unns vergunten, das unßer gesindt die faß inn keler legten. Das wardt unns noch gelaßen, so ferr, das wir den geschworen einlegern iren gestympten[3]) lon geben, den sollt man inn die gemeynen puxen[4]) thun vom aymer 1 den.[5]); also vil gibt man dem fisirer auch.

Anno domini 26 am eritag[6]) nach dem neuen jar kam Wilbolt Kromer unnd sagt eins e[rbern] rats maynung wer, wir heten etliche syden[7]) piers thun nach Martyni, des sollten wir furpaß mußig sten oder ein geschworen meßer darpey haben, wie die andern pierpreuen. Also geb wir einen meßer zu lon.

Nit lang darnach schickt unns der ungelter ein zetelein; schrib die e[rwirdig] muter unnßerm herrn pfleger ein prief, wie hernach volgt: ein priefs, den die erwirdig muter unnßerm herrn pfleger Caspar Nuczel schrib von des ungelts wegen[8]).

---

[1]) Vorabend von Christi Himmelfahrt   [2]) immer   [3]) festgesetzten
[4]) allgemeine Kasse   [5]) Pfennig   [6]) Dienstag   [7]) Sud
[8]) Der Brief steht bereits auf S. 88—90

[Am Schluß des Briefes fehlt hier der Gruß „an unser frums Clerlein",
dafür steht:]
[Bl. 78]   E F W

gutwillige dochter Caritas
P[irckheimer] abt[issin] zu sannt Clarn.

Kapitel 59

Bittschrift der Äbtissin an den Rat wegen Aufschubs des Ungelts

Auf solchs schreyben wurdt nit vil gemelt[1]).

Da man schwig, schwigen wir auch; aber umm sannt Ursula tag schickt
unns der ungellter wider ein zetel. Da macht die e[rwirdig] muter ein
suplicacion an die eltern herrn; schickt die unnßerm herrn pfleger zu,
pat in, die den elltern zu verleßen und unßer notwendigkeyt anzuzay-
gen, wie er west, wie unnßer sach stundt; aber er sagt, es must durch
den ganczen rat gien.

Ein suplicacion an ein e[rbern] r[at]:
F E W lieb herrn!

Vergangnen tag hat E W ungelter unns ein zettel zugesannt unnd
darinnen vermelts ungelts VIII f IIII s(chilling] II den. alts unnd
XVIII sud, III aymer mynder VI firten[2]) weyns, mer XVI sud pirs.
Begert zu ungelt 159 f IIII s[chilling], V den. Nun ist nit an, wo wir
pey solchem vermugen weren, das wir etwas uber unnßern teglichen
prauch uberschuß hetten, wir nit besundern beschwerd, ob wir das E W
unnd gemeyner stat folgen ließen, dieweyl aber E W selbs wißen tregt,
das sich unnßer aufheben[3]) nit so weyt erstreckt, das wir auch ploßlich[4])
unnd genau unnßer leybsnarung davon haben mugen. Hat E W zu er-
meßen, wie beschwerlich unns wer, wo dieselb auf irem furnemen ver-
harren sollt unnd wir auch also mangel inn der geringen leybsnarung,
so wir unns pißher gepraucht haben, leyden mußen.

Derhalb ist unnßer untertenig pitt an E W, die [Bl. 78] wollen unns
umb gottes willen inn dißem fall genedig unnd parmherczig seyn unnd
dermaß inn die sach sehen, das wir dennoch pey zymlicher leybsnarung
beleyben mugen, wo nit, wißen wir wol, das wir unns inn dißem fall
gegen E W nit entporen[5]) sollen oder kunen; mußen derhalb gescheen
laßen, was E W herinnen furnymbt. So haben E W unnßer abnuczung[6])
zum thayl inn iren handen, davon sye sich zalen mugen unnd wiewol
unnß solcher abpruch, wie gemelt, ser beschwerlich ist noch dann ist unns
leydlicher, das wir leyplichen mangel haben, dann das wir unnßer ge-
wißen inn ander weg sollten beschweren. Wenn der leyb zu genczlich
unnd geprechlich ist, auch die gegenwertig zeyt kurcz, derhalb er etwan
auch mit waßer enthallten mag werden, aber die beschwernus des ge-
wißens reycht weyter unnd berurt auch daz kunftig leben.

---

[1]) geantwortet   [2]) Viertel   [3]) Einkommen   [4]) bloß, nur
[5]) empören, widersetzen   [6]) Nießbrauch, Nutznießung

Derhalb woll wir got pitten, das er E W eingeb, was derselben unnd uns am nuczten sey. Befelhen unns derselben als arme, elende frauen-pildt unnd die außerhalb gottes schir von yderman verlaßen sindt.

Diße suplicacion wurdt auf dißmal vom herrn pfleger nit geantwurt. Wurdt unns auch nichcz zu entpoten, piß wir weyn kauften, namen wir ein urlaub[7]); nach dem schickt man unns wider ein czetelein vom un-gelter. Wir schickten zum herrn pfleger, begerten seyns rats, schrib er unns dißen prif den 3. januarii 1527.

Kapitel 60

Brief des Pflegers zu dieser Bittschrift

Das ist der prief, den der herr pfleger der e[rwirdigen] muter schrib:

Der fridt gottes sey mit euch, erwirdige frau unnd in Cristo, un-ßerm herrn, gelibte schwester!

Ich pin wol im willen gewest euer schriftlich begeren belangen das ungelt gestern an mein herrn gelangen zu laßen; wie ich dann dasselb euerm hoffmayster[1]) hab zu thun zugesagt unnd noch mit erstem thun will, das aber solchs verzogen ist, hat die ursach, ich pin von einem eu-ern guten freundt erindert[2]) unnd auch des intrechtig[3]) gemacht, das ir inn verloffen jar an mein herrn die elltern [Bl. 79] ein suplicacion geben, darinnen euer noturft und anligen angezaygt der maynung euerm anli-gen rat zu finden unnd villeycht auch daz nur [mir?] abgefallen dißer beschwerung zu entpflihen, auf welche euch aber dazumal keyn außtreg-liche antwurdt gefolgt, dann mit solchem begern fur ein rat gewißen, ob aber die daselbst gehort oder nit, auch waz antwurt darauf gefallen, ist mir nit wißent unnd solchs zu suchen, dieweyl mir zeyt entpfallen hochweschwerlich unnd bedunckt mich doch, ir habt das dazumal zuge-laßen, das an ein e[rbern] rat gelangen soll. Pitt euch, ir wolt mich dar-innen euers wißens, dieweyl ir gewißlich copey darvon habt, berichten; dann mir daz ein anfechtung wer, daz nit der zeyt[4]) sollt gesagt wer-den, ich het euer begern unnd noturft einem rat verhallten unnd nit anpracht.

Sopaldt ich auch deshalben bericht unnd euers willens wißen hab, will ich mit erstem an mein herrn euer begern nochmals langen laßen und gar nit czweyfeln, die begert frist piß auf Walpurgis erlangen, dann ir mein herrn mit dißem gelt nit reych machen, auch inen daran so vil nit gelegen als an dem, wa[5]) euch entwichen[6]) wurdt, das gewiß hernach wurden folgen die teutschen herren, so ein großen geprauch hye haben, aller ebt unnd prelaten hof, die leyenpriesterschaft, der vil hye sindt; die alle pißher willige czallung gethun haben, wurden des auch ledig seyn wollen unpillich unnd noch pillicher zelet man die ledig, so inn gottes casten zu unterhalltung der armen sich mit allem mitleyden des

---

7) Erlaubnis, Aufschub
1) Schaffer, Verwalter   2) erinnert   3) aufmerksam   4) einmal, später
5) wenn   6) stattgegeben ?

gemeynen nucz inn dißem vall als die pfarr unnd ander begeben, zu wel-
cher widerwertigkeyt, darauß vil folgen mag, ich euch ursecherin zu
seyn nit gern wißen wolt.

Ich pitt euch auch herczlich umm gottes ere willen zu bedencken,
welchs gotlichen befelh unnd wort gemeßer sey sich auf erdicht furne-
men zu verlaßen mit abpruch des gemeynen nucz oder leydenlichs[7]), das
auch vil ermer dann ir seyt, gedulden mußen mitzutragen; und ob nit
dannoch got zu vertrauen sey, das er euch werdt außhellfen, sunderlich
auch angesehen die mercklichen schweren leuft unnd, wo ich zu weyt
wider mein hye vor gethan zusagen, das ich mich inn dißen sachen nit
mer will einlaßen gien, so wolt, pitt ich, der voderer[8]) so inn lauf ku-
men, ee ich gen predig pin gangen unnd nit mir die schuldt geben,
dann wer solchs mein zusagen nit, [Bl. 79'] ich mocht ursach gehabt ha-
ben mer mit euch muntlich oder schriftlich zu handelen, das euch aber
vertrißlich als von dem unkunenten [?][9]) gewest. Das wist aber, das ich
got nit aufhor zu pitten fur euch unnd die euern als fur mich selbst;
nach seinem lob unnd willen woll unns der ewigklich furen.

Caspar Nuczel, der elter.

K a p i t e l 61

Antwort der Äbtissin an den Pfleger — Bericht über eine erneute Bitt-
schrift — Abschrift eines Zettels des Ungelters

Dißen prif schrib die erwirdig muter auf des pflegers prieff:

F W gunstiger, lieber herr pfleger!

Ich schick E W hyemit ein copey der suplicacion, die wir zu sannt
Ursula tag E W uberantwurt haben, den elltern herrn, wo[1]) aber not
wer dem ganzen rot, furzutragen, ist unns keyn andre antwurdt geben
worden, denn da wir darnach wider weyn kauften, paten wir umm er-
laubung denselben einzulegen; het man muntlich dem knecht gesagt, wir
sollten den einlegen, man wolt dem ungelter weytern beschaydt geben.

Auf demselben hat es pißher gerut, piß inn der vergangen wochen
hat unns der ungellter diß zetelein geschickt, das ich euer w[eisheit] auch
hyemit sendt. Nit weyß ich, ob er es auß eines erbern rats befelch oder
auß im selbst gethun hat. Auf dieselben schnellen bezalung haben wir
gestern suplicirt unnd E W gepetten unns hilflich zu seyn umm lengern
verzug nit auß myßtrauen, daz wir zu got, unnßerm herrn, haben als
villeycht besorgt; dann wist inn warheyt, das wir got von herczen wol
getrauen, wo[2]) daz nit wer, heten wir lengst verzweyfelt. Wir sindt auch
nye wider gewest zu thun, das unns aufgelegt unnd inn unßerm vermu-
gen ist. Aber E W wayß wol, das die beczalung des ungelts inn unßerm
gen nit ist. Wollen unns armen kinden nun mein herrn ein genad darin-
nen beweyßen, wollen wir zu hochem danck nemen; wo nit, wißen wir

---

[7]) leidend, duldend   [8]) Forderer, vielleicht: Aufforderer zu etwas
[9]) unkundigen, nicht informierten ?
[1]) wenn   [2]) wenn

152

wol, das wir unns gegen einen erbern rat nit seczen sollen noch kunen, mußen es uber den leyb laßen gien der ungeczweyfellten hoffnung, got wer unns dennoch enthallten, ob daz nit geschicht, wie wir wollen, wirt doch das nach seynem gotlichen willen gescheen, der uns das begirlichst inn hymel unnd erden ist.

Befilch E W die sach inn allen treuen darinnen zu handelen nach dem pesten. Danck E W auf das freuntlichst euers getreuen furpets gegen got fur unns. Wist [Bl. 80] auch, das ich solchs keyn nacht unterwegen laß[3]) fur euch. Got, der ein erkenner ist aller herczen, schick[4]) zu peyden seyten all unnßer sach nach seynem allerliebsten willen; damit der genad gottes ewigklich befolhen!

Item da die e[rwirdig] muter vermerckt, das der herr pfleger die zugeschickte suplicacion, so vorgeschriben ist, so lang het verhallten, da suplicirt sye auf des ungellters zettelein unnd schickt die suplicacion nachvolgent dem purgermayster dem rat zu antwurten unnd ließ den pfleger pitten, das er unns erwirb, das man mit dem ungelt gedult trug piß auf Walpurgi, wie vor gemelt; aber die copey der ersten suplicacion nach seynem beger schickt wir im.

Des ungelters czetelein:

Von den nunen von sannt Katerina unnd Clara soll man yczo ein firtheyl an irem verfallen ungelt, so sye piß auf dato schuldig, beczalt nemen; sye wider auf ostern laßen einlegen unnd piß auf dieselben zeyt sollen sye zu der ubermoß an solcher schuldt frist haben.

Den 3. januarii 1527.

Kapitel 62

Zweite Bittschrift an den Rat — Brief des Pflegers an die Äbtissin

Das ist die ander suplicacion, die wir inn rat durch den purgermayster geben:

F E W lieb herrn!

Nachdem unns E W ungelter ycz ein czetel zugeschickt unnd an unns begert hat, das wir ein firthayl an verfallem ungelt, so wir piß auf dato schuldig sindt, beczalen sollen, so wißen E W, das yczo keyn zil[1]) ist unnd wir gar nit pey gelt sindt, so gillt daz korn auch nichcz, so unns E W ye keyn genad inn bezalung des ungelts erzaygen will unnd wir doch das zu bezalen nit haben, auch sunst mit der speyß des leybs auf das geringst behellfen mußen, so piten wir doch E W umm gottes willen, die woll mit solcher bezalung verzihen piß auf negsten kunftigen sannt Walpurgen tag, angesehen, das E W das pfanndt inn der handt hat unnd, ob[2]) wir nit zalen wollten, sich die selbs zalen mag; des wollen wir umm E W verdynen gegen got mit unnßerm armen schuldigen gepet.

---

[3]) unterlasse   [4]) lenke
[1]) Zahlungstermin   [2]) wenn

Des pflegers prieff:

Erwirdige Frau unnd in Cristo geliebte schwester!

Die suplicacion sambt euerm begern hab ich gestern pey einem er-
bern rat loßen leßen unnd dapey muntlich, waz mich dinstlich[3]) gedaucht,
vermelt[4]) unnd, dieweyl ich inn dem zetelein euch durch den ungelter
zugeschickt ein anhang vermerck alß sollt euch zu den 3 firteyl verfal-
lens ungelts piß auf ostern fryst geben seyn, welchs ich doch zu zeyt
des verlaß im rat also vermerck, das yz von euch, sannt Katerina unnd
den jen[igen], so inn gottes casten genumen, der firteyl piß auf die selb
zeyt verfallen ungelt sollt nemen unnd wider gestaten einzulegen piß
auf ostern; alsdann sollt pey eines rats weytern bedencken styen zu er-
wegen, waz weyter zu thun unnd laßen sey. Pey solchem entschydt ist
es abermals auß beweglichen guten ursachen beliben unnd, dieweyl ir
auch pitt euch den firten theyl auf euer zynß inn der loßungstuben[5]),
dieweyl ir an parschaft mangel habt, anstyen zu laßen, darzu ist diße
antwurdt gefallen, das euch unnd den andern obgemelt[6]) darinn soll
willfardt werden; das aber mein herrn sich selbs pfenden, ist inn[7]) auch
nit gelegen, sunder wollen euch euer zyns Walpurgis unverhyndert ray-
chen unnd genung seyn, das ir den ycz verfallen firthayl alsdann irem
ambtman dem ungelter zalen last, das wirdt der halb thayl goldt unnd
der ander halb thayl muncz zu 8 hl 12 pf oder 15 paczen, wie ydermann
das zu geben ist, seyn. Wer wayß auch, was sich mein herrn alsdann
aber weyter des ubermaß halben unnd waz mitlerzeyt noch verfallen
wirdt, entschließen werden. Ich hab auch mein herrn angesagt, das ir
euch selbs nit werdt widern, aber doch mit der zeyt genad und gunst
inn dem kunftigen verhoffen. Das hab ich euch darnoch haben zu rich-
ten[8]) nit wollen pergen; das ir aber der halben euern verwannten[9]) an
eßen oder trincken einigen abpruch thun, das sicht ein rat fur unnot an
unnd haben daz mercklich beschweren mir befolhen pey euch zu ver-
kumen[10]), wie ich hyemit darfur gepeten will haben; findt in warheyt,
wa[11]) sye die noturft also westen, das sye nach wegen wurden gedenk-
ken dem rat zu schaffen. Damit pfleg got unnßer aller unnd geb unns
nach seynem willen zu thun!

                                   Caspar Nuczel, der elter.

Kapitel 63

Brief der Äbtissin an den Pfleger

Der erwirdigen muter prief, antwurdt auf des pflegers prief:

[Bl. 81] Fursichtiger, weißer, gunstiger, lieber herr pfleger!

Ich hab auß eurem schreyben verstanden, das ir unnßer sach nach
dem pesten habt gesprochen vor einem erbern rat unnd unns auch frist
erlangt habt piß auf Walpurgen, des ich euer F W sambt dem ganzen
convent auf das hochst danck. Kan wol ermeßen, das wir in dem unnd

---

[3]) dienlich, nützlich   [4]) vorgebracht   [5]) Stadtkammer   [6]) oben erwähnten
[7]) ihnen   [8]) berichten   [9]) Mitschwestern   [10]) dem zuvor zu kommen   [11]) wenn

154

andern E W genyßen[1]); got geb euch den lon inn ewigkeyt! Weyter als E F W meldt ein erberer rat werdt sich auf Walpurgis mit unnßerm gelt nit selbst pfenden, im nomen gottes, wie es zu derselben zeyt E W sambt einem E R ordent, mußen wir gescheen laßen. Hab E W hyevor mer denn einmal geschriben, wir werden unns nit widerseczen, was unns wirt aufgelegt; das aber E W begerdt dem convent nichcz abzuprechen, dapey spur ich euer milts gemut, welchs ich auch fast[2]) gewilt pin, wiewol solchs nit kan gescheen mit der purdt des ungellts on mercklich schuldt, die ich an das[3]) gemacht hab die 2 vergangen rechnung, dann von den genaden gottes das korn ser wolfayl ist; so hab ich auch sunst hyn unnd her gedacht mit dem haußhallten pede des gesindts unnd convents halb, wie wir es mit dem ungelt dester paß kunten erschwingen; kan aber pey mir nit finden, das wir etwaz mochten mynder machen, des wir zu[u]periger[4])[?] noturft kunten geraten[5]), als der lieb herr Anthoni Tucher seliger gedechtnus oft mit mir ratgeschlagt. Damit befelch wir unns inn euer treu unnd E W inn die beschirmung gottes.

Kapitel 64

Mahnung durch den Ungelter — Brief an den Pfleger — Dritte Bittschrift an den Rat

Nach ostern im 27. jar schickt unns der ungelter ein czetelein; liß unnß manen.

Da schrib die e[rwirdig muter dem pfleger dißen prieff:

Fursichtiger, weyßer, gunstiger, lieber herr pfleger! Nachdem der ungellter vor wenigen tagen uns gemant hat das ungelt zu geben nach außweisung des zeteleins den firten theyl zu geben, hab ich mich auß demselben als eine, die vor inn solchem nit geubt ist, nit darauß wißen zu verrichten, hab ich inn ge- [Bl. 81'] peten solchs lauter auß dem zetelein, das ich E W hyemit schick, außzuzyhen unnd verzaychen, wie vil fur ein ytlichs pier oder weyn sey, welchs er pißher verzogen hat. Nun besorg ich, E W sambt andern herrn mocht unns solchs fur ein ungehorsam zumeßen, darum schick ich E W hyemit den firten thayl des ungelts; hab wirs aber nit recht gerechent, so mußen wir erfullen, wes man nit geraten[1]) will. Auch darpey ein kleine suplicacion an einen erbern rat mit demutiger pitt, so E W ye gruntlich wayß unnßer aufheben[2]) unnd haußhallten, das ir das pest darzu redt, auf das unns weyter genadt mocht gescheen mit erpietung, wo solchs inn unnßerm vermugen wer, wollten wir gern zu gut der gemeyn noch ein merers thun, dann wir ye keynen schacz auf erden begern zu samelen. Befilch die sach ganz euer veterlichen treu, der wir oft vormals enpfunden haben unnd E W der genad gottes.

Die drit suplicacion an rat, die wir dem herrn pfleger schickten:

Fursichtig, erber, weiß, lieb herrn!

---

[1]) Nutzen haben [2]) sehr [3]) ohnedies [4]) überflüssiger [5]) entbehren
[1]) entbehren, verzichten [2]) Einkommen

Nachdem E W ungelter unns abermals angezogen hat, das wir den firtayl des ungelts zalen sollen laut des zetels unns zugeschickt, so ist ye solche bezalung uber unnßer vermugen, dieweyl wir an das[3]) mit unnßerm aufheben[4]), wie gering[5]) wir leben, nit außkumen mugen und zufor[6]) ycz, so das korn als wolfeyl ist. Darmit wir aber nit fur streflich geacht werden oder verdacht als wollten wir unns gegen E W gepot seczen, so schicken wir E W hyemit das auferlegt gelt, pitten aber darneben umm gottes willen E W woll unns armen, elenden leuten nit also hert, sunder parmherzig seyn unnd ein lengere gedult wie vor mit unns tragen, damit wir nit gar an den waßerkrug gedeyen; wo[7]) nit, mußen wir unns dißer sach halben inn E W willen geben, unns geschech geleych wie gott woll. Befelhen unns damit E W demutigklich.

Kapitel 65

Brief des Pflegers an die Äbtissin — Ratsverlaß wegen des Ungelts der Klöster

Des herrn pflegers prieff:

Erwirdige frau!

Ich hab euer schreyben sambt der suplicacion an einen erbern rat gestelt empfangen, auch dem ungelter das gelt uberantwurdt, der hat mir ecz- [Bl. 82] lichs wider geben, das ich euch hyeneben zuschick.

Sagt, es sey so vil mer dann der firtheyl, so im befolhen sey einzunemen. Nun gepur im nit mer zu nemen, dann im von rats wegen angesagt. Als ich aber inn dißer stundt hab wollen euer suplicacion uberantwurten, pin ich intrechtig[1]) worden eines verlaß, so die vergangen wochen derhalb pey einem rath gescheen; euch den vor zu wißen zu machen, dieweyl ich auch nit acht, das solcher verlaß dißer zeyt zuruckgestelt, sunder villeycht abermals disputacion ycz unnoturftig darauß erfolgen, darumm wolt solchs von mir im pesten unnd, wie ichs meyn, verstyen und der verlaß ist ungeferlich wie volgt, welcher auch dem ungelter schriftlich ist zugestelt: Nemblich sollen die closter, so sich gemeynen almußen in casten geben, unnd auch die andern closter außerhalb sannt Clarn unnd sant Katerina, wie die teutschen herren, auch alle andere gaistlichen unnd weltliche inwoner unnd purger ir ungelt fur vol an eynig nachlaßen geben, aber pede frauencloster sollen iren firteyl, wie dann sannt Katerina schun gethun gehabt, bezalen unnd durch den ungelter gerechet[2]) werden, wie vil sye noch ungelts piß auf denselben tag des verlaß schuldig seyn unnd sollen die frauen auf Marthini negst an derselben sumam abermals den firtheyl geben unnd inn einzulegen ir noturft nach mitler zeyt gestat unnd alsdann pey einem erbern rat abermals bedacht werden, wie es weyter gehallten soll werden.

---

[3]) ohnedies [4]) wie 2 [5]) sparsam [6]) besonders [7]) wenn
[1]) habe ich mich erinnert [2]) berechnet

Ist euch nun gelegen euer suplicacion, wie die gestelt, oder die zu myndern oder meren zu uberantworten, will ich die gern und mit allem fleyß, so ir mir die wider zuschickt, uberantwurten. Will unns alle damit inn die genad des allerhochsten befolhen haben. Inn eyl auf dem rathauß.

Caspar Nuczel, der elter.

Nachdem wurdt sunders nit mer gehandelt piß umm sannt Francissen tag, da schickt uns der ungelter aber ein zetel. Da schrib die e[rwirdig] muter dem pfleger dißen prief.

K a p i t e l 66

Brief der Äbtissin an den Pfleger — Vierte Bittschrift an den Rat — Bericht über die Rückgabe der Bittschrift

Der e[rwirdigen] muter prief an den herrn pfleger:
[Bl. 82']

F W gunstiger, lieber herr pfleger!

Ich fug E W zu wißen, das vor etlichen tagen der ungelter unns die rechnung der czweyer negster[1]) vergangner jar sambt des yczigen 27. jars geschickt hat, vor der ich ser ubel erschrocken pin, dann sye ein merckliche sumam, nemlich 301 f IIII lb XIII den. innen helt. Dann als unns Walpurgis der firthayl verfallens ungelts aufgelts aufgelegt wardt zu bezalen, als wir dann dazumal gethun haben, heten wir gehoft die dreythayl weren unns nachgelaßen, aber wir sehen yczo ein anders; pitt ich E W auf das hochst umm der lieb gottes willen, thut ein strich durch die allten schuldt unnd seyt unns genedig unnd parmherczig mit der neuen, denn E W ye wol wayß, das solche große sumam zu bezalen inn unßerm vermugen nit ist; darzu ist zu besorgen, das gefrust[2]) hab solchen schaden gethun, das an das[3]) der weyn vil teurer werdt seyn denn ein ander jar. Sollt ich dann wider euer gehorsam und verpot meinen schwestern, besunder den allten, den das herz an daz[4]) an einem truncklein hangt, vil abprechen an ir noturft, wurdt mich ye erparmen unnd hoch beschweren.

Darumm pitt ich E W abermals auf das hochst, thut als ein getreuer herr unnd vater und helft uns genad unnd parmherzigkeyt erwerben pey unnßern gunstigen herrn. Ich schick E W hyemit ein suplicacion unnd secz es gancz euerm treyen haym, ob euch peßer gedunckt den eltern herrn allein oder einem ganczen rat zu verleßen oder ob E W solchs muntlich peßer unnd schickerlicher woll sprechen, dann wir ye den getrauen zu E W haben, ir werdt darinnen an unns thun als ein getreuer vater an seynen armen kinden unnd den lon darumm entpfahen von dem getreuen herrn, der gesprochen hat, waz ir meinen mynsten thut, habt ir mir selbst gethun. Seyner genad befilch ich E W ewigklich.

Die firdt suplicacion an den rat:

Fursichtigen, weyßen, gunstigen, lieben herren!

---

[1]) letzt   [2]) Frost.   [3]) ohnedies   [4]) wie 3

Vergangner tag hat E W ungelter uns ein zetel gesannt 301 gulden 4 lb XIII den. alts unnd neus ungelts inn sich hallten uber den firten thayl, den wir negst[5]) Walpurgis nach E W ordenung bezalt haben. Nun ist nit an, wo wir pey solchem vermugen weren, das wir etwaz uber unnßern teglichen geprauch uberschuß hetten, wir nit besundern beschwerdt, ob wir das E W [Bl. 83] unnd gemayner stat volgen ließen, dieweyl aber E W auß unnßer rechnung selbs wißen tregt, das sich unnßer aufheben[6]) nit so weyt erstreckt, das wir auch ploßlich[7]) unnd genau unnßer leybsnarung davon haben mugen, wann das korn yczo wolfayl unnd der weyn gefrust[8]) halben teur werden mocht, deshalben pitten wir E F W als unnßer gunstig herren unnd getreu veter leuterlich umm gottes willen, wolt unns inn dißem fall genedig unnd parmherzig seyn unnd euch zu herzen loßen gien, das wir arme plode[9]) frauenpildt sindt unnd unnser vil allter unnd schwacher unnter unns haben, den das herz nayr[10]) an dem drincklein hecht[11]), die an czweyfel ser gekrengt[12]) wurden, sollten sye an dem waßerkrug gedeyhen, darumm wir gar demutiglich begeren, wolt genad mit unns thun; wollen wir got pitten, das er E F W auch genedig unnd parmherzig woll seyn unnd auch hundertfeltig woll ersproßen[13]), das ir unns gunstlich nachlast.

Befelhen unns hyemit E F W als unnßern gunstigen lieben herrn und vetern.

Dißen vorgeschriben prief unnd suplicacion schickt wir paydts dem herrn pfleger heym. Darnach uber V tag ubersach wir des pflegers prief, was der negst verlaß was; da schrib man dem pfleger paldt, het er die suplicacion nit geantwurdt, das er stillhilt; het er gesagt, ich wayß wol, was der negst beschaydt ist gewest; ich habs nit willen gehabt vor Marthini anzupringen; also wurdt auf dißmal nit suplicirt. Er schickts unns wider her haym; da wardt wir fro.

K a p i t e l 67

Zettel des Ungelters — Brief der Äbtissin an den Pfleger — Bericht bezüglich des Nachlasses und mündliche Verhandlung mit dem Pfleger

Diß zetelein pracht der ungelter mitwoch nach epiphanie im 28. jar:

Den 8. januarii 1528 ist pey einem gesamelten rat ertheylt von den clostern, nemlich sannt Clarn, sannt Katerina unnd den predigermunchen den halben thayl alles hynterstelligen ungelts, weß sye daß piß auf Michaelis verschynen[1]) alts unnd neus schuldig werden, bezalt zu nemen unnd yczt einzufodern unnd sye piß auf Walpurgis [Bl. 83'] kunftig einlegen lassen auf weyter gute rechnung, aber alle dieweyl sye solchen halb thayl nit bezalen, sollen sye sich einlegens enthallten unnd mit den

---

[5]) letzten [Jahres]	[6]) Einkommen	[7]) bloß, nur	[8]) wie 2
[9]) einfache, schlichte	[10]) nur	[11]) hängt	[12]) krank gemacht
[13]) ersprießen machen, Gedeihen geben			
[1]) verflossenen [Jahres]			

parfußen soll man dißer zeyt ein umsehen thun unnd sye auch laßen einlegen piß auf Walpurgis.

Den prief schrib die e[rwirdig] muter dem herrn pfleger:
Die genad gottes sey mit unns ewigklich!

Fursichtiger, weyßer, gunstiger, lieber herr pfleger unnd getreuer vater!

Der ungelter ist kurzlich pey mir gewest, hat mir anzaigt den entschid meiner herrn des ungelts halb, das wir yczo halb bezalen sollen und mit dem andern porgen piß auf Walpurgis; welchs halb thayl mer den 150 gulden macht. Nun wollten wir gern gehorsam seyn als vil wir mochten, aber diße große summa ycz par zu beczalen, ist warlich inn unnßerm vermugen nit; wir geben denn alles dar, das wir zu teglicher zerung bedurffen, an[2]) die wir nit leben mugen, dann wir ye eßen unnd drincken mußen; so verpeut mir E W nichczs abzuprechen, diß will sich aber zu dißen zufellen nit wol reymen, so wir an[3]) das inn leczter rechnung 153 gulden schuld haben unnd noch nit auf diß jar beweynt[4]) sein unnd sunst keynen zufal[5]) nyndert[6]) haben. Pitt ich E W leuterlich umm gottes willen, das ir euch uber unnßer armut erparmbt so wir ye nit begern zu haben denn die perigen[7]) noturft unnd uns armen, elenden frauenpildt helft genad erwerben pey einem erbern rat, das unns lenger frist geben werdt, piß wir inn die fasten etliche unnßer guter mit rat mugen verkaufen, an[8]) welchs bezalung nit mag gescheen. Ich schem mich geleych, das wir noch mer genad mußen begeren uber die genad, die unnß vor webißen[9]) ist worden, doch die not hat kein gesecz, die, ich hoff, E F W selbs wol ermeßen kan; wayß wol, wenn E F W selber will, mugt ir unns muntlich paß ersprießen[10]) dann ob wir geschriftlich vil suplicirten; doch dunckt dasselb E W gut unnd hoft etwaz zu erlangen, wollen wir dasselb auch thun. E W saget nach Michaeli, wir sollten mit der suplicacion verzyhen, piß man wider etwas anprecht. Was ir unns darinnen rat, woll wir gern volgen. Ich weyß, wenn ir west, wie genau[11]) es unns ligt, ir wurdt euch uber unns erparmen unnd uberall helfen unnd raten. Darumm befelhen wir die sach ganz euern treuen inn hoffnung, ir wert das pest thun [Bl. 84] unnd den lon von got enpfahen, dem ich E W mit allen den euern ewigklich befilch.

Nota: Inn dem vorgeschribnen prief het wir begert ein nachlaßung; da kam uns ein warnung, wir sollten pey leben[12]) nit umm genad pitten unnd nichcz suplicirn. Man schrib ein andern prief; ließ begerung der nachlaßung heraußen unnd begerten neur[13]) 1 [ein] frist. Auf dißen prief gab der pfleger keyn antwurdt; wollt unns zu lang werden, das wir nit sollten kaufen unnd was der keler ler. Man schickt den Wilhem[!] zum herrn pfleger mit schlechten[14]) worten zu sprechen, wir heten 50 fl zusamenpracht, ob es docht[15]) dem ungelter zu schicken, piß wir das an-

---

[2]) ohne   [3]) ohne   [4]) mit Wein versehen   [5]) Einnahme   [6]) nirgends
[7]) ? erträgliche   [8]) ohne   [9]) bewiesen   [10]) nützen
[11]) karg, knapp, Sinn: wie sehr wir sparen müssen
[12]) beileibe   [13]) nur   [14]) schlichten, einfachen   [15]) gut dünke

der auch uberkemen unnd das wir dieweyl mochten einlegen. Het er gesagt, ich habs nit allein gewalt, ist mir auch abgefallen[16]), wie der neher verlaß laut, erfart, wie vil der ganczen austendigen summa sey, so will ichs morgen an einen rat laßen langen. Das sagt man im paldt, der summ wer noch 301 gulden, IIII lb, XIII den. An dem andern tag pracht er es an einen e[rbern] rat, was die antwurdt, was des pflegers prieff innen helt, den er denselben tag herschrib; was am mitwoch nach liechtmeß im 28. jar. Wir heten des anpringen nit begert noch durften mutten[17]). So wundert unns noch mer der antwurdt, het wir unns nit versehen.

Kapitel 68

Brief des Pflegers an die Äbtissin und deren Antwort — Bericht über eine erneute Mahnung durch den Ungelter

Des pflegers prieff:
Genad unnd frydt, erwirdige frau muter unnd geliebte schwester inn Cristo!
Nach erpietung euch unnd den euerigen meinen willigen dynst; fug auch euch zu vernemen, das ich auf euer beger pey mein freunten, einem erbern rat, gehandelt belangen die frist zum ungelt unnd wiewol ich dieselben euch mit allem willen unnd cristlichem gemut genaygt befindt, hat sich doch auß guten ursachen euch zu wilfaren nit erleyden wollen, aber zu dißem mitel ist es gelangt, welchs ich auch dem ungelter angesagt, das ir die funfczig gulden halb golt dem ungelter sollt zustellen unnd der noch außstenden hundert gulden halben hab ich mich erpoten euch darzuleyhen, wie ich auch gern gethun unnd dem ungelter geben hab auch halb golt, die sollt ir mir [Bl. 84'] czwischen hye unnd Walpurgis widergeben; mitlerzeyt sollt ir preuen unnd einlegen euer gelegenheyt nach. Was dann Walpurgis kunftig von wegen der austendigen anderthalb hundert gulden unnd, was mitlerzeyt wirt eingelegt, in rat euer unnd anderer halben erfunden wirt, darpey wirt es aber bestyen. Hab ich euch inn eyl darnach haben zu halten unangezeygt nit wollen laßen. Damit vil seliger zeyt, die gewißlich denen, so got gunt[1]) nach so vil regens unnd thauens seyner vilfeltigen offennarung [?] und genaden erfolgen wirdt; verleych unns got der allmechtig. Amen.

Caspar Nuczel, der elter.
Der e[rwirdigen] muter prief auf des pflegers prieff:
Fursichtiger, weißer, gunstiger, lieber herr pfleger unnd getreuer vater!
Ich hab auß E W schreyben eins erbern rats, auch E W gutwilligkeyt verstanden, des ich pillich sambt meinem convent danckper pin. Het in keynem weg solchs groß lehen von E W duren[2]) begeren, so ir on daz[3]) mit teglich laufen von unns belestigt sindt; so ir aber auß freyer gutwilligkeyt ungepeten unns diß groß gut gethun habt, so beger

---

[16]) entfallen   [17]) [dies] vermuten
[1]) gönnt   [2]) gewagt   [3]) ohnedies

wir von dem millten geber alles guten, der nit unbelont lest, waz man
seynen mynsten thut inn seynem nomen, das er euch fur das czeytlich
geb das ewig. Aber weyßer, lieber herr! Ich wirdt dennoch noch groß-
lich[4]) euers getreuen rats bedurffen, dann sannt Walpurgen tag nit ferr
ist, auf den ich vil zu zalen wirdt haben, so muß ich mitlerzeyt weyn
kaufen, wider preuen laßen, welchs alles vil gelts praucht. Wayß ich nit,
wo ich daz nemen soll, aber was wir zu gelt machen sollen, darumm
ich gern mit E W rot het; etlich paurn zu verkaufen, wenn wir neur
kaufleut ankumen mochten, die par beczallten; wenn wir schon paldt
anheben mit dem verkaufen, wirt dennoch sannt Walpurgen tag vil-
leycht ee[5]) kumen denn die bezalung geschicht. Ich hoff ye, E W werdt
inn dem aber helfen unnd raten als ein getreuer nothelfer unnd den
lon darumm von got einnemen, dem ich E W ewigklich befilch.

Nota. Der neu ungelter N. Helt kam am tag Corporis Cristi[6]) im 28.
jar unnd manet an das [Bl. 85] ungelt, das zu geben auß seyner herrn
befelch, doch gutlich; pracht aber keyn zetelein unnd ryet, wir sollten
suplicirn; er must thun als ein gehorsamer. Da schickt wir dem pfleger
ein prieflein zu, daneben ein suplicacion; uber 5 tag gab man zu ant-
wurdt, man must vor peym ungelter erfarn, wie vil wir schuldig weren
alcz[7]) und neus, aber nichczdestermynder sollt wir kaufen unnd einle-
gen 1 faß, 3, 4 oder 5 unnd sollten etwas gucz kaufen.

Kapitel 69

Brief der Äbtissin an den Pfleger — Fünfte Bittschrift an den Rat — Be-
richt — Sechste Bittschrift — Zettel des Ungelters

Der erwirdigen muter prief an den pfleger:
Die genad unnßers parmherzigen vaters sey mit unns allen!
F W gunstiger, lieber herr pfleger!
Der ungelter ist gestern pey mir gewest, hat gemont des ungelts
halb, des ich an daz nit vergiß mit den gedencken, wiewol ich es leyder
auf diße zeyt nit volczihen mag mit den wercken. Beger demutigklich E
F W woll lenger gedult haben mit den hundert gulden, die ir unns auß
treuen dargelihen habt. Ich hoff ye, wenn man fleyß furker mit den von
Ertfardt[1]), es soll unns werden, damit wir E W unnd ander entrichten
mugen. Pitt E W demutigklich, handelt mit dem Schlußelfelder, daz man
darzu thu ymant gen Ertfardt zu schicken, der gewalt[2]) hab auß euerm
befelch unnßerthalben zu handelen; es wirt sunst nichcz thun, wenn
solchs E W nit selber ordenirt; ye lenger man verzeucht, ye mynder
wirt es von stat gien.

Hab auch ein suplicacion an einen erbern rat gestelt, welch ich hye-
mit schick; wolt die, pitt ich, ubersehen, unnd, wenn E W gut bedunckt,
die antwurten, ob wir etwaz genad oder verzug mochten erlangen, des
wir unns voran zu got, unnßerm herrn, unnd darnach zu E W genczlich

---

4) sehr   5) eher   6) Fronleichnam   7) altes
1) Erfurt   2) Vollmacht

versehen, ir werdt hellfen unnd rathen, das unns genad und parmhercz-
zigkeyt bewißen werdt unnd etwan ein strich durch das allt ungelt ge-
macht werdt. Verzeycht mir durch got, wo ich zu vil beger. Ich wayß
wol, das E W an daz³) nichcz versaumbt; danck euch auch gancz freunt-
lich aller mue⁴), die ir mit unnßern sachen habt unnßer armen leut halb,
die euch schir teglich uberlaufen, got, der almechtig, sey euer lon inn
ewigkeyt, des genad ich E W mit allen den euern albeg⁵) befilch.

Die 5. suplicacion an einen e[rbern] rat:

[Bl. 85'] Fursichtig E W lieb herrn!

Nachdem unns ycz abermals E W ungelter hat gemont, das wir die
ubermaß des ungeltcz beczalen sollen unnd mytlerzeyt ferner nit einle-
gen, wer wir ganz willig dem folg zu thun, wo⁶) das inn unnßerm ver-
mugen were; dieweyl es unnß aber so ubel get unnd zuvor⁷) diß jar so
hardt ligt, kunen wir solchs ungelt nit beczalen unverkauft und unczer-
drent unnßer guter, dann die von Ertfardt zalen unns nit; sindt unns
200 fl schuldig. So haben wir der Schwerczin, die von uns gangen ist,
auch 100 fl mußen geben, darzu das ungelt, wie unns von E W aufgelegt
ist, an dem wir unnßerm W h[errn] pfleger auch noch 100 fl schuldig
sindt, mit denen er unns getreulich furgeseczt hat, also das wir nit allein
mercklichen mangel an gelt haben, sunder auch schuldig sindt und der-
maß hauß hallten mußen, das wir unns an unnßer leybnarung apprechen
mußen, derhalb ist an E W unßer untertenig pitt, die wollen unns umm
gottes willen dißes lasts ablaßen oder auf das mynst weyter zil⁸) unnd
zeyt geben, ob got etwan sein genad uns mitthaylen wolt, das wir so vil
erschwingen mochten, das wir E W willen mochten machen, dann ye E
W unnßer vermugen wol wißen ist.

So kunen wir auch genungsam mit unßer rechnung anzeygen, wie
wir haußhalten, wißen eygentlich, das E W ehallten⁹) nit mit so geringen
kosten mugen erhallten werden. So begern wir nit kostlich zu leben,
wenn wir neurt¹⁰) unnßer schlechte¹¹) unnd ganz geringe leybsnarung
haben mochten, bergerten wir nit mer. Hoffen ye, E W soll unns genedigk-
lich bedencken unnd ein mitleyden mit unns haben, das wollen wir, wie
wir mugen, umm dieselben zu verdynen geflißen seyn.

Nota. Darnach an sannt Margreten tag schickt der ungelter das cze-
telein mit den 412 gulden II s. XVIII den. her; man het unns sunst keyn
andre antwurt geben. Darnach, III tag nach sannt Margreten tag, supli-
cirten die s[chwestern] von sannt Katerina, das man sye ein ließ legen.
Da fur der pfleger herfur unnd ließ erst unnßer suplicacion auch leßen;
die het er vor die zeyt alle verhallten.

Darnach zu sannt Barbara tag gab wir die 6. suplicacion in rot: [Bl. 86]

Fursichtigen, weißen, gunstigen, lieben herrn!

Wir fugen E W zu wißen, das wir unns nach euerm verpot einlegens
enthallten haben syder¹²) vor sannt Margreten tag auß ursach, das wir
daz ungelt nit zu bezalen haben gehabt unnd ymer gehoft auf unnßer

---

³) ohnedies   ⁴) Mühe   ⁵) immer   ⁶) wenn   ⁷) besonders   ⁸) Termin
⁹) Dienstboten   ¹⁰) nur   ¹¹) einfache   ¹²) seit

ewigs gelt zu Ertfurdt. Wenn das gefiel[13]), wollten wir unns gehorsamigklich erzaygen, so aber solchs gelt noch außen stet unnd wir nit weyter kunen, pitten wir E F W demutigklich umm gottes willen, wolt unns weyter erlauben einzulegen, das wir nit geraten[14]) kunen; ist große not vorhanden. Der parmherzig gott woll E F W auch permherczigkeyt beweyßen, wollen wir seyn genad getreulich pitten.

Nachdem pracht unns der ungelter das zetelein wie hernach volgt:

Den closterfrauen zu sannt Claren soll man vergunen weyn einzulegen so vil sye wollen, doch so innen[15]) das gelt von Ertfurt gefall[16]), das sye alsdann alles ungelt bezalen.

Freytag 4. decembris 1528.

---

[13]) einträfe
[14]) entbehren
[15]) ihnen
[16]) wie 13

St. Klara in Nürnberg. Das Kloster wurde 1898 abgebrochen, die Kirche ist heute noch in Gebrauch und birgt das Grab der großen Äbtissin.

Textgeschichte der Denkwürdigkeiten

Titel und Herkunft der Codices

Die sogenannten „Denkwürdigkeiten" der Caritas Pirckheimer sind uns in vier Papierhandschriften (Codices A — D, A 30 x 22 cm, B 31 x 20 cm, C 34 x 21,5 cm, D 33,5 x 22 cm) des Staatsarchivs Nürnberg[1]) erhalten. Der Titel „Denkwürdigkeiten" stammt wahrscheinlich erst von Constantin Höfler[2]). Auf den Vorsatzblättern und Einbanddeckeln der Codices sowie in einem alten Repertorium des Staatsarchivs Nürnberg findet sich der Titel „Denkwürdigkeiten" nicht, sondern statt dessen „Briefwechsel der Charitas Pirkheimerin, Äbtissin von St. Clara, 1503—1532" (Codex A und Veraltete Repertorien Nr. 400), „Manuscript Reformation im Kloster S. Clara zu Nürnberg betr.", „Correspondenz der Charitas Pirkheimer" (Codex B).

Die Handschriften kamen vermutlich noch vor dem Aussterben des Nürnberger Klaraklosters an das Klarakloster in Bamberg und bei dessen Säkularisation 1803[3]) an das Bamberger Archiv, wo sie von Höfler gefunden und veröffentlicht wurden[4]). 1881 wurden sie dann als nach Nürnberg gehörig an das damalige Kreisarchiv, jetzt Staatsarchiv Nürnberg abgegeben[5]).

Beschreibung der einzelnen Codices

Die älteste Handschrift (zugleich Konzept für Codex A und Vorlage für die Codices B und C) ist Codex D (alt paginiert, 68 Seiten). Dies geht aus den verschiedenen Schreiberinnenhänden sowie aus zahlreichen Zusätzen und Korrekturen am Rand und im Text und verschiedenen Regieanweisungen für die anzufertigende Reinschrift, nämlich Codex A, besonders auf Seite 54 und 57 der Handschrift (Seite 100 und 104 des Druckes) klar hervor.

Die Codices B und C sind Abschriften von D und wurden erst im 17. Jahrhundert im Klarakloster in Bamberg angefertigt; sie haben den gleichen Wortlaut wie D, nur ist am Schlusse (Cod. B Seite 128 ff., Codex C Seite 83 ff.) noch hinzugefügt: „Ordenliche Succession aller Abbatissinnen von anfang bis zum endt (da das Luthertumb begint) deß Jungfrawlichen Closters zu St. Claren in Nürnberg. Mit gründlichen Bericht, wie lang die Schwestern solches innen gehabt"[6]). Der letzte Absatz von Codex B und C lautet: „Dieses von der Succession der Abtissin und Possession deß Closters S. Clarae zu Nürnberg. Item die Veränderung der Clöster daselbst seint alhie zu Bamberg Anno Domini 1628 aus etlichen Nürnbergischen und anderen Cronicis, auch lebendigen Zeugnußen ohne

---

[1]) Kloster St. Klara, Akten und Bände, Rep. 5a, Nr. 5, Cod. A—D.

[2]) Der hochberühmten Charitas Pirckheimer, Äbtissin von S. Clara zu Nürnberg, Denkwürdigkeiten aus dem Reformationszeitalter. In: 15. Bericht über das Wirken des historischen Vereins zu Bamberg. Bamberg 1852; ferner in: Quellensammlung für fränkische Geschichte, 4. Bd. Bamberg 1853. Im folgenden zitiert: Höfler, Denkw.

[3]) Meyer Otto, St. Klara und ihr Kloster in Bamberg. In: Fränkische Blätter für Geschichtsforschung und Heimatpflege 5 (1953) Nr. 23, S. 90—92.

[4]) Höfler, Denkw. Einleitung S. XXXXIV.

[5]) Lt. frdl. Mitteilung des Staatsarchivs Bamberg sind weder in den Archivalien des Bamberger Klaraklosters noch in den Säkularisationsakten der bayer. Regierung nähere Hinweise auf diese Handschriften enthalten.

[6]) Abgedruckt bei Höfler, Denkw. Anhang S. 202—207.

Falsch treuhlich zusammengeschrieben worden per F[ratrem] Christianum Koppium Confessarium ad S. Claram⁷)".

Der ganze Codex B ist von einer Hand des 17. Jahrhunderts geschrieben, auch die „Succession der Abtissinnen . . . ." mit Ausnahme der letzten Worte: „Per F. Christianum Koppium . . . .", die von anderer Hand hinzugefügt sind und zwar von der gleichen, die auch den ganzen Codex C geschrieben hat, so daß wohl Codex C von dem Beichtvater Koppius selbst geschrieben wurde, B aber von einer anderen unbekannten Hand; zur Beglaubigung von B hat Kopp am Schlusse dann hinzugefügt: „Per F. Christianum Koppium . . . ". In Codex C steht am Schlusse nur: F. C. K., vermutlich Frater Christianus Koppius.

In Codex C liegt noch ein loser Bogen, von der gleichen Hand geschrieben wie der übrige Text des Codex, mit der Überschrift: „Successio Abbatissarum monasterii s. Clarae Norimbergae", der nur die Namen der Äbtissinnen und die Jahreszahlen ihres Regierungsantritts enthält.

Von der gleichen Hand wie Codex C — also wahrscheinlich der des Christian Kopp — finden sich in Codex D öfters Randbemerkungen; so z. B. regelmäßig am unteren Ende eines Blattes, wo das erste Wort oder die ersten Worte des folgenden Blattes vorausgenommen werden, wie man es auch in alten Drukken oft findet; ferner an mehreren Stellen die Bemerkung: „Hic desideratur aliquid". Es sind jene Stellen, welche im Codex D fehlen, aber in Codex A vorhanden sind. Kopp hat also D mit A verglichen und das in D Fehlende durch diese Bemerkung gekennzeichnet. Sie findet sich auf Seite 55 des Originals (Druck S. 116), Seite 57 Or. (Druck S. 104), Seite 59 Or. (Druck S. 20), Seite 63 Or. (Druck S. 143). Doch sind nicht alle Stellen, an denen D von A abweicht, so gekennzeichnet.

Codex A ist die umfangreichste aller vier Handschriften (neu foliiert, 92 Blatt). Auf dem ersten Blatt steht, von einer späten Hand (18. oder 19. Jahrhundert) geschrieben: „Manuscript A. Copie des Codex D". Codex A ist eine gleichzeitige Reinschrift des Codex D, doch enthält A einige längere Partien, die in D fehlen. Ich vermute, daß diese Texte der Abschreiberin noch im Original vorlagen und von diesem gleich in die Reinschrift A übertragen wurden, also im Konzept, als welches D zu betrachten ist, nicht erscheinen. Im Druck sind die Partien, die uns nur in A erhalten sind, jeweils eigens erwähnt. Besonders kennzeichnend dafür sind die langen Partien von Dr. Wenzel Links Unterricht und der darauf erfolgten Antwort der Äbtissin, die wohl gleich vom Original in die Reinschrift A übernommen wurden; im Codex D findet sich nur die Anweisung: „Daher schreib doctor Wenczel artickel das erst mol und mein antwurt da·auf.." (Seite 57 im Original, Seite 104 im Druck).

Codex A ist von Blatt 1—73 von ein und derselben Hand in einer sauberen, gut leserlichen, etwas eintönigen Reinschrift geschrieben. Es ist zweifellos die Hand einer Schreiberin, die das im Kloster übliche Schreiberinnenamt

---

⁷) P. Christianus Koppius erscheint in den Ämterlisten von P. Georg Freydag (Manuscript Pfarrarchiv Forchheim) in den Jahren 1622—1623 und 1635—1637 als Beichtvater der Klarissen in Bamberg.

ausübte[8]); denn von der gleichen Hand sind auch große Teile des Codex D, des Baubüchleins des Klaraklosters[9]), und einige Briefe aus demselben Kloster geschrieben worden. Ab Blatt 73' schreibt eine andere Hand in einer flüssigeren, weniger sorgfältigen Schrift bis zum Schluß.

Im Gegensatz zu Codex D finden sich in A nur ganz selten Korrekturen oder Randbemerkungen, was seinen Charakter als Reinschrift bestätigt. Eine dritte Hand — vermutlich des 17. Jahrhunderts — hat in Codex A an den Rand manchmal — meist lateinische — Stichworte als Inhaltsangaben geschrieben oder an charakteristischen Stellen eine Art Ausrufzeichen gemacht, wohl um die Aufmerksamkeit des Lesers auf die betreffenden Stellen zu lenken.

Constantin von Höflers Ausgabe

Höfler gebührt das Verdienst, die Handschriften im Kreisarchiv Bamberg gefunden und erstmalig veröffentlicht zu haben[10]). Es ist hier nicht der Ort, den Historiker Höfler zu würdigen, über den Herausgeber Höfler muß jedoch einiges gesagt werden.

Obwohl man an eine Quellenedition von 1852 nicht mit den heutigen Maßstäben herangehen darf, können trotzdem verschiedene Mängel der Höflerschen Ausgabe nicht stillschweigend übergangen werden. Er sagt auf Seite LXXVII seiner Einleitung: „Von dem Epistolarcodex der Caritas besitzt das k. Archiv vier zum Theile unvollständige Exemplare. Eines davon erwies sich durch Vergleichung mit noch vorhandenen Originalbriefen der Caritas als Originalcodex und wurde hiebei zu Grunde gelegt." Da zu Höflers Zeit die Differenzierung in die Codices A — D noch nicht bestanden hat, ist nicht ersichtlich, welche Handschrift er als Originalcodex bezeichnet. In seiner Ausgabe folgt er jedenfalls hauptsächlich dem Codex A. Dieser ist aber — wie schon erwähnt — eine Abschrift von Codex D, kann also nicht als Originalcodex bezeichnet werden. Er enthält auch verschiedene Abschreibfehler und Auslassungen, wie aus dem kritischen Apparat der vorliegenden Ausgabe ersichtlich ist. An einigen Stellen legt Höfler jedoch auch den Codex D zugrunde, ohne anzugeben, wo dies jeweils der Fall ist.

Außerdem hat er sehr oft die Orthographie der Vorlage willkürlich modernisiert, einzelne Worte, oft auch ganze Sätze, — ob absichtlich oder unabsichtlich, sei dahingestellt — weggelassen, andererseits auch wieder Worte eingefügt, ohne dies im Druck kenntlich zu machen. Auf seine orthographischen Abweichungen konnte im Apparat natürlich nicht eingegangen werden; wo er aber den Sinn einer Stelle verändernde Lesarten bringt, Worte oder Sätze wegläßt oder einfügt, wurde dies im Apparat vermerkt.

Zu Höflers Charakterisierung als Herausgeber sei nur noch auf das Urteil zweier namhafter Historiker, eines Zeitgenossen Höflers und eines Modernen, hingewiesen[11]).

---

[8]) Horn G. Frh. v.: Das Clarissenkloster zu Bamberg, S. 57, in: 41. Bericht über Bestand und Wirken des hist. Ver. zu Bamberg 1878.

[9]) Stadtarchiv Nürnberg, Rep. 89, Nr. 388.

[10]) Wie zu Anm. 4.

[11]) Palacky Franz: Die Geschichte des Hussitenthums und Prof. Constantin Höfler. Kritische Studien. 2. Aufl. Prag 1868. Hier weist Palacky Höfler viele Seiten lang Fehllesungen in der Ausgabe lateinischer Quellen zur Zeit des Hussitentums nach. Schreiber Rudolf:

Die verschiedenen Schreiberinnenhände des Codex D

Seite 1—5 ist von der gleichen Hand geschrieben (Hand A). Es ist höchstwahrscheinlich die Hand einer Schreiberin. Sie findet sich auch im Gebetbuch der Caritas Pirckheimer (Blatt 159'—171' des Originals, im Faksimile auf Seite 12 des Druckes des Gebetbuches als Hand C), im Baubüchlein Blatt 64—67 und in mehreren Briefen, die alle an den Klosterpfleger Kaspar Nützel gerichtet sind[12]). Seite 6—9 schreibt eine andere Hand (B). Die Überschrift auf Seite 6 und die letzten zwei Zeilen auf Seite 9 sind jedoch von der Hand A geschrieben, vermutlich später hinzugefügt. Die Hand B schreibt im Codex D nur an dieser Stelle. Es scheint so, als ob die Bittschrift an den Rat zu einem andern Zweck abgeschrieben und später in das Konzept der Denkwürdigkeiten übernommen wurde, daher die spätere Überschrift durch Hand A auf Seite 6 und der Zusatz von derselben Hand auf Seite 9. Von der Hand B stammen vielleicht auch die Briefe Nr. 9 an Lazarus Holzschuher und Nr. 10 an Kaspar Nützel[13]).

Von Seite 10 bis 15 schreibt wieder Hand A. Auf Seite 16 und 17 erscheint eine neue Hand C. Sie ist unzweifelhaft identisch mit der Hand, die den ganzen ersten Teil des Codex A (Blatt 1—73) geschrieben hat. Sie hat auch den größten Teil des Baubüchleins, von Blatt 10—51 Mitte, geschrieben. Vom letzten Absatz auf Seite 17 des Codex D an bis Seite 21 schreibt wieder Hand A, Seite 22—23 Hand C, Seite 24—29 Hand A, Seite 30 Hand C, Seite 32—42 Hand A, auf Seite 42 im letzten Drittel der Seite beginnt mitten in der Zeile eine neue Hand (D). Sie begegnet uns auch im Baubüchlein Blatt 51—62' oben und in den Briefen Nr. 11—13, 18 und 21, alle an Kaspar Nützel gerichtet[14]). Hand D schreibt bis Seite 49. Ab Seite 50 schreibt wieder Hand A bis Seite 51, Seite 52—55 Hand D, Seite 56—57 obere Hälfte Hand C, untere Hälfte Hand D und weiter Hand D bis Seite 59, Seite 60 bis 67 ohne den letzten Absatz wieder Hand A.

Die letzten fünf Blätter des Codex D (Seite 58—63, 66/67) sind vermutlich beim Binden schon früh, noch vor der Herstellung der Abschriften der Codices B und C, aber nach Anfertigung des Codex A, vertauscht worden. Auf Seite 58 steht das Brieflein Sigmund Fürers an seine Nichte: „Freuntlich und liebes mumelein ....." Es steht in Codex A schon auf Blatt 8' und zwar hier im richtigen Zusammenhang. Darauf folgt noch auf Seite 58 des Codex D ein Brief an den Pfleger: „Diß priflein schickt ich unserm herrn pfleger. Schrib im dapey die nachvolgenten maynung." In Codex A steht dieser Brief auf Blatt 8'f. Seite 59 des Codex D — Antwort des Pflegers — ist identisch mit Codex A Blatt 9f. Ebenfalls noch auf Seite 59 steht: „Darnach gab die Fricz Teczlin ir clag und suplicacion in den rat. Die schickt mir der pfleger zu in dißem seinen priff

Constantin Höfler und Caspar Zeuß in Bamberg. In: Jahrbuch für fränkische Landesforschung, Bd. 14, S. 263—278, S. 277: .... Ein anderer Mangel, der Höflers früheren Arbeiten anhaftete, das Fehlen einer methodisch-kritischen Behandlung der Geschichtsquellen, ist leider auch durch seine Bamberger Editionspläne und Arbeiten nicht mehr ausgeglichen worden. Seine Editionen sind nach wie vor mehr auf die Sammlung von Quellenbeständen gerichtet als auf deren intensive kritische Durchdringung und Wertung.

[12]) Archiv des Germanischen National-Museums Nürnberg, Sammelbestand Bände und Akten, Akt: Briefe denkwürdiger Personen (1473—1631), Briefe Nr. 14—16.

[13]) Wie zu 12, Nr. 9 und 10.

[14]) Wie zu 12, Nr. 11—13, 18, 21.

eingeschlossen". Dies findet sich in Codex A auf Blatt 9' und 10. Da die Verhandlungen mit der Mutter der Schwester Tetzel am Tage nach Lichtmeß 1525 (vgl. Codex A Blatt 7) begonnen haben, ist die Einreihung in Codex A chronologisch richtig. Seite 58 und 59 des Codex D sind daher falsch eingereiht.

Die Seiten 60—63 des Codex D enthalten den Bericht über die „Visitation" Sigmund Fürers, Endres Imhoffs, Dr. Juglers [= Gugel] und Karl Ortels am Allerseelentag des Jahres 1527. Er steht chronologisch richtig am Schluß des Codex. In Codex A steht er auf Blatt 70—72'. Auf Seite 64 des Codex D — die Seitenzahl ist korrigiert, vielleicht aus ursprünglich 67 — und Seite 65 steht ein Brief der Äbtissin K a t h a r i n a Pirckheimer an den Rat, der offensichtlich nicht hierher gehört. Er handelt von Vermögensangelegenheiten des Klosters und ist erst nach dem Jahre 1536 geschrieben. Er fehlt auch in Codex A und in Höflers Ausgabe und wurde auch in dieser Ausgabe, als der Zeit der Caritas Pirckheimer nicht mehr angehörig, weggelassen.

Auf Seite 66 — vermutlich aus 68 korrigiert — und Seite 67 steht ein Brief an den Pfleger. In Codex A steht er auf Blatt 68'f. Er ist die Antwort auf einen Brief des Pflegers, in dem dieser seinen durch den Besuch Melanchthons erfolgten Gesinnungswechsel den Schwestern mitgeteilt hat, gehört also noch in das Jahr 1525. Er steht daher in Codex A chronologisch an der richtigen Stelle vor dem Bericht über die Ereignisse des Allerseelentages 1527.

Aus dem Jahre 1526 stammt nur eine kurze Notiz: „Item am eritag nach dem jarstag im 26 ....." in Codex D auf Seite 67, letzter Absatz und Schluß des Codex D, in Codex A auf Blatt 69'. Auf Blatt 70 des Codex A folgt dann gleich der Bericht über den Allerseelentag 1527.

Die vermutliche Originalhandschrift der Caritas Pirckheimer

Außer den vier Händen (A—D), die den eigentlichen Text des Codex D schreiben, findet sich noch eine fünfte Hand (E), die nur Korrekturen, Randbemerkungen und Zusätze schreibt. In ihr dürfen wir mit großer Wahrscheinlichkeit die Originalhandschrift der Caritas Pirckheimer vermuten; denn wer sonst als die Äbtissin wäre befugt gewesen, Korrekturen, Ergänzungen und Regieanweisungen anzubringen? Schon Höfler hat diese Vermutung ausgesprochen[15]).

Als besonders charakteristische Stellen seien angeführt: Seite 42 des Originals (Seite 79 des Druckes): Hier ist im Text eine Zeile von einer andern Hand als Hand A eingefügt und dann, da der von der Schreiberin frei gelassene Platz nicht ausreichte, das Folgende quer an den Rand geschrieben worden. Es handelt sich um die „Personalien" der drei mit Gewalt aus dem Kloster geholten Schwestern: Margaret Tetzel, Katharina Ebner und Klara Nützel.

Hand A schreibt: „ ..... dye swester Margret Teczlin was", dann schreibt Hand E in den frei gelassenen Raum: „XXIII jar alt und IX jar im h[eiligen] orden gewest, Kat[erina] Ebnerin und C[lara] N[üczlin] kamen bed an einem tag in den h[eiligen] orden, theten auch an", nun schreibt Hand E quer am Rand weiter: „einem tag profeß auf Inventionis Sancte Crucis, was VI jar gewest, das sy in das closter kumen waren, Cat[herina] Ebnerin was XX jar alt, C[lara] N[üczlin] XIX, da man sy hinauß nam."

---

15) Höfler, Denkw. Fußnoten auf Seite 8 und 19.

Es verhält sich wohl so, daß der Schreiberin die genauen Daten nicht sicher bekannt waren, weshalb sie daher etwas Platz frei ließ, worauf dann die Äbtissin bei der Durchsicht und Korrektur des Konzepts die fehlenden Angaben hinzufügte.

Eine zweite Stelle findet sich auf Seite 45 des Originals (S. 84—86 des Drukkes): Hier geht es um einen Zettel, den der Visierer im Auftrag des Rats wegen des Weineinlegens gebracht hatte. Den Text schreibt die Hand D: „Darnach an sant Lorenczen abent", das von der Hand D Folgende ist durchgestrichen und dafür von Hand E eingetragen: „*Kam der visirer, der pey uns visirt het*", jetzt schreibt wieder Hand D, stellenweise von Hand E ergänzt, „sagt an von rats wegen III stuck, das I., das wir keinen weyn furpaß ein solten legen on ein zetelein vom ungelter", jetzt folgt Hand E: „*Das II., das wir alweg wein und pier vor solten visirn loßen, e wirs einlegen, das III., das wir alles die geschworn einleger solten ein loßen legen, also hab wir syder der selben zeit*", das Folgende ist von Hand E am Rand quer geschrieben, „*alweg, wenn wir wein gekauft haben, ein zetelein . . . . .*" und so weiter bis . . „*und loßen es das gesind einlegen*".

Auch hier war wohl der Schreiberin der genaue Inhalt der Anordnung des Rats nicht bekannt oder nicht mehr in Erinnerung, die Äbtissin hat deswegen bei der Durchsicht des Konzepts das Fehlende ergänzt, bezw. korrigiert.

Auf Seite 54 des Originals unten (Seite 100 des Druckes) folgt einem von der Hand D geschriebenen Brief des Pflegers die von der Hand E geschriebene Bemerkung und Anweisung: „*Auf dißen brif gab ich dem pfleger diße antwort. Daher schreib den brif von der s[wester] B [?] geschrift: Die genad gott[es] sey mit uns allen*", von anderer Hand „fol. 53", dann wieder Hand E „*und uberheb den nechst nachgeschriben brif*". Also eine Anweisung für die Schreiberin der Reinschrift, den Brief auf Seite 53 des Konzepts vor den auf Seite 55 zu schreiben, was, wie Codex A, Blatt 50 ff. zeigt, von der Abschreiberin auch beachtet wurde.

Auf Seite 57 des Codex D (Seite 104 des Druckes) steht, zwar durchgestrichen, aber noch gut leserlich, zuerst von Hand D geschrieben: „Daher schreib doctor Wenczel artickel das erst mol und mein antwurt darauf", dann von Hand E geschrieben: „*Schreib den titel also: Diß ist doctor Wenczels unterricht, die er mir durch unßern pfleger auf sein anregen geschriben hat und mein antwort darauf, die schickt ich dem pfleger mit dem obgeschriben brif.*" Wie wiederum Codex A, Blatt 52' zeigt, ist dort die Überschrift zu Dr. Wenzel Links „Unterricht" genau so abgeschrieben worden.

Auf der Rückseite des ersten unnumerierten leeren Blattes des Codex D, das vermutlich auch an falscher Stelle eingeheftet wurde, steht von der Hand E geschrieben: „*Den brif schrib wir conventlich dem pfleger zu ann[untiationis] den eltern herrn zu lesen C[aritas ?]*".

Auf der letzten Seite (67) des Codex D ist der erste Absatz von der Hand A geschrieben, es ist der Schluß eines Briefes an den Pfleger, dann folgt ein von der Hand E geschriebener Zusatz, der aber nicht mehr zu dem vorhergehenden Brief gehört: „*Item am eritag nach dem jarstag im 26 kam ein kanzelschreiber . . . .*" (im Druck auf Seite 136—137).

Von der gleichen Hand E besitzen wir auch einige Briefe, zwei an Kaspar Nützel, Nr. 8 und Nr. 19[16]) und einen an Michel Behaim[17]), sowie zwei Einträge im Baubüchlein des Klaraklosters, Blatt 9' und Blatt 24. Blatt 9 ist leer geblieben, auf seiner Rückseite findet sich ein Nachtrag zu Blatt 10; Blatt 24 ist lose eingelegt, darauf steht eine Ergänzung zu Blatt 23'. Wir können hier die gleiche Beobachtung machen wie in Codex D, daß diese Nachträge von der Hand der Äbtissin stammen.

Obwohl die Schriftzüge der Schwestern einander oft sehr ähnlich sind — haben sie doch wohl alle erst im Kloster lesen und schreiben gelernt — so lassen sich dennoch, besonders wenn die Schrift flüchtiger ist und es der Schreiberin nicht so sehr um Schönheit und Deutlichkeit der Schrift geht, wie es bei den Zusätzen und Korrekturen der Hand E im Konzept des Codex D der Fall ist, charakteristische Eigenheiten der einzelnen Hand feststellen, so bei der Hand E z. B. die h, ch, ß und besonders die Schluß-s, die fast wie ein E aussehen und von keiner anderen Schreiberin in dieser Form geschrieben werden.

Wie bereits erwähnt, hat schon Höfler vor mehr als hundert Jahren die Vermutung ausgesprochen, daß die Korrekturen des Codex D von der Hand der Caritas Pirckheimer stammen. Ernst Schulz, der sich eingehend mit dem Briefwechsel der Caritas, besonders in paläographischer Hinsicht, beschäftigt hat[18]), kam vor etwa 25 Jahren zu dem Ergebnis, daß drei Briefe, die vorher erwähnten Nr. 8 und 19 und der Neujahrsbrief an Michel Behaim, von der Hand der Caritas stammen. Es ist ohne Zweifel die gleiche Schrift wie die der Zusätze in Codex D der Denkwürdigkeiten (Hand E).

Daß diese Schrift im Gebetbuch der Caritas Pirckheimer nicht vorkommt, spricht gleichfalls für die Richtigkeit der Annahme, daß es sich um die Originalhandschrift der Caritas handelt, denn es ist nicht wahrscheinlich, daß die Äbtissin eigenhändig Gebete abgeschrieben hätte, da es ja im Kloster ein eigenes Schreiberinnenamt gegeben hat. Gerta Krabbel[19]) spricht die Vermutung aus, daß die Schwestern diese Gebete ihrer Äbtissin zu einem besonderen Anlaß geschrieben und geschenkt haben, vielleicht zu ihrem 25jährigen Jubiläum als Äbtissin. In diesem Zusammenhang wäre es leicht erklärlich, daß die Hand der Äbtissin im Gebetbuch nicht erscheint.

---

[16]) Wie zu 12, Nr. 8 und 19.

[17]) Archiv des Germanischen National-Museums Nürnberg, Behaim-Archiv, Neujahrsbrief an Michel Behaim; gedruckt in den Mitteilungen des Vereins für Geschichte der Stadt Nürnberg, Heft 2, 1880, S. 197 f.

[18]) Herr Univ. Prof. Dr. Bernhard Bischoff, München, war so liebenswürdig, mir Aufzeichnungen und Photokopien von Pirckheimerbriefen aus dem Nachlaß von Ernst Schulz zur Verfügung zu stellen. Darunter befinden sich auch einige Photokopien aus der sog. Sammlung Meusebach, deren Originale lt. Mitteilung der Staatsbibliothek Berlin seit den Auslagerungen im zweiten Weltkrieg verschollen sind.

[19]) Krabbel Gerta, Caritas Pirckheimer. Ein Lebensbild. 2. Aufl. Münster 1941, S. 217.

Probe für Hand B aus Cod. D, Seite 6

Probe für Hand C aus Cod. D, Seite 16

Probe für Hand A, D und E aus Cod. D, Seite 42

Probe für Hand D und E aus Cod. D, Seite 45

Literaturverzeichnis

Binder Franz, Charitas Pirkheimer, Äbtissin von St. Clara zu Nürnberg. Freiburg i. B. 1873

Deichstetter Georg, Ain Kron zu dem Kindlein von Bethlehem zu laden. Aus dem Gebetbuch der Caritas Pirckheimer. Nürnberg 1959

Ebner Hieronymus, in: Allg. Deutsche Biographie (alt), Bd. V, S. 592 f.

Engelhardt Adolf, Geschichte der Reformation in Nürnberg. In: MVGN 33 (1936), S. 1—258

ders., Die Reformation in Nürnberg. Eine Gabe zum Reformationsjubiläum 1925. 99 S.

Friedensburg Walter, Eine Aufzeichnung aus katholischer Feder über die Stadt Nürnberg im Jahre 1532. In: ZsbayrKg. 4 (1929), S. 73—81
(lat. Bericht eines ungenannten spanischen höheren Geistlichen an Nuntius Aleander über die religiösen Verhältnisse in Nürnberg)

Gatz Johannes, Wer war Caritas Pirckheimer? In: „Antonius", April 1960

ders., Caritas Pirckheimer, eine religiöse Persönlichkeit, Ebenda Mai, Juni 1960

Geiger Ludwig, Charitas Pirckheimer. In: ADB 26 (1883), S. 817—819. (ADB = Allg. Deutsche Biographie)

Höfler Constantin, Der hochberühmten Charitas Pirkheimer, Äbtissin von S. Clara zu Nürnberg. Denkwürdigkeiten aus dem Reformationszeitalter, Bamberg 1852

Kasbauer Sixta, Die Fraue von St. Claren. Die Geschichte einer Nürnbergerin. München 1933

dieselbe, Charitas Pirckheimer. In: Ascese und Mystik, 1934, S. 57 ff.

"   Charitas Pirckheimer, eine Heldin des Glaubens. Landshut 1932

"   Die große Fraue von St. Clara. Landshut 1960 und in: „Antonius", Monatsschrift der bayer. Franziskanerprovinz, 1961

Kist Johannes, Charitas Pirckheimer. Ein Frauenleben im Zeitalter des Humanismus und der Reformation. Bamberg 1948

Kolde Theodor, Über das Kirchenwesen in Nürnberg im Jahre 1525. In: Beitr. z. bayer. Kg. 19 (1913), S. 57—74
(Darin auf S. 65—74 abgedruckt: Verzeichnus der geenderten misspreuch und ceremonien, so in kraft des wort gottes zu Nurnberg abgestelt und gepessert seien)

Krabbel Gerta, Caritas Pirckheimer. Ein Lebensbild. 3. u. 4. Aufl. Münster 1947

Lochner Georg Wolfgang Karl, Lebensläufe berühmter und verdienter Nürnberger. Nürnberg 1861
(Darin u. a.: Hieronymus Ebner, Caspar Nützel, Willibald Pirckheimer, Caritas Pirckheimer, Christoph Scheurl)

ders., Die Reformationsgeschichte der Reichsstadt Nürnberg. Nürnberg 1845

Loose Wilhelm, Aus dem Leben der Charitas Pirckheimer. Nach Briefen. Dissertation Dresden 1870

Ludewig Georg, Die Politik Nürnbergs im Zeitalter der Reformation (von 1520—1534). Göttingen 1893

Michel Lothar, Der Gang der Reformation in Franken. Auf Grund kritischer Übersicht über die bisherige Literatur dargestellt. Erlanger Abhandlungen zur mittleren und neueren Geschichte, 4. Bd. Erlangen 1930

Münch Ernst, Charitas Pirckheimer, ihre Schwestern und Nichten. Nürnberg 1826

Nützel Kaspar, siehe über ihn Mummenhoff in ADB Bd. 24 (1887), S. 66—70

Pickel Georg, Geschichte des Barfüßerklosters in Nürnberg. In: Beitr. z. bayer. Kg. 18 (1912), S. 249—265, 19 (1913), S. 1—22, 49—57

ders., Geschichte des Klaraklosters in Nürnberg. Vom Beginn der Reformation bis zum Ende des Klaraklosters. (1525—1596). Ebda. 19 (1913), S. 145—172, 193—211, 241—259

Reicke Emil, Geschichte der Reichsstadt Nürnberg. Nürnberg 1896

Reindell Wilhelm, Doktor Wenzeslaus Link aus Colditz. (1483—1547). 1. Teil. Marburg 1892
(Der 1. Teil reicht nur bis 1522, der 2. Teil ist nicht mehr erschienen)

Roth Friedrich, Die Einführung der Reformation in Nürnberg. (1517—1526). Nürnberg 1885

Schmidt Hermann Josef, Die Denkwürdigkeiten der Äbtissin Charitas Pirckheimer. Heft 31 der religiösen Quellenschriften. Düsseldorf 1926

Schornbaum Karl, Zum Aufenthalte Johann Polianders und Johann Schwanhaussens in Nürnberg. In: Beitr. z. bayer. Kg. 6 (1900), S. 216—228

Schottenloher Karl, Bibliographie zur deutschen Geschichte im Zeitalter der Glaubensspaltung 1517—1585. Bd. II, Leipzig 1935. Nr. 17268—17281

ebda. Nürnberg, Reformation Nr. 26154—26164. Bd. V, Berlin 1939, Nr. 48681—48682a

Schubert Hans v., Lazarus Spengler und die Reformation in Nürnberg. In: Quellen und Forschungen zur Reformationsgeschichte. Bd. XVII. Leipzig 1934

Weismantel Leo, Die Letzten von Sankt Claren. Freiburg i. B. 1940

Außerdem erschien in den USA folgende Dissertation:

Ryan, Catherine Bernardi, Charitas Pirckheimer. A study of the impact of the Clarine tradition in the process of Reformation in Nuremberg, 1525. Ohio State Univ. 1976.

Inhaltsverzeichnis